KB195318

찬성 vs 반대

자유학기 토론수업
찬성 vs 반대

초판 3쇄 발행 | 2020년 8월 1일

지은이 유레카편집부
책임편집 이소은
디자인 블랙페퍼디자인

펴낸이 김지나
펴낸곳 (주)유레카엠앤비
주소 | 종로구 새문안로 3길 23 경희궁의 아침 4단지 오피스텔 502호
전화 | 02-322-1848(편집부) 02- 558-1844(마케팅)
팩스 | 02-558-1847
E-mail | eurekaplus@daum.net
출판등록 2005년 11월 8일
등록번호 제16-3757
값 2만원

ISBN 978-89-92522-40-3
ISBN 978-89-92522-38-0(세트)

자유학기 토론수업

찬성 vs 반대

유레카 편집부

(주) 유레카엠앤비

프롤로그

"토론에 능숙하다는 사실은 사고력, 논리력, 리더십의 탁월함을 보증한다"

사고思考라고 하면 왠지 어렵고 막막하다. 영어든, 수학이든 모든 과목을 공부할 때 가장 기초가 사고력이라면서 사고력을 향상시켜야 한다고 강조한다. 그런데 사고력을 어떻게 키워야 하는지 방법론에 대해서는 구체적이지가 않다. 그럼 사고라는 말을 생각이라는 말로 대체해보자.

우리는 늘 생각을 하고 살아간다. 아침에 잠에서 깨어나는 순간부터 생각을 시작한다. 오늘은 어떤 옷을 입을지, 학교나 학원을 갈 때 걸어서 갈지 버스를 타고 갈지 생각한다. 생각은 선택을 위한 행위다. 어떤 옷을 입을지, 무엇을 타고 이동할지 선택할 때 언제나 근거가 있다. 친구들과 영화관을 가기로 한 날은 학원 갈 때와 다르게 조금 멋을 내본다. 버스를 탈지 지하철을 탈지 정할 때도 움직이는 시간대와 가고자 하는 장소에 따라 달라진다.

이처럼 우리는 매 순간 생각하고, 그 생각에 따라 움직인다. 중국집에 가면 짜장면을 먹을지 짬뽕을 먹을지 늘 오락가락이다. 누구도 이 결정을 대신해주지 않는다. 중요한 선택은 물론이고 사소한 선택에도 우리는 늘 흔들린다. 인문계와 자연계, 태블릿과 노트북, 기호 1번과 기호 2번 사이에서. 이걸 남이 결정해준다면 얼마나 편할까?

하지만 그것은 내 삶을 남에게 맡기는 행위다. 내 삶은 내 것이어야 한다. '내가 스스로 판단하는 것'은 내 삶을 내 것으로 만드는 소중한 행위다. 내 판단을 남에게 맡길 때 나는 리모콘으로 조종당하는 존재가 된다. 생각하는 힘은 나를 인간으로 만드는 힘이다. 멀쩡한 휴대폰을 버리고 '신상'을 새로 살 때, 혹여 내가 광고에 세뇌된 것은 아닌지, 꼭 필요한 것인지 생각하는 사람은 손해보지 않는다. 또 다수가 지지하는 정책이라고 해도 타당성을 갖췄는지, 포퓰리즘은 아닌지 생각하는 사회는 퇴보하지 않는다.

생각은 이성을 가진 인간만이 할 수 있는 본성이지만, 이 사고 속에는 개인의 이익과 선입견, 가치관, 관습 등에 얽매인 왜곡된 것들이 스며 있다. 선입견과 편견은 종종 사물과 사실을 있는 그대로 보지 못하게 하고 우리의 현실을 왜곡한다. 인간의 삶은 간단치 않고 우리는 종종 복잡한 문제에 직면한다. 진통제에만 의존한 채 극심한 신체적 고통을 호소하는 말기 암을 앓는 아버지를 아들이 누나와 엄마가 지켜보는 가운데 목을 졸라 죽음에 이르게 한 사건이 있었다. 이 일로 가족들은 실형을 선고받았다. 당신이 판사라면 어떤 판결을 내리겠는가?(존엄사를 둘러싼 논쟁은 몇 년에 걸쳐 이어졌고, 2016년 1월 국회 본회의를 통과, 2018년 시행 중이다.)

우리 인간은 이처럼 복잡한 상황에 종종 놓이게 된다. 사고력, 즉 생각의 힘은 비단 학문의 영역뿐 아니라 사회생활 전반에서 어쩌면 가장 절실하게 필요한 능력일 수 있다. 하지만 사고력을 키우는 일이 쉽지 않다. 해야 할 공부의 양이 태산 같으니 머리를 쓰는 일은 웬만하면 피하고 싶다. 그러나 IT 기술 발전이 급격한 사회변화를 초래하면서 사회가 요구하는 인재상이 달라졌다. 정보가 넘쳐나니 이 정보를 금맥 삼아 새로운 가치를 만들어낼 줄 아는 창의성, 합리적 결론을 이끌어낼 줄 아는 커뮤니케이션 능력, 광속도로 변화하는 사회 흐름을 선도하는 깊이 있는 안목을 갖춘 인재를 요구한다. 이와 같은 능력의 기초가 바로 사고력이다.

《자유학기 토론수업 찬성 vs 반대》 시리즈는 우리 사회를 비롯한 전 세계에서 찬성과 반대 의견이 격렬하게 맞서는 테마를 다루고 있다. 인문교양 매거진 〈유레카〉의 '논쟁' 코너를 묶은 것으로 찬성과 반대 논거를 풍부하면서도 쉽게 정리하려고 노력했다. 사고력의 향상은 상반된 주장들이 날카롭게 대립하는 그 지점에서 생겨난다.

원자력 에너지 문제를 보자. 이 에너지의 위험성이 인류를 공멸시킬 수 있다는 것은 과장된 견해일까? 대체 에너지가 부족한 상황에서 무조건 원자력 에너지를 포기할 수 있을까? 첨예하게 대립된 논쟁을 지켜보면 머릿속에 무수한 의문들이 떠오른다. 이 의문이 사고력을 키우는 출발점이다. 각각의 입장을 주장하는 근거들을 읽다보면 애초의 의문들이 더욱 풍성해지면서 결국에는 자신의 사고를 세우는 믿음직한 기둥이 되어준다.

《자유학기 토론수업 찬성 vs 반대》는 우선 논리적 사고력을 튼튼히 하는 데 도움을 줄 것이다. 나아가 대학이라는 좁은 문을 통과하는 데도 유용할 것이다. 수능과 내신의 영향력이 줄어들면서 학생들의 면접 역량이 중요해졌다. 면접관 앞에서 자신의 의견을 당당하게 발언할 수 있는 힘은 탄탄한 사고력에서 출발한다.

마지막으로 입사 면접을 대비하는 데도 긴요하게 쓰일 것이다.

삶에서 '짬짜면'은 없다. 이 책을 읽고, "추운 겨울에는 뜨끈한 국물이 있는 짬뽕을 먹을 거야"라고 스스로 판단할 수 있는 힘을 기르길 기대한다.

인문교양 매거진 <유레카> 편집부 일동

차례

TABLE 1

DISH

가족과 성

TABLE 2

DISH

법과 사회

TABLE 3

DISH

경제와 윤리

TABLE 4

예술과 문화

DISH

TABLE 5

과학과 윤리

DISH

TABLE 6

세계와 미래

DISH

가족과 성

DISH

01 가족의 해체인가, 다양화인가

02 동성결혼, 법적으로 인정해야 하나

03 저출산 시대, 해법을 찾아라

04 성역할의 구분, 사회적 혹은 유전적

05 낙태, 합법화할 것인가

가족의 해체인가, 다양화인가

전통적인 가족 vs 대안가족

한부모 가족, 재혼 가족, 노인부부 가족, 독신부부 가족, 소년소녀가장 가족, 동성애 가족, 대안가족 등 실제 가족의 형태는 매우 복잡하고 다양하다. 우리가 일반적으로 가족이라고 할 때 떠올리는, 부모와 자녀로 구성된 핵가족은 전체의 50%가 채 안 되는 실정이다.

전통적인 가족이 균열되고 새로운 가족형태가 생겨나고 있다. 따라서 가족에 대해 보다 현실적인 인식이 필요하다고 말한다. 하지만 한편에서는 다양한 형태의 가족을 인정하는 것은 전통적인 가족을 해체시키고 사회질서까지 위협한다고 우려한다. 이러한 변화를 어떻게 보아야 할지 고민해보자.

키워드로 읽는 논쟁

1. 가족에 대한 정의

역사가 시작된 순간부터 가족은 있어왔다. 하지만 시대에 따라 각 사회와 문화에 따라 가족의 형태와 개념이 변화했다. 따라서 가족이란 무엇인지 일목요연하게 정의 내리기는 어렵다. 사전에서는 가족을 '부부와 같이 혼인으로 맺어지거나, 부모 자식과 같이 혈연으로 이루어진 집단, 또는 그 구성원'이라고 정의하고 있다. 법률적으로는 '동일한 호적 내에 있는 친족'을 가족으로 인정한다. 보통은 '혈연'을 가족 구성의 가장 핵심적인 조건으로 꼽는다.

최근에는 가족사회학자 어니스트 버제스와 하베이 로크가 정의한 가족의 개념을 보편적으로 받아들이고 있다. 이들은 현대가족의 변화를 "제도적 가족에서 우애적 가족으로의 변화"라고 요약했다. 제도적 가족이란 우리에게 익숙한 전통가족이라고 볼 수 있다. 이때의 가족은 사랑(관계)보다는 제도를 유지(제사나 가문 등)하기 위해 존재하는 가족이다. 이에 비해 우애적 가족은 개인의 행복과 성장을 더 우위에 둔다. 위의 두 사회학자는 가족을 다음과 같이 정의한다. '혼인, 혈연 또는 입양에 의해 결합된 집단으로 하나의 가구家口를 형성하고 남편과 아내, 아버지와 어머니, 아들과 딸, 형제와 자매라는 각각의 사회적 역할 속에서 상호 작용하며 의사소통하고 공통의 문화를 창조, 유지하는 집단.'

이들의 가족 정의에서 눈에 띄는 대목은 가족의 구성요소로 혈연만이 아닌 '입양'도 포함한 점이다. 이는 가족 형태의 변화를 감안한 것으로 보인다. 최근 가족의 형태가 다양해지는 추세다. 이를 두고 한편에서는 가족의 위기요, 붕괴라며 '정상가족'을 지켜야 한다고 목소리를 높이고 있다.

2. 정상가족?

가족이라고 하면 일반적으로 일부일처제의, 혼인으로 맺어진 부부와 자녀로 구성된 생활공동체를 떠올린다. 이와 같은 가족의 형태를 핵가족이라고 하고, 현대사회의 표준적인 가족 형태라고 해서 '정상가족'이라고 부르기도 한다. 하지만 이 같은 가족 형태는 비교적 근대에 형성된 것이다. 과거 농경사회에서는 공동의 노동이 필요했기 때문에 친족 중심의 대가족 형태가 보편적이었다. 그러다 현대에 오면서 임금노동자가 필요했고, 남성의 노동력을 안정적으로 확보하는 것이 중요한 문제로 대두되었다. 따라서 남성은 임금노동자로 일하고, 여성은 가사와 자녀 양육을 맡는 가족 형태로 자리 잡게 된 것이다.

하지만 최근 들어 가족의 형태가 변화를 겪고 있다. 정상가족(핵가족) 가구 수가 전체 가구의 46.8%에 불과하게 된 것. 나머지는 입양 가족, 한부모 가족, 동성커플, 공동체 가족, 일인 가구 등 새롭게 등장한 다양한 가족 형태가 차지하게 되었다.

3. 한국, 가족 위기 심각하다

현재 우리나라는 가족 해체 위기가 심각한 상황이다. 가족 해체를 보여주는 대표적인 지표가 이혼율. 인구 1000명당 이혼 건수를 의미하는 조이혼율은 2017년 기준 2.1명이다. 1970년대 0.4명이던 것과 비교해보면 5배 증가했다. 경제협력개발기구OECD 34개 회원국 가운데 9위를 차지했고, 아시아 회원국 중에서는 1위다. 우리나라의 경우 기존 가족의 해체도 문제이지만 가족을 형성하는 것 자체가 위기라서 더 문제다.

인구 1000명당 혼인 건수를 나타내는 조혼인율을 보자. 1980년 10.6명에 달했지만 2016년에는 5.5명으로 50%나 감소했다. 혼인율이 낮아지면 당연히 출산율도 떨어진다. 합계출산율을 보자. 합계출산율은 여성이 가임기간에 낳을 것으로 예상되는 총 출생아 수를 나타내는데, 70년대에는 4.53명이던 것이 2017년 기준 1.05명으로 떨어졌다. 무려 4분의 1이나 줄어든 것이다.

연애, 결혼, 출산을 포기했다는 '3포세대'는 다른 의미에서 보면 우리나라 가족 형성의 위기를 가리키는 말이기도 하다. 가족 구조가 변화하고, 혼인율과 출생률이 떨어지고, 이혼율이 증가하는 것은 우리나라만의 현상은 아니다. OECD 회원국의 혼인율은 지난 40년간 한국과 마찬가지로 40% 줄었고 같은 기간 이혼율은 2배 가까이 높아졌다.

4. 가족 위기가 초래하는 여러 가지 문제들

이혼이 늘고, 동거 커플이 늘고, 결혼은 했지만 자녀를 낳지 않은 경우도 많고, 혼자 사는 1인 가족도 늘어나는 추세에다 동성애 결혼을 허용하는 국가도 점점 늘고 있다. 이외에도 손자와 조부모가 함께 사는 가정이나 혈연으로 맺어지지 않은 공동체 가족도 늘고 있다. 혼외 출산도 급격히 많아지고 있다. 미국에서는 절반 가까운 신생아가 혼인과 관계없이 태어나고, 덴마크의 신생아 69%는 혼외 출산이다. 이처럼 핵가족은 전체의 50%에도 미치지 못하는데다 점차 줄고 있는 상황이다.

이러한 현상을 보면서 가족이 해체되고 있으며, 가족이 위기에 처해 있다는 우려의 목소리가 높아지고 있다. 가족 형태의 이러한 변화는 정상가족의 해체를 뜻하고, 그 결과 사회를 불안하게 할 수 있다는 것이다. 가족의 해체로 인해 사람들은 과거 가족에게서 얻었던 정서적 안정감을 메울 수 없게 되었고, 결혼 기피와 출산 기피로 이어지면서 사회 구성원을 재생산하는 기능이 현격히 떨어지고 있다는 지적이다. 뿐만 아니라 혼전 동거나 혼외 출산 등이 늘어남에 따라 아이들이 정서적으로 안정된 환경에서 성장하기 어렵게 된 것도 큰 문제로 지적받고 있다. 따라서 이를 해결하기 위해서는 가족의 전통적 가치를 복원해야 한다는 주장이 제기되고 있다.

5. 가족에 대한 개념을 달리 정립해야

가족이 사회를 구성하고 유지하는 가장 기초적인 집단이라고 보는 기능론자의 입장에서 보면 물론 가족의 위기요, 해체일 수 있다. 하지만 이러한 견해에 반박하는 사람도 많다. 가족 해체가 아니라 새로운 형태로의 변화라는 주장이다. 결혼이나 출산을 중심으로 한 가족의 형태가 다양성에 기반을 둔 새로운 가족 형태로 자연스럽게 변화하고 있다는 것. 이와 같은 견해를 가진 사람들은 가족의 변화를 해체, 소멸이 아닌, 사회 상황에 맞춰 적합한 방식으로 변화하는 것이라고 이해한다. 따라서 현재 다양한 가족 형태가 등장하는 것은 사회 상황에 맞게 가족이 새롭게 구성되는 자연스러운 과정이라고 받아들인다.

또한 '정상가족', '전통가족'만을 강조하는 태도는 잘못이라는 비판도 있다. 전통적인 형태의 가족만 정상으로 볼 경우 다른 유형의 가족을 '비정상'이라는 편견의 시선으로 볼 수 있기 때문이다. 즉 정상가족이라는 개념을 내세워 가족이란 이러이러해야 한다는 강력한 규범을 만들어내고, 이 범주에 들지 못할 경우 비정상적인, 특이하거나 무언가 부족한 결손으로 인식하게 된다는 것이다.

미국과 덴마크에서는 신생아의 절반 혹은 그 이상이 혼외 출산을 통해서 태어난다. 혼외출산이란 우리 사회의 관점에서 보면 명백한 가족 위기다. 따라서 이 통계 수치에 따르면 미국과 덴마크의 가족 위기는 우리보다 훨씬 심각한 상황이다. 하지만 이들 국가에서는 가족의 위기라는 사회문제가 없다. 오히려 삶의 중심축에 가족이 단단하게 자리잡고 있다. 왜 그런 걸까?

답은 간단하다. 출산이 꼭 혼인 안에서만 이뤄져야 한다는 고정관념을 갖고 있지 않아서다. 미국과 덴마크는 변화된 가족 구조를 새로운 가족의 형태로 받아들이고 그 속에서 관계를 새롭게 정립해나가고 있다. 즉, 각 구성원이 변화에 맞게 해야 할 역할을 건강하게 해나가고 있다. 반면에 한국은 새로운 가족 구조를 편견의 시선으로 바라보기 때문에 이에 걸맞은 관계 정립이 제대로 이뤄지지 않고 있다. 가족에 대한 전통적인 가치관, 정상가족 이상론에서 벗어나야만 가족 위기에서 벗어날 수 있다.

다양한 형태의 가족을 인정해야 할까

"가족의 다양성, 인정"

1 정상가족은 자연스러운 형태도, 보편적인 형태도 아니다

일반적으로 우리는 결혼한 부부와 둘 사이에서 태어난 자녀로 구성된 가족만을 자연스러운 가족 형태로 본다. 이렇게 구성된 핵가족을 보편적인 가족으로 받아들이고, 정상가족이라고 부른다. 하지만 우리가 간과하는 게 있다. 우리가 지금 정상가족, 핵가족이라고 부르는 이 보편적인 가족 형태 역시 사회적인 필요에 따라 만들어진 것이다. 고정된 불변의 것이 아니란 뜻이다.

지금은 핵가족을 가장 자연스러운 가족 형태로 받아들이지만 몇 세대 전만 해도 대가족이 전통적이고 일반적이며 정상적인 가족 형태였다. 당시에는 농업이 주요 산업이었으므로 노동력 확보를 위해서 대가족 제도가 필요했던 것이다. 그렇다면 더 오래 전에는 어땠을까? 아주 먼 과거에는 모계 사회도 있었다. 이처럼 가족의 형태는 시대상황에 따라 변모해왔다. 전통적인 가족형태란 무엇이다라고 규정할 수 없다는 얘기다.

2015년 기준 서울의 가구구조 변화를 보면, 1인 가구 비율이 27%에 달한다. 이미 4인 가구 18.8%를 앞질렀다. 1인 가구 비율은 1980년에 4.8%에 불과했는데, 35년만에 5배 늘어난 것이다. 더구나 1인 가구의 증가속도는 당초 예상을 훨씬 뛰어넘고 있다. 우리가 정상가족이라고 여기는 부부와 미혼 자녀로 이루어진 가족의 수는 현격히 줄어들어 전체 우리나라 가구수 대비 절반에도 이르지 못하는 실정이다. 정상가족은 자연스러운 형태도, 일반적인 형태도 아니다. 다양한 형태의 가족을 인정할 필요가 있다.

2 다양한 형태의 가족이 생겨나는 건 가족 위기가 아니라 변화다

부모로부터 독립해서 혼자 사는 젊은 세대, 결혼을 미루는 젊은층, 이혼 후 독신을 고수하는 사람들, 노인 단독 가구의 증가로 다양한 형태의 가족이 생겨나고 있다. 가족의 형태가 다양해지고 변화한다고 해서 이를 무작정 위기로 볼 수는 없다. 현대사회에 접어들어 산업화가 진행됨에 따라 경제 사회 구조는 현격한 변화를 겪게 되었고, 가치관의 변화가 수반되었다. 산업화와 더불어 자유주의와 개인주의 및 평등주의가 유입되었고, 그 결과 전통적 가족을 구성하는 철학이 흔들리는 것은 어찌 보면 자연스러운 결과다. 혈연 중심의 전통적 가족 해체는 당연한 과정이라고 볼 수 있다. 대가족이 핵가족으로 변모해왔듯이.

한편 점차 형식적인 결혼생활보다 개인의 행복과 삶의 질을 우선하는 사람이 늘고 있다. 이는 이혼율의 증가와 결혼율 감소로 이어질 수밖에 없다. 산업구조가 바뀌고 이에 따라 사회변화, 가치관이 변모하면서 가족의 형태가 달라지는 것은 너무나도 자연스러운 흐름이다. 그런데도 다양한 형태의 가족을 인정하지 못하고 이와 같은 새로운 변화를 가족 해체의 징후라고 판단하면서 과거의 가족 형태를 미화하거나 이상화하는 것은 참으로 어리석은 일이다.

과거의 농경사회, 이를 떠받치던 전통적인 가족이 조화롭고 안정적인 것이라는 믿음은 어떤 의미에서는 그저 신화에 불과한 것이다. 가족사 연구를 보면 가족의 황금시대는 없었다. 가족 형태의 변화가 사회 혼란을 초래한다는 주장은 근거도 없을 뿐만 아니라 올바른 현실 인식도 아니다.

3 전통적인 가족, 정상가족에 대한 미화와 신화는 사라져야

현대사회로 오면서 전통적인 가족제도가 사회적 힘을 잃고 있다. 가족 구성원의 행동에 별다른 영향력을 행사하지 못하고, 자녀의 사회화 기능 및 정서적 기능 또한 제대로 담당하지 못하고 있다. 전통적인 가족제도가 심각한 위기에 처해 있는데 이는 전통적인 가족 개념이 흐트러져서가 아니다. 사회·경제적 상황의 변화 때문이다. 그런데도 한쪽에서는 이를 정상가족의 복원으로 풀어야 한다고 주장한다. '정상가족'이란, 가족은 이러이러해야 한다는 규범이고, 이 규범에 속하지 못할 경우 비정상, 결손 상태로 인식하게 만든다. 부부와 자녀로 구성된 가족이 '정상가족'이라면, 현재 우리 사회의 절반 이상은 '비정상적인' 가족이다.

대안가족을 이루며 살아가는 사람들은 전통적인 가족만 인정하는 사회적 편견 때문에 큰 고통을 겪고 있다. 제도적 보호는커녕 갖가지 사회적 편견에 맞서 싸워야 하는 이중고를 겪는다. 따라서 편부모 가족과 동거 부부 및 동성애 부부 같은 다양한 가족 형태를 대안가족으로 인정함으로써 가족의 위기를 극복해야 한다. 전통가족, 정상가족에 대한 미화와 신화를 걷어내고 다양한 형태의 가족들을 '틀린' 것이 아니라 '다른' 것으로 받아들여야 한다.

플러스 상식 [+]

결손가족

미성년인 자녀를 둔 가정에서 부모의 한쪽 또는 양쪽이 사망, 이혼, 별거 등의 이유로 자녀와 별거하고 있는 가족을 뜻한다. 일반적으로 자녀를 보호 지도하는 기능을 수행하기가 어렵기 때문에 결손가족의 자녀들은 정서적 불안정과 인간성의 결핍, 사회적 부적응 경향을 수반하거나 또는 비행을 저지르기 쉬운 것으로 여겨지며, 사회병리적인 문제점으로 주목의 대상이 되고 있다. 그러나 한편으로 결손가족 개념은 사회와 가족제도의 변화를 반영하지 못하고 있다는 비판을 받고 있다. 이른바 '결손가족'의 자녀들이 사회적 부적응 경향을 보인다거나 범죄에 더 많이 노출된다는 것도 확인되지 않은 편견에 불과하며, 특정한 형태의 가족만을 인정하고 다른 형태의 가족을 부정하는 것은 '정상가족 이데올로기'일 뿐 사실적으로나 규범적으로 용인될 수 없다는 지적이다.

다양한 형태의 가족을 인정해야 할까

“다양한 가족, 혼란 초래”

1 일부일처를 기반으로 한 가족제도, 가장 자연스럽고 도덕적이다

하나의 생명이 탄생하기 위해서는 남녀의 결합이 필수적이듯, 양육을 위해서도 탄생에 관여한 두 사람이 힘을 합쳐야 한다. 일부일처제를 근간으로 결혼을 하고, 이 결혼을 통해 자녀를 출산한다. 당연히 부부 공동의 노력으로 자녀를 양육한다. 우리가 ‘정상가족’이라고 말하는 이 가족제도가 없다면 과연 인류는 지금까지 존속할 수 있었을까? 이렇게 부부와 자녀로 구성된 가족이 가장 자연스럽고 보편적이라는 사실을 쉽게 부정할 수 없을 것이다. 인류는 그래서 ‘결혼’이라는 제도를 만들었고, ‘가족제도’를 발전시켜 왔다. 많은 인류학자들이, 한 사람의 남편과 한 사람의 부인, 그리고 그들의 자녀라는 가족양식이 가장 일반적이고, 가장 자연스러운 것임을 입증해냈다. 물론 어떤 역사 시기에는 한 명이 여러 명의 배우자를 맞거나, 출산을 목적으로 남녀가 결합하고 주거는 따로 하는 등의 가족 형태가 있긴 했지만 현대 문명사회로 오면서 자연 도태되었다.

일부일처를 기반으로 한 가족제도의 장점은 너무나 많다. 성性의 문란을 막고 가족에 대한 책임을 자각하게 함으로써 사회 유지를 원활하게 만들어 인류를 발전시킨다. 오늘날 이혼으로 인한 가족 해체가 늘어났지만 그렇다고 해서 정해진 배우자와 자녀가 이룬 공동체가 인류 역사를 통틀어 가장 자연스럽고 가장 도덕적으로 완성된 가족 형태라는 변함 없는 사실을 흔들지는 못한다.

2 다양한 형태의 가족 출현은 가족 위기의 단적인 예

최근의 가족 해체 현상은 사회 전반적으로 심각한 위기를 불러올 수 있다. 가족을 구성하는 첫 단계인 결혼을 기피하는 현상이 늘고 있고, 결혼해도 출산은 기피하는가 하면, 이혼도 쉽게 한다. 하지만 우리가 유념해야 할 게 있다. 이혼가정의 자녀가 정상가족의 자녀에 비해 경제적, 정서적 빈곤에 노출될 가능성이 크며, 이것이 고스란히 사회 문제로 이어질 수 있다는 사실이다. 또 비혼 상태로 동거 중 아이를 낳거나, 어머니나 아버지가 다른 자녀들이 늘고 있다. 이는 자녀에 대한 책임 방기로 이어질 수 있다. 실제 동거부부, 재혼가정에서 아동학대 사례가 많다.

자녀가 부모와 함께 사는 것은 너무나 자연스럽고도 당연한 일이다. 부모가 자식을 끝까지 책임지려면 법의 보호 아래 온전한 가족 형태를 이루며 사는 것이 최선책이다. 또 정상가족이 해체되면서 저출산 문제가 심각해져 사회구성원 공급에 차질을 빚고 있다. 가족은 사회를 구성하는 기본 단위이다. 따라서 가족 형태에 변화가 생기면 사회 질서가 흐트러지고 사회 혼란이 초래될 수밖에 없다. 가족의 해체는 가족 문제에 국한된 것이 아니며 심각한 사회문제로 이어질 수 있으므로, 가족의 가치를 소중히 여겨 과거와 같은 전통적인 가족을 회복시켜야 한다.

3 정상가족을 지키려는 사회적 공감대를 다져야

정상가족 모델은 여전히 바람직한 모델이며, 결코 신화가 아니다. 만일 표현상의 문제가 있다면 정상가족 대신 '표준가족'이라는 말로 바꾸면 된다. 전통적인 가족 형태가 존재해야 한다고 주장하는 이유는 다른 형태의 가족을 억압하기 위해서가 아니다. 정상가족이라는 모델이 없을 경우 발생할 가족 해체를 방지하기 위한 것이다. 예를 들어 불가피한 경우 이혼할 수도 있고 그 결과 대안가족이 생겨나겠지만, 이는 어디까지나 예외적인 경우로 두어야 그런 일이 일어나지 않게 조심하게 된다. 한 사회가 정상적으로 유지되기 위해서는 도덕규범이 필요하듯, 가족의 정의에도 일종의 규범이 필요하다.

또한 현대 사회에서 발생하는 여러가지 문제들은 전통적인 개념의 가족을 통해서만 치유할 수 있다. 현대인들은 이익을 중심으로 관계를 맺고 있다. 그래서 사람들이 고독감과 외로움을 느끼게 된다. 필요에 의해 관계가 이뤄지고 필요 없어지면 끝나는 관계는 사람들을 공허하게 만든다. 혈연으로 맺어진 가족이 주는 따뜻한 온기야말로 현대인의 마음을 치유할 수 있다. 지금이라도 가족의 중요성을 일깨우고 가정을 지키는 것이 무엇보다 소중하다는 사회적 공감대를 다져야 한다. 그래야 가족 해체로부터 빚어지는 사회적 불행을 최소화할 수 있다.

플러스 상식 [+]

혈연을 넘어선 공동체 가족

핵가족이 해결할 수 없는 다양한 가족문제를 공동으로 해결하기 위한 이웃사촌 가족이 지역적 형편과 생활조건에 따라 다양하게 형성되고 있다. 노약자, 장애인, 버려진 아이들, 그 외에 의탁할 곳 없는 사람들을 한 가족으로 삼아 살아가는 대가족 형태를 볼 수 있으며, 어린이들을 위한 보육기관이나 노인들을 위한 양로기관 또는 장애인을 위한 복지기관에 수용되지 못한 사람들을 부모나 자녀, 형제처럼 한 가족으로 삼아 살아가는 비혈연가족이 나타나고 있다. 이외에도 생산과 재생산을 함께 하는 공동체 운동이 점차 증가할 것이다. 이렇게 21세기 가족은 자유와 평등을 실현하려는 인간적 요구에 따라 평등한 혼인관계 및 가족관계에 기반한 다양한 형태의 가족과 개인적 삶의 방식을 전망할 수 있다. 더욱이 자유와 평등을 추구하는 참여민주주의 사회는 혈연을 초월한 가족을 요구하며, 따라서 다양한 형태의 공동체적 가족을 창조해나갈 수 있을 것이다.

《구술의 신 1》 중에서

토론해 봅시다

1. 편부모 입양, 양육권 인정, 동성애 부부 인정 등 다양한 가족 형태를 전면적으로 수용해야 할까요? 아니면 표준가족 모델을 고수하는 게 좋을까요? 자신의 입장을 정한 후 근거를 들어 토론해봅시다.

2. 현대 정상 가족의 유지에는 개인의 자유와 상충되는 노력이 필요합니다. 가족의 가치는 개인의 희생 위에서 바로 설 수 있는 것인지, 개인의 행복 추구가 우선한 뒤 가족도 순조롭게 유지되는 것인지 생각해봅시다.

실전 gogo

우리 사회에서 편부모 가족, 동거가족, 동성애 가족 등의 다양한 가족 형태를 법적으로 인정할 때 어떤 변화가 일어날지 경제, 사회, 문화적 측면에서 다양하게 고찰해봅시다. (500자)

동성결혼, 법적으로 인정해야 하나

2013년 9월, 김조광수 감독이 동성연인과 결혼식을 올려 큰 이슈가 되었다. 이들은 결혼식은 올렸지만 혼인신고는 할 수 없었다. 우리나라는 동성 간 결혼을 허용하지 않기 때문이다. 그리고 2015년 7월 국내에서 처음으로 이들 동성 부부의 법적 권리를 인정해달라는 첫 재판의 심리가 열렸다.

세계적으로 동성결혼 합법화는 늘고 있는 추세이지만 합법화를 통과한 나라들에서도 동성결혼으로 인한 사회적 갈등은 여전하다. 동성결혼을 허용할지, 시민결합의 형태로 허용할지, 법적 지위를 부인할지, 법적 지위를 인정할지, 법적 지위를 인정한다면 이성부부에게 인정되는 권리와 혜택을 전부 인정할지, 차이를 인정할지 등 동성결혼에 대한 깊이 있는 토론이 필요하다.

키워드로 읽는 논쟁

1. 성적소수자 = 동성애자?

보통 두 단어를 같은 의미로 사용하고 있지만 엄밀하게 말하면 성적소수자 LGBT의 범주 안에 동성애자가 포함된 것이다. LGBT는 레즈비언lesbian, 게이gay, 양성애자bisexual, 트랜스젠더transgender의 앞 글자를 딴 것으로 '성적소수자'라는 뜻. 레즈비언과 게이가 동성애자이고, 트랜스젠더는 자신의 생물학적인 성과 다른 성 정체성을 지닌 사람을 말하며, 동성에게도 이성에게도 매력을 느끼는 사람을 양성애자라고 한다.

최근 들어 동성결혼을 인정하는 등 성적소수자에 대한 사회 통념이 크게 변화해 LGBT 영화제, LGBT 페스티벌이 세계 곳곳에서 열리고 있다. 동성 간 결혼을 포함해 LGBT 권리가 확대되고 있는 추세다. 2013년 5월에는 네덜란드·프랑스·스페인 등 유럽 14개국이 EU 차원에서 LGBT 삶의 개선을 위한 행동을 촉구하는 청원서를 만들었고, 2014년에는 유엔 인권위원회에서 처음으로 LGBT 결의안을 만들었다. 동성결혼의 합법화는 1990년부터 해온 LGBT 인권운동의 성과라고 할 수 있다. 이들은 성적소수자에 대한 차별금지, 결혼 평등권, 성적 경향에 대한 차별과 편견 금지를 주장하며 성적다양성을 사회가 수용하도록 줄기차게 인권운동을 펼치고 있다.

1. 동성결혼 혹은 평등결혼

생물학적으로 동일한 성별을 가진 두 사람 사이에서 사회적, 법률적으로 이뤄지는 결혼을 동성결혼이라고 한다. 동성결혼을 지지하는 사람들은 평등결혼

Marriage equality 또는 Equal marriage이라고도 부른다. 동성결혼이 법적으로 허용된 것은 21세기에 들어서면서부터였는데, 이는 20세기 후반 일기 시작한 성적소수자 인권 운동의 결과라고 볼 수 있다.

세계 최초로 동성결혼을 법적으로 허용한 나라는 네덜란드(2001년)다. 그리고 2017년 12월 오스트리아가 동성결혼을 허용한 스물네 번째 나라가 되었다. 한편 17개국에서 LGBT의 아이 입양도 허가하고 있다. 여기에 몇몇 주에서만 동성결혼을 인정하던 미국이 동성결혼 합법화의 물결에 힘을 보탰다. 2015년 6월 26일 미국 연방 대법원에서 동성결혼은 헌법에서 보장받는 권리라고 판결을 내렸고, 미국 전역에서 동성결혼이 허용되었다.

한편 동성결혼을 인정하지는 않지만 등록 커플에게 시민결합civil union, 비등록 커플에게 비등록 동거의 법적 지위를 주어 이성간의 결혼과 유사하게 보호하는 나라도 많다. 커플 등록 등 제도적으로 동성 간 혼인을 허용하는 국가를 포함하면 2018년 현재 36개국에서 동성결혼을 허가하고 있다. 동성애에 대한 관용이 낮은 나라는 아프리카와 중동 지역으로, 이란이나 사우디아라비아에서는 동성애 발간 시 투석형을, 수단과 우간다는 종신형을 내린다.

3. '레인보우'로 변신한 백악관, 새로운 민권 시대 개막

2015년 6월 26일 미국 연방 대법원은 '동성결혼 합법' 판결을 내렸다. 2003년 메사추세츠 주를 시작으로 입법과 판결, 주민투표 등을 통해 동성결혼을 허용하는 주가 있어왔는데, 이 판결은 미국 전역에서 동성결혼 허용을 인정하는 판결이었다. 워싱턴 포스트와 ABC 뉴스에서 2014년 2~3월에 실시한 여론조사에 따르면 미국인 중 59%가 동성 결혼에 지지를, 34%가 반대 의견을 냈다.

판결을 내리자 미국 전역은 성적 소수자의 권리 보장을 지지하는 무지개색 물결로 뒤덮였다. 행정 수도인 워싱턴D.C.에 자리한 연방대법원 청사 주변과 세계 동성애자의 수도로 불리는 캘리포니아주 샌프란시스코는 이번 판결에 기뻐하는 동성애자와 성적 소수자 지지자의 환호성으로 들썩였다. 연방대법원의 판결이 즉각 효력을 발휘함에 따라 그간 동성결혼 허가증을 발급하지 않은 미국 14개 주에 거주하던 동성 연인들은 당장 법원으로 달려가 서둘러 행정 절차를 밟기 시작했다.

이번 결정을 축하하기 위해 6월 26일 백악관도 '레인보우'로 빛을 밝혔다. 버락 오바마 미국 대통령은 연방대법원의 역사적인 판결을 '미국의 승리'라고 치켜세우고 '모든 미국인이 평등하게 대우받을 때, 우리는 더욱 자유로울 수 있다'며 반색했다.

4. 우리나라의 경우는?

우리나라는 법적으로 동성결혼을 허용하지 않고 있다. 헌법 제36조 1항에서는 "혼인과 가족생활은 개인의 존엄과 양성의 평등을 기초로 성립되고 유지되어야 하며, 국가는 이를 보장한다"고 규정하고 있다. '양성의 평등'이란 구절로 동성결혼을 사실상 허용하지 않음을 표현하고 있으며, 혼인이 이성혼을 전제로 한 것임을 보여주고 있다.

실제로 2013년 김조광수 커플은 결혼식을 올린 후 서대문 구청에 혼인신고를 하려고 했지만 구청측은 위의 헌법조항을 내세우며 김조 감독 커플의 혼인신고를 접수하지 않았다. 이에 김조커플은 2014년 5월 서울서부지법에 불복신청을 냈다. 하지만 2016년 5월 26일 동성혼을 인정해달라는 이들의 소송은 각하되었고, 김조 커플은 이에 불복, 항고 입장을 밝혔다.

우리나라의 경우 외국과 달리 헌법이나 법률에 결혼에 관해 정의하거나 규정한 게 없으며, 명시적으로 동성결혼을 금지하거나 이를 어길 경우 형사 처벌을 한다는 규정 같은 것도 없다. 사실혼 지위도 인정하지 않고 있다. 우리나라를 비롯한 동남 아시아권의 국가들에서는 동성커플에게 법적으로 결혼할 권리는 물론이고, 시민결합과 같은 중간 단계의 지위도 허용하고 있지 않다. 하지만 동성 커플의 공개결혼식이 점차 늘면서 합법화 논의가 전개되고 있는 상황이다.

5. 동성 부부가 합법적인 결혼을 요구하는 이유

동성결혼에 대한 가장 일반적인 태도는 이렇다. '동성끼리 사랑을 하든 말든 신경쓰지 않을 테니 당신들끼리 알아서 조용히 사시오.' 하지만 이러한 태도는 결혼이라는 제도를 사랑하는 사람과의 '정서적인 결합' 정도로 소극적으로 해석하는 데서 비롯된 것이다. 결혼은 이러한 개인적인 의미 외에도 여러 가지 사회적인 의미를 갖고 있고, 제도로서의 결혼이 주는 권리도 다양하다. 결혼제도는 세금, 연금, 보험뿐만 아니라 재산분할, 상속 등 다양한 권리를 보장한다. 그리고 이 권리들은 합법적인 결혼을 통해서만 보장받을 수 있다.

동성결혼 허용을 주장하는 또 다른 이유는, 동성결혼을 법이나 헌법에서 명시적으로 금지하는 것은 동성애에 대한 사회적 낙인으로 작동할 수 있기 때문이다. 무형의 사회적 낙인은 어떤 의미에서 현실적 권리를 보장받지 못하는 것보다 동성애자들에게 더 큰 고통을 안겨주고 있다.

플러스 상식 [+]

동성결혼 법적 허용에 관한 한국갤럽의 조사

2013년 4월 1일부터 4일간 한국갤럽은 동성결혼 합법화에 관한 여론 조사를 실시했다.(전국 만 19세 이상 남녀 1,2224명)

그 결과 '찬성'25%, '반대'67%로 국민 다수가 동성결혼 허용에 반대하는 의견을 표명했다. 앞서 워싱턴포스트와 ABC 여론조사에서 미국 국민의 58%가 동성결혼 합법화에 찬성한 것과 대비되는 결과다. 한편 우리나라의 경우 동성결혼 허용 반대의견은 고연령일수록 많아 60세 이상의 경우 반대가 87%에 이른다. 반면 20대는 '찬성'이 52%, '반대'가 38%로 찬성 의견이 더 많아 세대 간의 인식 차이를 드러냈다.

"법적으로 인정해야"

1 동성결혼을 법적으로 보장하지 않는 것은 명백한 인권 침해요 차별이다

사람들은 누구나 사랑을 하고 결혼을 한다. 사람들이 가족을 꾸리는 이유는 '경제적이고 정서적인 공동체'인 가족이 불안정한 삶으로부터 개개인을 실질적으로 보호해주기 때문이다. 사랑을 하고 사랑하는 대상과 가족을 꾸리는 것은 누구나 누려야 할 기본적인 권리이다. 따라서 이 기본적인 인권과 선택의 자유를 법적으로 보장해주는 것은 지극히 당연하다. 누구와 사랑을 하고 결혼할지는 그 자신만이 정할 수 있다. 상대가 이성이든 동성이든 타인이 관여할 수 없으며 국가가 나서서 무조건 이성끼리 결혼해야 한다고 명령할 권리는 없다.

우리 헌법에는 '모든 국민은 인간으로서의 존엄과 가치를 가지며, 행복을 추구할 권리가 있다'(10조)고 명시돼 있다. 이는 '인간의 존엄과 가치·행복추구권' 등 자연권을 선언한 것으로 국가의 기본질서이며 법 해석의 최고 기준인 근본 규범이다. 이러한 권리를 성적인 정체성의 이유를 들어 법적으로 보장하지 않는 것은 명백한 인권 침해다. 흔히 동성결혼을 법적으로 허용하지 않는 것이지 동성애 자체를 인정하지 않는 것은 아니므로 인권 침해도 아니고, 차별도 아니라고 말한다. 모두 다 누릴 수 있는 권리를 보장받지 못하는 것 자체가 인권 침해요, 차별이다.

2 동성애자들도 결혼의 혜택을 평등하게 누릴 권리가 있다

일반적으로 동성결혼에 반대하는 사람들은 동성애를 법률로 금지하고 있는 게 아니니 함께 살면 그만이지 왜 합법적인 결혼까지 요구하느냐고 따진다. 하지만 결혼은 단순히 사랑하는 두 사람의 결합만을 의미하는 것은 아니다. 결혼은 다양한 법적 권리를 가진 제도다. 평생을 함께 한 동성 배우자가 갑자기 쓰러져 응급 수술을 받아야 할 때가 있다고 가정해보자. 당장 수술을 위해 법적 보호자의 서명이 필요한데 동성 배우자는 법적인 부부가 아니기 때문에 수술동의서에 서명할 자격이 없고, 따라서 배우자를 극단적인 위험 속에 그냥 방치할 수밖에 없는 상황이 생길 수 있다. 또한 동성 배우자 한쪽이 사망했을 때 재산권도 제대로 승계받지 못하고, 주택 구입시 지원되는 각종 세제 혜택도 받을 수 없다. 이처럼 사람들은 결혼을 통해 세금, 연금, 보험 등의 구체적인 혜택을 누리게 되며, 재산분할, 상속, 입양 등의 권리를 갖게 되고, 병원이나 감옥 면회, 신원보증 등의 자격을 얻는다. 결혼을 통해 얻는 권리는 무수히 많다.

동성애자들도 똑같이 세금을 내고 함께 살아가는 사회구성원이다. 이들이 법적 권리를 누리지 못할 이유는 없다. 또한 이는 동성애에 대한 사회적 차별을 법에 근거한 공적 차별로 만든 것이다. 개인의 성적 정체성이 사회적 권리에 대한 불평등의 근거가 되어서는 안 된다.

3 동성결혼 허용은 가족의 가치를 파괴하지 않으며, 결혼은 종족 보존만을 위한 것이 아니다

동성결혼에 반대하는 사람들은 동성결혼은 가족의 가치를 파괴하는 일이며, 남녀간의 결합을 통한 종족 보존이라는 역할을 제대로 할 수 없기 때문에 허용해서는 안 된다고 말한다. 우리 사회는 결혼을 남녀간의 결합만으로 한정하고 있는데 이는 그저 관습일 뿐, 불변의 진리일 수 없다. 시대가 바뀌면 가치관도 바뀌는 것이다. 이미 가족 형태는 다양화하고 있다. 독신, 동거, 한부모 가족 등 전통적인 가족의 형태는 해체되고 새로운 형태가 생겨나고 있다. 동성 커플도 마찬가지다. 하지만 현재 우리 사회는 이들 새로운 가족 형태를 끌어안지 못하고 있다. 왜냐하면 법이 규정한 가족의 범위와 실제 가족의 범위가 다르기 때문이다. '일부일처로 구성돼 있는 혈연 중심의 가족관계'라는 좁은 해석으로는 오히려 입양이나 재혼 자녀에 대한 사회적 편견만을 조장할 뿐이다. 이들 다양한 형태의 가족을 '비정상' 이라고 낙인 찍으며 기존 가족개념을 고수할 것인지, 현재의 변화를 받아들여 새로운 가족개념을 만들어나갈지 고민해야 할 순간이다.

한편 결혼의 주요 목적이 종족의 재생산이므로 생식이 불가능한 동성결혼은 인정할 수 없다는 주장도 있는데, 오늘날 많은 이성부부들도 의도적으로 자녀를 출산하지 않는 경우가 많고, 불임의 경우 자연스레 자녀를 입양해 양육한다. 가족의 가치는 가족 구성원이 서로를 얼마나 사랑하는지에 있다. 가족구성원의 성정체성이나 생물학적 성징이 가족의 가치를 결정하는 것은 아니다.

플러스 상식 [+]

시민결합

시민결합은 전통적인 결혼의 가치를 훼손하지 않으면서 동성 부부에게 동등한 법적 대우를 보장해주는 일종의 절충적인 제도이다. 시민 연대계약, 파트너십이라고 불리기도 하는데, 도입하고 있는 나라마다 인정하는 방식과 권리의 수위도 다르다. 어쨌든 혼인과는 어떤 형태로든 차이를 두고 있고, 법률혼을 할 수 없었던 동성 사이의 파트너십을 법적으로 보호하기 위해 설계되었다. 시민결합 제도는 본래 20세기 말 LGBT인권의 신장과 함께 사회의 동성결혼 허용 요구에 대한 정치적 대체제로 탄생하였으며, 지금은 종종 동성결혼 제도로 발전하기 위한 일종의 디딤돌 또는 과도기적 현상으로 여겨지고 있다. 세계 최초의 시민결합은 1989년 덴마크에서 시작하여, 이후 뉴질랜드, 우루과이, 프랑스, 미국의 버몬트 주 등 세계 여러 나라에 도입되었다.

“법적으로 인정 불가”

1 동성결혼에 대한 사회적 터부를 인정해야 한다

동성결혼을 법적으로 허용하지 않는 것은 결코 인권 침해가 아니다. 인권 보호란 인간의 존엄성을 해치지 못하도록 하는 것이다. 동성결혼을 법으로 허용할 수 없다는 것과 동성애 자체를 법으로 금지하는 것은 다르다. 동성결혼 불허가 동성애자의 존재 자체를 부정하거나 그들의 인격을 모욕하는 것은 아니란 얘기다. 모든 사람에게 이유가 어떻든 똑같은 혜택을 주어야 한다는 주장은 절대적 평등에 관한 것이지 인권과는 무관한 얘기다. 정당한 이유와 근거를 가지고 차등을 두는 것은 차별이 아니다 .

동성결혼에 찬성하는 사람들은 동성과 사랑하고 결혼하는 행위가 다른 사람에게 아무런 피해도 주지 않는다고 주장한다. 하지만 모든 사회에는 터부라는 것이 있다. 예를 들면 근친상간이나 미성년자를 성애의 대상으로 삼는 경우는 모든 문화권에서 터부시한다. 2017년 우리나라에서 시행한 동성결혼에 대한 여론조사를 보면 무려 58%가 동성결혼에 반대하고 있다. 사회적 터부가 있다는 의미다. 이 사회적 터부에 대한 고려 없이 동성혼을 법적으로 인정해달라는 것은 사회 통념적으로 허용되지 않는 일을 하고서 권리를 달라고 주장하는 것과 같다. 결혼이라는 제도가 갖는 본질적인 의미에 부합하지 않는데도 결혼제도의 혜택을 누리겠다는 주장은 인권 침해나 차별과 무관한 얘기다.

2 결혼제도는 이성애자를 위한 것이며, 결혼 혜택은 전통적 가족공동체를 장려하기 위한 것이다

결혼이란 어떤 제도인가 생각해보라. 인류 역사가 시작된 이래, 결혼이라는 남녀 간의 결합과 그 결합을 통해 생겨난 가족이라는 공동체는 인간 사회를 구성하는 기본세포 역할을 해왔다. 어떤 문화권이든 이는 마찬가지였다. 역사적으로나 논리적으로 결혼은 이성연애자를 위한 제도이다.

'혈연'은 일반적으로 가족 구성의 가장 핵심적인 조건이기도 하다. 국가나 사회가 결혼한 부부에게 여러 가지 재정적인 혜택과 권리를 주는 이유는, 전통적인 의미의 가족단위가 사회의 중요한 구성요소이므로 이러한 가정을 새롭게 일궈나갈 수 있도록 국가가 장려하기 위한 것이다. 세금감면을 비롯한 다양한 혜택 역시 안정된 가정생활을 위한 장려책이지 단순히 사랑하는 성의 결합을 위한 것이 아니다.

현대에 와서 가족의 형태가 많이 변화하고 있다고 해서 동성의 결합까지 가족의 한 단위로 인정할 수 없다. 만일 결혼제도를 동성애자에게까지 허용한다면 결혼의 의미는 변질되는 것이고, 남녀 간의 서로 구분된 성 정체성을 불안정하게 만들 것이다. 결혼제도를 동성결혼 합법화로 무질서하게 만들어서는 안 된다.

더구나 어떤 제도를 바꾸는 것은 그 제도가 사람들에게 어떤 식으로든 피해를 줄 때에나 가능한 일이다. 한시적인 제도들조차 심각한 상황이 도래하지 않는 한 간단하게 폐기하거나 수정하지 않는다. 하지만 결혼은 이런 제도와는 차원이 다르다는 점을 알아야 한다.

3 인류의 보존과 영속을 위해서는 이성간의 결혼이 필연적이다

결혼이란 한 명의 남자와 한 명의 여자가 일생동안 살아가면서 아버지와 어머니라는 역할 모델을 새로운 세대에게 이어주는 것이다. 수백 세대에 걸쳐온 이 인류 전통의 지혜는 인류가 보존할 만한 문화적 의미를 지닌 것이다. 동성결혼에 찬성하는 사람들이 주장하는 '결혼의 평등성'을 들어주기 위해 이러한 전통적 의미의 결혼의 가치를 훼손한다면 자연의 근본적인 법칙에 반기를 드는 행위이다. 자연법칙의 근본은 남녀, 암수가 조화를 이루는 것이며, 이는 종족유지를 위해 생식이 반드시 필요하기 때문이다. 인류의 보존과 영속성을 위해 이성끼리 결혼하는 것은 필연적이고 당위적인 일이다.

동성결혼 옹호론자들은 이성부부도 자녀출산을 위해 결혼하는 것은 아니라고 주장한다. 하지만 분명한 점은 결혼의 주목적 가운데 하나가 인류 보존에 있다는 사실이다. 출산율 저하가 심각한 사회문제로 대두되고 있는 지금이야말로 전통적인 가족과 결혼이 갖는 본래 의미를 되새겨야 할 때이다. 동성결혼 옹호론자들은 '결혼'을 '남녀간의 결합'이라고 한정짓는 것이 더 이상 의미가 없다고 말하지만, 인류 사회가 그들 자신을 포함해 바로 그 결합에 힘입어 유지, 발전하고 있다는 사실을 잊어서는 안 된다.

플러스 상식 [+]

A의 재산은 누구에게 상속돼야 하나?

어느 날 A는 아내에게 자신은 게이라며 이혼을 해줄 것을 요구한다. 두 사람 사이에는 5세 아들이 있다. 하지만 아내는 A가 게이인 것을 받아들일 수 없고 큰 문제없이 유지되었던 결혼생활을 포기하고 싶지 않다. 한편 아내를 설득하는 데 지친 A는 가출을 해 얼마 후 동성 애인과 동거를 시작한다. 동거를 시작한 지 1년 후 A는 암 진단을 받고, 동성 파트너는 아픈 A를 성심껏 돌본다. 하지만 그럼에도 A는 암을 이기지 못하고 10년 후 사망한다. 그에게는 부동과 부동산을 합쳐 10억 정도의 재산이 있다. 그의 재산은 누구에게 상속되어야 하나?

토론해 봅시다

1. 동성결혼에 대한 입장을 아래 세 가지로 나누어볼 때 여러분은 어떤 입장인가요? 자신의 입장을 근거를 가지고 주장해봅시다.

◎ 동성결혼 반대
◎ 결혼권과 완전히 동등하지는 않지만 시민결합과 같은 별도의 제도 인정
◎ 동성결혼 인정

2. 동성결혼 옹호자들은 가족의 개념이 현대에 와서 변화하고 있으므로 전통적인 가족의 개념을 다양화해야 한다고 주장합니다. 동성결혼이 가족의 가치를 훼손하는지 그렇지 않은지 찬반으로 나누어 토론해봅시다.

실전 gogo

동성간 결혼이 인정된다면 우리 사회의 모습은 어떻게 바뀔까요?
긍정적인 면과 부정적인 면 중 자신의 견해를 세워서 변화된 사회상을 적어봅시다.
(400자 이내)

저출산 시대, 해법을 찾아라

영국의 인구학자 데이비드 콜먼은 2006년 한국을 인구 소멸 1호 국가로 지목했다. 또한 앞으로 300년이면 지도상에서 한국이라는 나라가 사라질 수도 있다는 충격적인 경고를 보냈다. 물론 과장된 호들갑이라는 지적도 있지만, 현재 우리나라 출산율 지표를 보면 저출산 문제가 '재앙' 수준에 다다르고 있다는 데 동의하는 사람들이 많다.
정부에서는 갖가지 출산 장려 정책을 내놓고 있지만 실효성에 대해서는 비판적이다. 저출산 시대를 맞아 이 문제를 어떻게 봐야 하는지, 해법은 무엇일지 다각도로 살펴보자.

키워드로 읽는 논쟁

1. 출산율? 출생율? 출생 관련 통계 용어들

출생 관련 주요 지표는 출산율, 합계출산율, 출생율이다. 많이 언급되는 합계출산율은 '가임기 여성 1명이 평생 낳을 것으로 예상하는 평균 자녀수'로, 가임기인 15~49세까지 낳을 것으로 예상되는 전망 수치다. 흔히 합계출산율과 출산율을 혼동해서 쓰기도 하는데, 출산율은 '가임기 여성 1000명당 낳은 출생아 수'다. 이미 태어난 출생아 수를 바탕으로 한 확정 수치이므로 합계출산율과 성격이 다르다. 하지만 합계출산율을 구할 때는 이 출산율을 바탕으로 한다. 연령별 여성인구 1000명당 출생아수를 나타내는 지표인 '여성 연령별 출산율'도 있다.

합계출산율은 가임기 여성 인구만을 토대로 한 수치며, 출생률은 전체 인구를 기준으로 한다. 한해 신생아 수를 전체 인구수로 나눈 것. 합계출산율이 바로 인구 감소로 직결된다고 하기는 어렵다. 합계출산율에는 몇 가지 변수가 있다. 합계출산율과 출산율, 출생률은 모두 사망한 출생아 수도 포함한다. 아이가 태어나고 바로 사망하더라도 반영되지 않는다. 가임여성 인구수도 많은 영향을 미친다. 출생아 수가 같아도 가임기 여성이 줄어들 경우 오히려 합계출산율 수치가 올라갈 수 있다. 또 합계출산율이 감소해도 가임기 여성도 함께 줄어들었다면 가임여성 한 명당 자녀수는 늘어날 수 있다.

2. 우리나라, 초저출산 늪에 빠지다

인구를 현상 유지하는 데 필요한 출산율 수준을 인구대체수준이라고 한다. 인구학자들은 인구대체수준 이하로 출산율이 떨어지면 저출산 사회로 보는데, 선진국의 경우에는 대체로 2.1명, 개발도상국의 경우에는 대체로 3명 전후로 본다. 우리나라의 경우 1984년에 선진국의 인구대체수준인 2.1명을 기록한 후 출산율이 급격히 낮아져, 15년 연속 출산율이 1.5명에 못 미쳤다. 출산율이 1.5명을 밑돌면서 '초超저출산'으로 분류된다.

미국 중앙정보국CIA '월드팩트북'The World Factbook에 따르면 2016년 기준으로 우리나라의 합계 출산율은 1.25명. 경제협력개발기구OECD 35개 회원국 가운데 가장 낮은 것은 물론, 세계 224개국 중 220위로 최하위권으로 나타났다. 전 세계에서 한국보다 합계 출산율이 낮은 국가는 네 곳뿐이다. 한편 2017년 우리나라의 합계 출산율은 1.05명으로 2005년 1.08명 이후 최저치를 갱신했다. 합계출산율 감소 추세가 이렇게 계속될 경우, 우리나라 총인구가 정점을 찍고 감소세로 돌아서는 시점이 2031년에서 2027년으로 앞당겨질 것으로 보인다.

3. 저출산 심각, '신입생 절벽'이 온다

1971년 우리나라 출생아 수는 102만 4773명이었다. 그렇다면 이들의 자식세대는 어떨까? 이들의 자식 세대인 2002년생은 50만명 이하(49만2111명)로 떨어졌다. 부모 세대의 반도 안 된다. 출생자는 계속 줄어들어 현재(2016년) 43만명 수준이다. 저출산 쇼크가 어린이집과 유치원을 넘어 곧 초·중·고와 대학에도 밀어닥칠 것으로 전망된다. 연간 출생아 40만명대로 줄어든 이들이 곧 고교와 대학에 진학할 예정이기 때문이다. 특히 2002년생부터는 학생 수가 40만명대로 떨어지는데, 현재 중·고 교육 시스템은 60만명을 전제로 짜였다. 이들이 고교에 입학하는 때가 되면 고교에서도 심각한 신입생 절벽을 맞게 된다. 이미 올해 신입생을 한 명도 받지 못한 고등학교가 4곳이나 된다.

2017학년도 입시에는 고교 졸업생 중 대학 입학 희망자가 52만명으로 대학 입학 정원(51만명)보다 1만명 가까이 많지만, 2019년부터는 대학 입학 정원이 남아돌게 된다.

4. 저출산의 원인은?

저출산의 원인은 무척 다양하고 복합적이다. 우선 경제적으로는 취업난과 고용 불안정으로 인한 생활고, 양육에 따른 경제적 부담, 높은 주택마련 비용, 육아시설 부족과 과다한 사교육비 등이 주요 요인으로 꼽히고 있다. 특히 출산의 주체인 여성들의 사회진출이 활발해지는 데 반해 우리의 기업문화와 풍토는 여전히 직장생활과 육아 및 가사를 병행하기 어렵게 하고 있으며, 이 문제에 대한 사회인식 또한 낮은 수준에 머무르고 있다.

한편 사회적 요인을 보면, 개인중심의 가치관이 중요시되면서 결혼과 출산의 의미가 퇴색한 점, 경쟁적이고 물질중심인 자본주의 체제 하에서 양육보다는 노동이 중요시 된 점 등을 꼽을 수 있다. 육아와 같은 돌봄노동은 물질적으로 가치화하기 어려워 그만큼 평가절하되는 반면 사회적 노동에 대해서는 합리적인 대가를 주기 때문에 여성들이 출산보다는 사회적 노동을 선택하게 된다는 것. 저출산은 현상적으로 드러나는 원인 외에도 가족가치의 변화, 성평등 문제, 지나친 경쟁사회, 개인의 생애주기 변화 등의 요인이 복잡하게 얽혀 하나의 사회적 징후로 나타나는 것이라고 볼 수 있다.

5. 저출산 해결방안

한국은 저출산과 급격한 고령화의 진행으로 인해 갖가지 문제들이 예고되고 있다. 인구감소, 노동인구의 감소로 인한 국가 경쟁력 약화, 고령화사회로 진입하면서 세금과 복지 재정이 급격히 늘어남에 따라 지속적인 국가 발전이 어려워질 것이라는 우려가 확산되고 있다. 정부는 이러한 저출산·고령화 문제에 대응하기 위해 2005년 '저출산 고령사회기본법'을 제정했다. 이에 따라 신혼부부 보금자리 마련 지원이나, 보육비 지원, 양육지원 수당, 사교육비 경감 지원, 육아지원 인프라 등 출산과 양육에 유리한 환경을 조성하고, 임신과 출산에 대한 지원을 확대하는가 하면, 일과 가정의 양립을 위해 산전후 휴가 급여 등 지원을 확대하고, 가족친화적 직장문화를 조성하기 위한 세부 계획을 세웠다. 이 기본법은 꾸준히 계획을 보완, 매년 10조원 이상의 재정을 투입해왔다.

하지만 오히려 출산율이 5년만에 감소세를 보이며 정부의 출산 장려 정책이 실제 출산율 상승에 별다른 효과가 없다는 비판을 받고 있다. 정책 목표가 출산율 상승에 집중되다 보니 정작 저출산의 진짜 원인이 되는 국민의식 개혁이나 사회적 인프라 구축에는 소홀하다는 지적이다. 출산율 상승이라는 단기적 효과를 노리는 정책이 아무리 생겨나도 성평등이나 기업 풍토개선 등 사회 인식이 바뀌지 않는 이상 출산 자체를 기피하는 현상은 지속될 전망이다.

6. 다른 나라의 인구 문제

저출산 문제가 나타나는 국가들은 대부분 선진국이거나 개도국에서 선진국으로 가는 단계에 있는 OECD 가입국들이다. 특히 일본은 한국과 비슷한 가부장 문화가 뿌리내리고 있으며, 저출산·고령화 현상을 겪고 있는 양상에서도 유사한 점이 많다. 한편 서유럽 국가 중에서 프랑스는 일찍부터 적극적인 저출산 대책을 펼침으로써 출산율 상승을 이끌어냈는데, 성공사례로 꼽히는 프랑스의 출산율은 1.89명. 이어 핀란드(1.80), 덴마크(1.78), 스웨덴(1.75), 영국(1.74) 등 사회제도를 잘 갖춘 국가들조차도 여전히 1가족당 2명 이하의 출산율을 기록하고 있어 저출산은 이미 선진국사회에 고착화되고 있다.

반면 인도와 중국의 인구는 지속적으로 늘고 있으며 세계48개 최빈국, 특히 서부 사하라 지역의 인구가 앞으로 50년 내 3배나 급증할 것으로 추산되고 있는 등 인구의 증가 감소가 선, 후진국에 따라 뚜렷이 경향화되는 현상을 보이고 있다. 이에 따라 빈국에서 선진국으로의 이민도입 정책 등도 활발히 논의될 것으로 예상되고 있다.

"국가가 출산정책 내놔야"

1 저출산은 국가 유지를 위협하므로 정부가 적극적으로 개입해야 한다

물론 결혼을 할지 안 할지, 결혼 후에 아이를 낳을지 말지, 혹은 몇 명이나 낳을지를 선택하는 것은 국가가 결정할 수 없는 개인의 권리라는 사실에 동의한다. 그럼에도 불구하고 정부가 나서서 갖가지 출산 장려 정책을 세우고 이를 실행하려고 하는 데에는, 현재 지표로 나타나는 우리의 출산율이 낮아도 너무 낮기 때문이다. 일반적으로 한 나라의 인구가 줄어들지 않고 현상유지를 하기 위해서는 가임여성 기준 평균 2.3명 정도의 자녀를 가져야 한다. 하지만 우리나라는 지난 7년간(2014년 기준) 출산율이 단 한 번도 1.3명을 넘지 못했다. 2017년에는 합계출산율이 1.05명으로 인구 감소 시점이 앞당겨질 것이라는 전망이다. 한국의 저출산 문제가 얼마나 심각하면 인구학자인 데이비드 콜먼은 한국을 인구소멸 1호 국가로 지목했을까?

저출산은 당장 노동인구를 감소시켜 경제성장을 둔화시키고, 결국에는 국가의 미래를 위협할 것이다. 또한 새로 태어나는 아이가 줄면서 노령인구가 증가해 복지비용이 늘어날 수밖에 없는데 이것 또한 국가 재정에 심각한 타격을 줄 수 있다. 뿐만 아니라 젊은층의 책임이 과도하게 늘어나 세대 간 갈등도 촉발할 수 있다.

결혼과 자녀계획은 개인의 선택이지만, 이 선택이 사회에 위협을 초래할 가능성이 높다면, 당연히 정부는 국가와 사회를 위해 대책을 마련하는 등 적극적으로 개입해야 한다. 출산의 문제는 개인의 선택이지만, 현재의 저출산 문제는 국가 유지에 위협이 될 정도로 심각하다. 정부가 출산 장려 정책 등을 통해 적극적으로 현실을 타개해야 한다.

2 출산 장려를 위한 정책을 펼쳐 문제를 해결해나가야

저출산 문제에 대한 해답은 아이를 많이 낳게 하는 것이다. 따라서 저출산 현상이 굳어지게 된 원인이 무엇인지 찾아본 뒤 이를 바로잡는 게 정확한 순서다. 경제적 불안정, 양육 부담, 높은 주택마련 비용, 육아시설 부족, 개인 중심의 가치관, 청년 실업 등 저출산의 원인은 복합적이다. 그렇다고 해서 이 모든 복합적인 문제를 한꺼번에 해결할 도리는 없다. 다만 저출산 문제가 심각하다는 데 문제의식을 공유한 상황이라, 개인적 가족적 영역에 속해 있던 출산의 문제를 사회가 함께 책임져야 한다는 공감대는 형성되었다. 이를 토대로 정부가 장기적으로 출산을 늘리기 위한 다양한 정책을 세우고 이를 시행하는 것은 당연한 일이다.

일단 출산을 하면 경제적인 인센티브를 주는 단기 처방에 힘을 모아야 한다. 영육아 보육료와 교육비 지원 확대, 다자녀가정에 대한 세제 및 주거 안정 지원, 육아휴직비 지원 확대 등의 대책이 가능하다. 이렇게 해서 '아이를 많이 낳으면 인생이 마이너스'라는 굳어버린 인식을 조금이라도 돌려놓아야 한다. 장기적으로 교육개혁, 집값 안정, 정년 연장 등을 주요 과제로 놓고 저출산 정책을 가져가면 효과가 있을 것이다. 또한 출산 휴가, 양육 지원 등을 통해 일하는 부모가 부담없이 아이를 낳고 기를 수 있는 기업문화를 만들어야 한다. 저출산 문제를 해결하기 위해서는 출산을 장려하는 다양한 정책 마련이 필요하다. 국가가 구체적인 장단기 정책을 실현해 저출산 문제를 해결해야 한다.

3 정부의 출산 장려 정책, 더 확대 시행되어야

인구 문제는 언제나 국가 지도자들의 관심사였다. 사람이 병력이자 노동력이던 시절에는 더욱 그랬다. 인구는 국가 안보와 경제, 민족 구성과 종교에까지 폭넓게 영향을 미치기 때문에 출산율이 너무 낮거나 너무 높을 때 당연히 인구 문제는 국가의 어젠다가 되는 것이다. 현재 저출산 문제는 비단 몇몇 국가에 국한된 문제가 아니다. 전 세계적으로 출산율은 80~90년대를 거치면서 급격히 하락세로 돌아서 지금까지 계속되고 있고, 세계 곳곳에서 경보음을 울리고 있다. 따라서 프랑스, 스웨덴 같은 선진국을 비롯한 OECD 국가들은 저마다 출산 장려 정책을 내놓고 있다. 왜냐하면 지금과 같은 저출산이 계속될 때 야기될 사회문제가 너무나 크기 때문이다.

일본의 경우 저출산 고령화로 인해 숙련 노동 부족 현상을 겪고 있는데, 이는 자연히 기술 저하로 이어져, 국가경쟁력 약화를 초래할 수밖에 없다. 또한 도시에 빈집이 늘어나는 도시 공동화 현상까지 나타나고 있다. 생산연령 인구 감소에 따른 경제력 저하, 사회보장제도의 지속성 유지의 어려움, 국가채무의 증가 등은 저출산 시대를 맞이한 국가들의 공통적 문제이다. 더구나 한국은 초저출산 국가로 인구학자 데이비드 콜먼은 한국이 인구소멸 1호 국가가 될 것이라는 경고를 보내고 있는 상황이다. 저출산 문제가 심화되고 있다. 이 진행속도를 늦추지 못한다면 어떤 상황을 맞을지 알 수 없다. 정부의 출산 장려 정책은 바람직할뿐더러 더 확대 시행되어야 한다. 선진국을 비롯한 OECD 국가들 모두 저출산이 야기할 사회문제가 크므로 대책 마련에 몰두하고 있다. 정부의 출산 장려 정책은 당연한 것이다.

"국가가 나설 일 아냐"

1 결혼과 출산은 개인의 선택, 국가가 나설 일 아니다

아이를 낳을지, 몇 명을 낳을지는 부모가 될 권리와 관련된 인권의 문제다. 개인적 선택의 문제이지 국가가 나서서 '많이 낳아라, 혹은 적게 낳아라'라고 강제할 수 있는 영역이 아니다. 그런데도 과거 이명박 정부는 저출산 문제를 해결한다는 미명 아래 2003년 낙태 금지조치를 내린 적이 있다. 그 결과 임신중절을 위해 병원을 찾은 여성들이 수술을 거절당하는 사례가 늘었다. 저출산의 해법으로 여성의 몸에 대한 자기결정권을 부정하는, 그야말로 말도 안 되는 정책이었다. 그로부터 현재까지 정부가 저출산의 해법으로 내놓은 정책의 이름은 '출산 장려 정책'이다. 출산을 '장려'한다는 말에는 국가가 개인의 출산을 통제하겠다는 의미가 내포되어 있다. 만약 정부가 저출산의 해법으로 정책을 제시한다면, 그 이름은 '출산 장려 정책'이 아닌 '출산 지원 정책'이어야 한다.

물론 저출산이 우려할 만한 사회 현상임은 인정한다. 하지만 저출산 자체를 문제 삼아 정부가 개인의 출산을 장려하는 것은 올바른 대책이 될 수 없다. 이미 평생 고용이 사라진 시대다. 아이를 낳을 젊은 층들은 당연히 학력과 경력 관리에 집중할 수밖에 없고, 결혼을 해도 맞벌이를 해야 한다. 당연히 결혼과 자녀 출산은 후순위로 밀릴 수밖에 없는 현실이다. 뿐만 아니라 저출산으로 인해 국가 유지가 어렵다는 진단이 과연 맞는지도 의문이다. 인구 문제는 전지구적으로 봐야 하며, 노동의 질과 규모 역시 현재와 미래가 다를 수 있다. 개인의 문제에 정부가 개입할 만한 근거가 충분한지 알 수 없다. 결혼과 출산은 개인이 선택할 일이지 국가가 나서서 강제할 수 있는 문제가 아니다.

2 저출산 정책, 실효성 없다

사회 전체가 '출산 노이로제'에 걸린 듯하다. 정부는 각종 기구를 만들고 저출산 대책을 쏟아내고 있다. 대체로 아이를 많이 낳을수록 경제적 지원을 해주겠다는 것으로 요약된다. 최근 정부의 호들갑은 과거 출산억제정책과 '닮은 꼴'이다. 국가의 번영을 위해 '국가에 의한 인구통제'를 해온 것이나 지금의 '출산 장려 정책'이나 같은 맥락이다.

하지만 현재 출산 장려 정책이 실효성이 없다는 사실이 공공연히 드러나고 있다. 2006년 본격적인 저출산·고령화 정책을 펴기 시작해 9년 동안 10조원을 투입했지만, 결과는 참담하다. 출생아 수가 2006년 44만8200명에서 2017년 35만7700명으로 오히려 줄었다. 15세부터 64세까지의 생산가능인구도 빠르게 감소했다. 정부는 2006년부터 5년마다 저출산·고령화정책 계획을 발표하고 출산·양육 지원, 주거·교육 문제 등 세부 과제를 200여 개 정도 시행해왔다. 그러나 수많은 노력에도 불구하고 정책은 실패했다. 현상적인 해법으로는 본질적인 저출산 문제를 해결할 수 없음이 드러난 꼴이다.

저출산 문제는 가족가치의 변화, 성평등 문제, 경쟁 중심의 자본주의, 개인의 생애주기 변화 등 복합적 요인에 의한 하나의 사회적 징후다. 다양한 스펙트럼을 가진 저출산 현상을 극복하기 위해서는 사회구성원들이 어떤 삶을 살고 있는지 진지하게 성찰해 보다 본질적인 대안을 마련해야 한다.

3 저출산 문제, 과장된 측면 있어 냉정하게 인구 문제 바라봐야

저출산으로 인한 인구 감소가 재앙을 초래할 것이라는 이야기는 과장된 측면이 있다. 세계적 인구학자 타이털바움은 출산율 감소가 인류 번영에 기여한 측면도 있다고 말했다. 아이를 적게 낳음으로써 여성의 사회적 권리가 증대되었고, 여성의 경제활동 참여가 늘었으며, 부모의 역량을 소수의 자녀에게 쏟음으로써 교육의 질을 높여 우수 인재를 양성할 수 있었다. 그 결과 국가 경제적으로도 생산성이 높아지는 결과를 낳았다. 인구 규모가 곧 국력은 아니라는 얘기다. 무조건 출산을 장려할 것이 아니라 노동 환경을 개선해 노동의 질을 높이면 생산성이 향상돼 삶의 질이 좋아질 수 있다. 현재 저출산은 하나의 큰 흐름을 형성하고 있다. 따라서 저출산을 위기로만 인식하는 고정관념에서 벗어나, 경제의 질적 성장을 이룰 수 있는 기회로 삼을 필요가 있다.

한국이 인구소멸국가 1호가 될 것이라는, 혹은 70년 후에는 절반으로 줄어들 것이라는 예견은 과장된 경고다. 저출산 문제에 주목도를 높이기 위해서 대재앙이 닥칠 것처럼 과장하는 일은 인구 연구 분야에서 종종 일어나는 일이다. 과연 인구 감소가 재앙이기만 할까? 이미 저출산의 기조로 들어선 지금, 아무리 출산 수당과 세제 혜택을 준다고 해도 이 흐름을 돌리기는 어렵다. 패닉과 공포로 올바른 판단을 방해하고 문제를 복잡하게 만드는 것은 아닌지 진지하게 돌아봐야 한다. 수백 년 후에 우리의 삶이 지금과 같지는 않을 것이다. 저출산에 대한 현재의 우려는 과장된 측면이 있다. 오히려 더욱 냉정하게 인구 문제를 바라봐야 한다.

프랑스의 저출산 대책

1990년대 중반부터 적극적인 가족지원 정책을 통해 출산율이 증가해 2008년 출산율이 2.02명으로 늘었다. 프랑스 저출산 대책의 주요 특징은 부모의 출산 선택권을 보장하고, 양육비 부담을 해소하기 위해 다양한 수당 제도를 마련함과 동시에 가정과 일터의 병행 지원을 위해 보편적인 보육서비스를 제공한다는 것.

1 보육서비스: 주로 국공립보육시설로 유치원은 무상교육으로 3~5세 아동이 이용하고 있다.

2 휴가, 휴직제도: 산전후 출산휴가는 16주 동안으로, 휴직급여의 소득대체율은 100%. 육아휴직제도는 3년동안 가능하며 두 번째 자녀부터는 정액급여가 지급된다.

3. 수당제도: 보편적인 가족 수당 외에 다자녀 가족에 대한 보충급여 지급.

4. 기타 지원제도: 임신 6개월 이후 모든 의료비, 입원비, 치료비 100% 국영의료보험에서 부담

스웨덴의 저출산 대책

스웨덴의 합계출산율은 1978년 1.60까지 감소했으나, 점진적으로 회복해 1990년 2.13명까지 증가했다. 경기침체로 1999년 1.52명까지 낮아졌으나, 이후 여성노동참가율과 더불어 회복되어 2006년 1.85명까지 상승했다.

1. 보육서비스: 1~12세 아동을 대상으로 국공립보육시설에서 종일제 보육 제공.
2. 출산·육아휴직제도: 출산휴가의 경우 출산전후 각 7주간 가능. 이중 2주 동안은 아버지의 사용을 의무화하였다. 육아휴직의 경우는 자녀가 8세까지 부모 합계 480일까지 가능.
3. 수당제도: 아동수당제도는 기본아동수당, 연장아동수당, 다가족 아동수당으로 구성된다. 기본 아동수당은 부모의 결혼 여부와 상관없이 16세 이하 모든 아동에게 지급된다.(약 12만원)

토론해 봅시다

1. 정부는 저출산을 국가적 재앙으로 판단하고 엄청난 규모의 예산을 책정하여 주요 과제로 다루고 있습니다. 개인과 사회의 관계에 비추어 정부의 출산 장려 정책은 타당한 것일까요? 현재의 저출산 현상이 대대적인 출산 장려 정책으로 이어져야 할 만큼 위기 상황일지 토론해봅시다.

2. 아래 사항 중 현재 저출산 현상의 핵심 원인이라고 생각되는 것을 하나만 고르고, 그 원인에 상응하는 저출산 대책은 무엇일지 말해봅시다.

① 결혼, 출산, 양육 등 가족적 가치관에 대한 사회의 저평가
② 양육에 따른 경제적 부담
③ 사회 구성원의 개인주의적 사고 경향
④ 출산과 양육이 병행되기 어려운 노동, 기업 환경
⑤ 고용과 육아, 가정에서의 남녀 불평등
⑥ 출산과 육아의 양적 팽창보다 질적 향상의 추구

실전 gogo

여러분이 생각하기에 가장 바람직하다고 생각하는 저출산 대책이 무엇인지 정하고, 그 대책이 실행되었을 때 어떤 변화가 있을지 10년 후의 사회현상을 예측해 적어봅시다. (500자 내외)

성역할의 구분, 사회적 혹은 유전적?

가정생활, 사회생활을 하다보면 은근히 우리들 머릿속에 여자가 하는 일, 남자가 하는 일이 구분돼 있다는 걸 알게 된다. 뿐만 아니라 '남자가 소심하게' '여자가 단정치 못하게' 같은 꾸지람도 일상적으로 일어난다. 남자는 어때야 하고, 여자는 어때야 한다는 기준이 있는 셈이다.
성차性差에 따른 역할의 구분은 생물학적 요인에 의해서 정해지는 것일까, 아니면 사회적인 요인에 의한 것일까? 이 해묵은 논쟁을 딛고 새로운 시대의 남성성, 여성성이 어때야 할지 진취적으로 사고해보자.

키워드로 읽는 논쟁

1. 섹스sex와 젠더gender

섹스sex는 남성과 여성의 자연적이고, 선천적이고, 생물학적인 차이를 지칭하는 것으로 '생물학적 성'을 의미한다. 이렇게 생물학적인 성과 구별되는 것이 '사회문화적인 성'이다. '사회적 성'인 젠더gender는 그 사회 안에서 남성성, 여성성에 관한 문화적 이상, 신념체계 및 기대 같은 것으로 구조화된다. 생물학적 성은 태어날 때부터 이미 결정된 것인 데 반해 '남성성', '여성성'은 후천적으로 사회, 문화적으로 형성된 것이라고 볼 수 있다.

문제는 젠더에 관한 사회적 통념이 태어난 순간부터 영향을 미친다는 데 있다. 소년들에게는 여러 가지 방식을 통해 남성성이 주입되는데, 예를 들면 감정을 부정하고 육체적으로 강한 행동을 하며 경쟁을 통해 가치를 증명하도록 하는 사회적 압력이 그것이다. 반면에 소녀들은 남의 말을 잘 들어주고, 적당히 순종하며, 다른 사람들의 요구를 먼저 들어주는 것으로 가치를 증명하도록 강요받는다. 이러한 젠더는 권력관계에 많은 영향을 미치는가 하면 여러 사회 조직 안에서도 강요된 통념으로 작동하여 여러 가지 사회 문제를 낳게 된다.

2. 성역할이란?

남녀의 신체적 차이, 생물학적 차이를 흔히 성차性差라고 부른다. 성역할이란 단순히 이런 성차를 뜻하는 것이 아니라 젠더라는 개념과 관련이 깊다. 성역할은 개인이 속해 있는 문화 내에서 남성이냐, 여성이냐 하는 구분에 따라 행동양식, 태도, 성격적 특성이 달라지는 학습된 역할을 말한다. 이러한 성역할의 구분은 남녀의 사회적 지위나 직업 선택 등에도 큰 영향을 미친다. 쉽게 말하면 여성은 여성다워야 하고 남성은 남성다운 행동을 해야 한다는 역할 구분이 생긴다는 것이다. 예를 들어 가부장제 사회에서 여성은 가정을 돌봐야 하고 남성은 밖에서 일하고 가정을 부양하는 역할을 해야 한다는 식의 역할 구분이 그것이다.

성역할의 구분에서 문제가 되는 것은 대부분의 문화권에서 남성들의 경험과 관점이 표준과 기준으로 작동하는 남성우월주의적 이데올로기의 지배를 받게 된다는 것이다. 그 결과 중요한 결정은 남성이 하고, 남성의 일에 여성 참여를 배제하며, 사회적으로 남성이 더 높은 지위를 차지하게 되는 불평등을 낳을 수 있다.

3. 아니마와 아니무스

아니마Anima와 아니무스Animus는 칼 융의 분석심리학에서 나오는 개념으로, 각각 여성과 남성에게 잠재돼 있는 무의식적인 인격을 말한다. 아니마는 남자의 내면에 있는 여성성을, 아니무스는 여성의 내면에 깃든 남성성을 말한다. 섹스가 생물학적 성이라면 젠더는 사회적 성이라고 밝혔듯 남성성, 여성성은 사회적인 영향을 받는다. 이때 우리가 주목해야 할 것은 남자는 남성성을 여자는 여성성을 갖고 있다고 단언하기는 어려우며 모든 인간은 남성성과 여성성으로 분류되는 여러 가지 특성을 모두 갖고 있다는 점이다. 한편 대담성, 용기, 지성, 공정성, 적극성 등을 남성성으로, 사랑, 배려, 모성애, 부드러움, 겸손 등을 여성성으로 분류하는 것은 합당하지 않다는 입장도 있다.

이처럼 모든 사람이 기본적으로 남성성과 여성성을 모두 지니고 있다는 의미에서 '양성성'이란 단어가 탄생했는데, 사회가 규정하는 성역할 중에 바람직한 여성성과 남성성이 결합되어 공존한다는 뜻을 갖고 있다. 과거에는 많은 사회에서 남자는 남자다운 것이, 여자는 여자다운 것이 심리적으로 건강하다고 생각해왔지만, 두 가지 특성을 모두 조화롭게 공유하는 것이 오히려 자존감이 높고, 자아실현이나 성취동기 욕구가 강하며, 사회 적응력이 뛰어난 것으로 알려져 있다.

4. '젠더 불균형' 과학기술계에서도 나타나다

과학기술계의 젠더 혁신운동은 정확한 성별 분석을 통해 연구 성과를 높이고, 기술을 혁신해 사회를 변화시킬 수 있다는 개념이다. 예를 들어 1997년~2000년 미국에서는 총 10종의 약품이 판매중지되었는데, 이중 8종이 여성에게 더 큰 부작용을 일으켰기 때문이다. 특정 약물 성분에 여성이 더 취약할 수 있다는 점을 고려하지 않은 게 원인이다. 실제 생명과학·의학분야 동물실험 때에도 수컷 사용이 많고 암컷 사용률이 낮아 연구 결과가 왜곡될 수 있다고 한다.

젠더 불균형의 예를 보자.

여성의 음성주파수는 남성보다 높은데, 80년대까지만 해도 텍스트-음성 변환장치는 남성 음성만 연구해 만들어져, 여성의 음성을 제대로 인식하지 못하는 경우가 많았다. 1999년 발표된 한 연구에 따르면 자동차 안전벨트의 경우 여성과 남성이 둘다 안전벨트를 매고 같은 속도로 달리다 사고를 당할 경우 여성의 부상률이 47%나 높게 나타났다. 차량 충돌실험 때 사용된 인체모델이 미국 남성 평균 50%의 키와 몸무게를 기준으로 제작됐기 때문이다. 과학기술계의 젠더 혁신운동은 여성 과학자의 숫자를 늘리거나 채용, 승진시스템을 고치기 위한 노력을 넘어, 편향된 과학지식을 고치는 방향으로 나아가고 있다.

성역할의 차이는 유전적으로 결정되나

“성역할, 유전적”

1 남녀 간 생물학적 차이가 생존의 방식을 결정한다.

남녀의 신체적 차이는 뚜렷하고, 심리적인 특성도 크게 차이가 난다. 신체적으로 보면 남성은 근육이 발달해 있고, 강건한데 비해, 여자는 상대적으로 연약하다. 30여년 간 부부를 위한 상담센터를 운영하면서 갈등의 원인과 치유법을 연구해온 존 그레이 박사는, 남자와 여자는 생물학적인 신체적 차이뿐만 아니라 언어와 사고방식 등에서도 분명한 차이가 있다고 주장한다.(《화성에서 온 남자 금성에서 온 여자》) 이런 차이는 삶의 방식이나 행동하는 방식에 결정적인 영향을 미친다. 남녀의 신체 차이가 분명했기 때문에 원시사회에서는 신체조건이 좋은 남자는 사냥을 나가 들짐승을 잡아왔고, 여자는 집에서 아이들을 키우는 일(역할)을 나눠서 하게 되었다. 남자의 공격 성향이나 여자의 온화함은 오랜 시간 이렇게 역할을 나눠 오면서 유전적으로 자리를 잡게 된 것이다.

따라서 남녀의 기질 차이를 단순히 교육의 탓이나 사회 상황으로 돌릴 수 없다. 실제로 남자와 여자의 호르몬 차이는 뚜렷하며, 이에 따라 기질의 차이도 생긴다. 물론 성역할은 사회적 통념이나 문화적 특성으로부터 영향을 받기는 하지만, 그보다는 태생적인 차이에서 비롯된다. 남녀의 성역할의 차이가 유전적이라는 얘기다. 이는 절대 남자와 여자 중 어느 쪽이 더 우수한지 논하려고 하는 얘기가 아니다. 하지만 그렇다고 해도 여자가 건설현장에서 등짐을 지고, 남자가 보모 일을 하는 게 자연스럽다고 보기는 어렵다. 남녀 간의 생물학적 차이와 특수성을 인정하고 그에 따라 적절한 삶의 방식을 찾는 게 자연스럽다.

2 성역할의 구분이 사회적인 것은 아니다

지금은 여성이 작업복을 입고 공장에서 일하는 게 전혀 이상하지 않지만 2차 세계대전 동안 남자의 직업이라고 생각되었던 공장 일을 여성이 하기 시작하자 사람들은 부자연스러워했다. 성역할의 구분이 사회적인 것이라고 주장하는 사람들은 이런 사례를 들면서 남녀의 구체적인 성역할이 시대와 환경, 문화적 특성 등에 따라 큰 차이를 보인다고 말한다. 2차 대전 중에 공장 일에 여성이 투입된 것은 남성들이 참전하면서 노동력 공백이 있어서였다. 시대와 환경, 문화에 따라서 이렇게 성역할의 구체적인 양상이 달라질 때가 있기는 하다. 하지만 그렇다고 해도 남자가 힘이 세며 공격적이고, 임신과 출산이 가능한 여자가 모성을 가지고 있다는 것과 같은, 근본적으로 변하지 않은 부분이 훨씬 더 많다.

최근에는 남성의 역할을 여성이 대신하거나 여성의 역할을 남성이 대신하는 경우가 있긴 하다. 하지만 이 경우에는 남녀의 특징으로부터 크게 영향을 받지 않는 일부분에 한정된 것이다. 노동강도가 센 육체노동이나 고된 일은 남성에게 더 적합하다. 남자의 신체가 유전적으로 여자에 비해 강하기 때문이다. 물론 이스라엘은 여성을 군인으로 징집하고, 미국은 직업군인을 모집한다. 하지만 여자로 구성된 군대가 전쟁에 참여한 사례는 희박하다.

이에 반해 섬세함을 요구하는 일이나 육아는 여성에게 훨씬 적합하다. 생물학적으로 아이를 낳을 수 있는 여성은 아이와 보다 가깝고, 아이들이 엄마를 더 잘 따르기 때문이다. 인류의 역사에서 성역할의 구분이 절대로 변화하지 않는, 근본적인 지점이 있다. 시대나 문화, 계층이나 지역에 따라 성역할이 달라지는 경우가 있긴 하지만 유전적·생물학적인 차이와 비교해보면 미미한 수준이다.

3 유전적 차이로 인한 성역할의 구분이 남녀불평등을 초래하는 건 아니다

오랫동안 성역할을 둘러싼 고정관념이 남녀불평등을 초래한 건 사실이다. 하지만 남녀불평등이 있는 그대로의 차이를 인정하자는, 유전적, 생물학적 성역할의 구분 때문에 발생한 건 아니다. 이는 잘못된 고정관념과 사회 시스템의 문제다. 예를 들어보자. 사무직으로 일하는 남자와 여자가 있다. 그런데 회사가 남자가 체력이 좋고 힘이 세고, 여자는 그렇지 않기 때문에 체력이 좋다는 이유로 동일한 일을 하는데도 임금을 차등있게 준다면 이는 불평등한 처사다.

남녀의 차이를 인정하고 각각이 지닌 자질과 능력을 적절하게 발휘할 수 있도록 상호 배려하는 것이 무엇보다 중요하다. 성역할의 남녀 차이를 인정하지 않고 모든 조건이나 상황에서 동일한 것을 요구한다면 그것이야말로 불평등한 결과를 낳을 수 있다. 또한 그러한 요구는 남성에게 임신과 출산을 요구하는 것처럼 터무니없다. 분명히 남성만이 할 수 있는 일, 여성만이 할 수 있는 일이 있다. 남녀평등은 잘못된 성역할 고정관념을 바로잡고 유전적 차이와 특성을 제대로 이해하고, 이를 사회시스템에 잘 정착시킬 때 실현될 수 있다.

성역할의 차이는 유전적으로 결정되나

"성역할의 차이, 사회적인 것"

1 우리 사회는 사회문화적 성인 젠더에 대한 고민이 필요하다

남녀 사이의 신체적 차이, 생물학적 차이는 분명히 있다. 하지만 그 차이가 개인의 능력이나 직업의 구별, 행동특성까지 좌우하지는 않는다. 우리나라의 경우 생물학적 성차에 대해서는 인정하면서 사회적·문화적 성인 젠더에 대한 고민이 없다. 젠더는 그 사회 안에서 남성성, 여성성에 관한 문화적 이상, 신념체계 및 기대 같은 것이 구조화된 것이고, 이렇게 구조화된 것이 직업을 비롯한 여러 가지 일상생활에서 남녀의 역할 구분을 지배하고 있다.

예를 들면 아주 오랫동안 여자는 집에서 밥을 짓고 빨래를 하고, 남자는 밖에서 돈을 벌어 와야 한다는 생각이 지배적이었다. 그래서 여성의 경제참여율이 50%를 넘고, 맞벌이 부부 또한 빠르게 증가하고 있는데도 가사일과 육아에 대한 부담은 여전히 여성이 짊어져야 한다. 뿐만 아니라 기업의 임원, 여성의원 수는 절대적으로 부족하다. 한편 유아기는 물론이고 학교교육과 사회화 과정에서 우리는 '남자는 ~해야 한다' '여자는 ~해야 한다'는 식의 교육을 받아왔고, 이를 당연한 것으로 받아들이게 되었다. 성역할의 구분이 유전적인 것에서 기인한다는 견해는 지금 존재하는 불평등의 구조를 바꿀 수 없게 만든다.

모든 사람의 내면에는 여성성, 남성성이 함께 있다. 남자 안에도 여성성이 있고, 여자의 내면에도 당연히 남성성이 있다. 성역할의 구분이 유전적이라는 낡은 견해를 버리고 각자의 내면에 숨죽여 있는 남성성과 여성성을 고르게 성장시켜야 불평등의 구조를 깰 수 있다. 신체적, 생물학적, 유전적 차이로 인한 성역할의 구분은 시대착오적인 것이다.

2 성역할은 시대와 문화 등의 변화에 따라 달라져야 한다

성역할은 고정된 게 아니다. 역사적으로 남성이 여성에 비해 주도적인 역할을 해온 것은 사실이지만 특정한 시대나 특정한 문화에서는 그 반대의 일도 많았다. 엘리자베스 여왕이나 잔다르크, 선덕여왕 등이 성취한 일들을 보라. 한 사회를 이끌 충분한 능력을 가졌음을 알 수 있다. 역사적으로 남성 리더가 많은 것은 그들이 여성에 비해 유전적으로 리더십을 더 많이 갖고 있어서가 아니다. 남성 중심의 사회에서 이를 시스템화했기 때문이다. 그렇다면 이 시스템을 변화시킨다면 더 많은 여성리더를 배출할 수 있단 얘기다. 남녀의 구체적인 성역할은 이처럼 시대와 환경, 문화적 특성에 따라 얼마든지 변화할 수 있다.

한편 현대에 오면서 여성의 역할은 점차 커지고 있다. 산업화 초기에는 여성이 집에서 가사와 육아를 전담하는 게 당연해 보였다. 하지만 지금은 남녀 구분 없이 개인의 능력과 성향에 따라 직업을 선택하는 것이 자연스럽다. 여성이 직업군인이 되기도 하고, 남성이 간호사라는 직업을 갖거나 전업주부를 선택하는 경우도 있다. 성역할이 사회적 산물임을 방증한다. 만일 성역할의 구체적인 모습이 어떤 사회나 시대에 동일하게 나타났다면 남녀의 신체적 차이나 유전적 요소에 따라 성역할이 결정된다고 주장할 수 있을 것이다. 하지만 실제로는 전혀 그렇지 않다. 성역할의 차이는 유전적인 차이 때문에 비롯된 것이 아니다. 사회적·문화적 영향에 따라 발생하는 것이다.

3 유전적 요인이 성역할을 구분한다는 생각은 불평등을 초래한다

성역할이 유전적 요인에 따른 것이라는 고정관념은 남녀불평등을 야기할 수밖에 없다. 남성은 이성적이고 여성은 감성적이라는 생각은 성역할 고정관념 중에서 인간의 본성과 관련해 그 뿌리가 가장 깊다. 이 생각은 이렇게 가지를 친다. 남성은 이성적이므로 냉철하고 합리적인 판단을 내리는 데 반해, 여성은 감정에 치우쳐 올바른 판단을 내리지 못한다고. 그러므로 합리적 판단이 중요한 일들, 조직의 간부급이나 단체의 리더는 남성이 더 적합하다고. 그 결과 기업에서는 임원 승진에서 여성이 소외되고, 정치의 장에서 여성 리더의 출현이 어려워질 수밖에 없다. 이러한 편견은 그리스 시대를 거쳐 중세와 근대를 거치면서 굳어져온 것이다.

남성성과 여성성에 따라 남녀의 일이 다르다는 식의 성역할 규범은 그 자체로 억압적이며 개인의 선택의 폭을 좁힌다. 수많은 사회제도 역시 성역할 고정관념의 영향으로 불평등한 구조를 갖게 되었다. 실제 오랜 기간 우리 사회에 존속했던 호주제도 성역할 고정관념에서 비롯된 것이고, 심각한 남녀불평등을 낳았다. 호주제는 순종적이고 의존적이라는 여성의 성역할 고정관념을 반영한 것으로 재산권과 독립권 등의 측면에서 여성의 권리를 억압해왔다. '차이'를 인정하자는 것 자체에 문제가 있는 것은 아니다. 하지만 '차이'를 강조할 때 형성되는 고정관념이 '차별'을 낳는 상황은 피해야 한다.

토론해 봅시다

1. 성역할의 차이는 신체적, 유전적 요인에 의해 결정되는 걸까요? 아니면 사회적, 문화적 요인에 의해 결정되는 걸까요? 친구들과 찬반으로 나누어 토론해봅시다.

2. 성역할 고정관념이 남녀불평등을 보다 심화시킨다고 생각하나요? 자신의 생각을 정리해보고, 그렇게 생각한 이유도 제시해봅시다.

실전 gogo

최근 초등학교에 남성 교사가 사라지고 있는 상황을 우려하는 사람들이 많습니다. 초등학교에 남성 교사가 없으면 교육현장의 지나친 여성화로 문제가 발생할 것으로 보는지, 큰 문제가 아니라고 보는지 자신의 생각을 간략히 정리해봅시다. (300자)

낙태,
합법화할 것인가

'출산하지 않을 권리 vs 태아의 생명권'

한국은 '낙태 천국'이란 오명(汚名)에서 벗어나기 어려워 보인다. 낙태금지국이라 실태 조사가 어려워 낙태건수 추정이 35만건에서 200만건까지 편차가 크지만, 기혼 여성의 40%가 낙태 경험이 있을 만큼 인구 수에 비해 낙태건수가 많은 것은 부정할 수 없다.

낙태를 법으로 금지하는 상황에서 높은 낙태율이 의미하는 것은 뭘까? 낙태야말로 법과 현실의 괴리가 가장 두드러진 사회문제임을 반증하는 것 아닐까. 낙태 합법화를 둘러싸고 인류는 오랫동안 논쟁을 벌여왔고, 여전히 논쟁 중이다. 이 논쟁에는 단순한 흑백논리로는 해결할 수 없는 복잡하고 다양한 의미들이 숨어 있다. 그 의미들을 세심하게 고려해 낙태에 대해 어떤 견해를 가져야 할지 깊이 생각해보자.

키워드로 읽는 논쟁

1. 낙태, 그리고 낙태 논쟁의 핵심

낙태란 태아를 자연분만하기 전에 모체로부터 제거하는 일을 말한다. 임신중절, 인공유산이라고도 부른다. 특히 논쟁이 되는 낙태는 '임신중절'로, 임신 중단을 목적으로 태아가 모체 외에서 생명을 유지할 수 없는 시기에 태아를 모체 외부에 배출시키는 인위적 조작에 관한 것이다. '태아를 모체 외부로 배출하는 것, 혹은 제거하는 것'이라는 정의에는 많은 함축적인 의미를 내포하고 있다. 낙태 반대론자들은 이를 태아 살해라고 주장하며 낙태를 범죄행위라고 주장한다.

낙태를 둘러싼 논쟁은 오랫동안, 전 세계적으로 치열하게 논쟁을 벌여왔고, 여전히 논쟁 중이다. '태아를 생명으로 볼 것인가?', '태아를 인격체로 보아야 하나'라는 질문은 낙태 논쟁의 핵심적이고 근본적인 질문이다. 하지만 이 질문은 쉽게 가치판단하기 어렵다. '임신 몇 개월부터 인간으로 간주할 것인가' 하는 의학적 논쟁뿐 아니라 '생명이란 무엇인가'라는 철학적 물음이 섞여 있기 때문이다. 또한 '태아에게도 법적인 기본권을 보장해야 하나'라는 법리적 문제도 관련돼 있다.

따라서 현실적으로 낙태 문제는 태아의 생명권과 여성의 신체 자기결정권의 충돌을 어떻게 풀어갈 것인가로 논쟁이 이어진다. 태아가 기본적으로 산모의 몸의 일부라는 특수한 상황에 놓여 있기 때문이다. 이에 대해 두 가지 상반된 입장이 있는데, 태어날 태아의 생명권을 우선적으로 보호해야 한다는 '생명우선론'과 낙태 문제에서 '여성의 자기결정권'이 우선되어야 한다는 입장이 그것이다. 아이를 낳을 것인가 말 것인가는 국가나 사회가 결정할 일이 아니라 여성이 결정해야 한다는 입장이다.

2. 낙태의 역사

낙태 기록은 고대에서도 찾아볼 수 있다. 그리스로마 시대에도 낙태가 성행했다. 당시에는 아버지 허락만 있으면 아무 제약 없이 낙태할 수 있었다. 이후 중세를 거치면서 낙태를 둘러싸고 철학적, 신학적 논쟁이 계속됐는데 그 와중에도 여전히 낙태는 시행되었다. 1800년 이전에는 태아의 움직임을 인식하기 이전의 인공유산은 묵인했는데 이후 산업혁명을 거치면서 여러 나라가 낙태를 법으로 금지하기에 이르렀다.

1803년 영국에서 처음으로 낙태금지법을 제정했고, 1810년 프랑스에서는 인공유산을 하는 본인이나 시술자 모두 5년에서 10년의 형을 살게 하는 법을 제정했다. 미국도 1868년까지 거의 모든 주가 낙태를 법으로 금지했다. 우리나라의 경우 1953년 제정된 형법에서 태아는 생명체이므로 태아를 낙태시키는 것은 죄를 범하는 것으로 규정, 낙태 시술을 하는 사람이나 낙태한 사람 모두 처벌하고 있다. 하지만 점차 사회가 변화하고 가치관이 변화하면서 낙태 합법화를 둘러싼 논란이 불거졌다. 1949년 일본이 낙태를 합법화했고, 소련을 비롯한 동유럽 국가들도 낙태를 법으로 허용하기 시작해, 전 세계 절반이 넘는 나라들이 낙태를 허용하고 있다.

3. 한국은 낙태 천국? 우리나라의 낙태 실태

우리나라는 낙태를 불법으로 규정하고 있는데도 낙태가 성행하고 있다. 형법(제269조와 제270조)에 따라 낙태한 여성은 1년 이하의 징역이나 200만원 이하의 벌금에 처하고 낙태시술을 한 의사는 2년 이하의 징역에 처한다. 다만 1973년 제정된 모자보건법에 낙태 허용 사유를 두었는데, 임부 또는 그 배우자가 우생학적, 유전학적정신 장애나 신체질환이 있거나 전염성 질환이 있는 경우, 강간 또는 준강간 및 근친상간의 경우, 그리고 모체의 건강을 심히 해하는 경우에는 본인 및 배우자의 동의 아래 임신 28주 이내로 국한지어 낙태를 허용하고 있다.

하지만 낙태에 관한 법률이 엄격한데도 우리나라의 낙태율은 세계 1, 2위를 다투고 있는 실정이다. 낙태가 불법이라 추산 자체가 부정확하지만 2017년 배재대학교와 연세대학교 공동 연구자료에 따르면 연간 50만건의 낙태시술이 행해지고 있다. 보건복지부는 같은 해 낙태 건수가 17만건으로 2005년(34만건)보다 감소했다고 밝혔으나 배재대와 연세대 공동 연구진은 이를 전면 반박했다. 이들의 주장에 따르면 2017년 신생아 수(약 36만명)보다 낙태 수술 건수가 40% 가량 높다. 낙태 수술 통계를 정확하게 내기 어려운 상황이지만 낙태가 불법인 현 상황에서도 이를 감수하고 임신중절 수술을 하는 여성이 많음을 알 수 있다.

하루 수백 명의 여성이 낙태 수술을 받고 있다. 특히 미혼여성과 십대 청소년들의 낙태가 갈수록 증가 추세인데 대부분의 낙태가 불법이므로 건강보험의 혜택을 받을 수 없는 실정이라 많은 여성들이 피해를 보고 있는 상황이다.

4. 낙태죄 폐지 청원 20만명 돌파

2017년 9월 낙태죄 폐지를 주장하는 게시물이 청와대 홈페이지 국민청원 코너에 올랐다. 청원이 올라온 후 한달 새(10월 27일 기준) 청원 인원이 약 23만명을 넘어섰다. 청와대 홈페이지에 올라온 국민 청원 중에서 30일 동안 20만명 이상의 추천을 받은 청원은 30일 이내에 청와대 수석이나 부처 장관 등 책임있는 관계자가 답변을 하도록 돼 있다.

이렇게 국민의 상당수가 낙태죄 폐지를 지지하는 이유는, 낙태죄 관련 법조항에 모순이 있기 때문이다. 현행법에 따르면 낙태 수술을 받을 경우 처벌받는 대상은 산모와 의사뿐이다. 임신을 하려면 여성과 남성, 두 명의 주체가 필요하다. 그러나 남성은 주체임에도 낙태 책임에서 벗어나 있는 것. 뿐만 아니라 강간 등 합법적으로 낙태가 가능한 예외조항에 속하는 경우도 낙태 수술을 받기 어렵다는 맹점이 있다. 강간 피해자의 경우 자신이 성폭행을 당했다는 사실을 입증해야 한다. 하지만 정확한 기록이 남아 있지 않는 한 피해 사실을 입증하기 어렵고, 증거가 있어도 가해자가 가해 사실을 인정하지 않아 재판 기간이 길어지면 낙태 수술을 받을 수 없다. 합법적이라 해도 임신 24주 이내에만 낙태가 가능하기 때문이다.

한편 청와대는 같은 해 11월 26일 낙태죄 폐지 청원에 답변을 내놓았다. 조국 민정수석은, 8년간 중단됐던 정부의 '임신중절 실태조사'를 재개하는 한편 헌법재판소에서 낙태죄 위헌심판이 진행 중인 만큼 사회적·법적 논의가 이뤄질 것이라는 입장을 밝혔다. 낙태죄 폐지가 공론화되고 있다.

5. 외국은 낙태에 대해 어떤 입장인가?

낙태를 허용했다고 해서 낙태율이 높은 것은 아니다. 영국은 1967년 거의 모든 인공임신중절이 합법화되었다. 그럼에도 2005년 영국과 웨일즈에 보고된 낙태건수는 18만 5400건으로 같은 해 우리나라 34만건에 비해 매우 낮은 수준이다. 캐나다도 1988년 이후 특별한 법적 제약 없이 여성의 요청이 있으면 인공임신중절을 받을 수 있는데 점차 낙태율이 감소 추세에 있다. 호주도 주마다 약간의 차이가 있지만 낙태를 합법으로 인정하고 있고, 일본도 1952년 이후 인공임신중절이 가능한 상태다. 하지만 미국의 경우 낙태 논란이 끊임없이 이어지고 있다. 각종 선거에서도 후보가 낙태에 대해 어떤 입장을 취하는지가 유권자에게 큰 영향을 미친다. 미국은 주에 따라 다르지만, 미 연방 대법원 판례에 따르면 임신 12주 이내의 낙태를 허용하고 있다.

유럽의 국가들은 대부분 여성에게 출산하지 않을 권리를 주고 있으며, 중국 역시 낙태를 허용하고 있다. 그러나 가톨릭을 국교로 삼고 있는 대부분의 남미 국가들은 낙태를 엄격히 제한하는 편이다. 한편 프란치스코 교황이 낙태와 관련해 파격적인 선언을 했다. 낙태 여성과 시술 의사가 진심으로 뉘우치면 2015년 12월 8일부터 2016년 11월 20일까지 1년간 한시적으로 죄를 사면받을 수 있다는 교서를 발표했다.

"낙태, 합법화해야"

1 태아의 생명권이라는 잣대로만 볼 수 없는 문제다

낙태 반대론자가 가장 앞세우는 게 태아의 생명권이다. 태아는 수정된 순간부터 인간이므로 모체의 생명이 위험한 경우를 제외하고는 태아의 생명권은 존중받아야 하며, 낙태는 살인과 다를 바 없다고 주장한다. 그러나 낙태 반대가 곧 생명 존엄성의 존중이라는 등식에는 허점이 있다. 실제로 환영받는 임신과 환영 받지 못하는 임신이 있다. 사람의 삶은 단순히 정자와 난자의 결합으로 이뤄지는 일이 아니다. 육아와 교육을 통해 한 사람의 사회 일원으로 성장해가는 과정까지를 포함한다. 이 기간 전반에 대한 고민과 존중이 진정한 의미의 생명 존중이다.

더구나 태아는 산모의 신체와 분리해서 생각할 수 없는 특수성이 있다. 위급한 상황에서 산모의 생명과 태아의 생명 중 택일을 해야 하는 갈림길에 있다면 어떤 결정을 내릴 것인가? 태아도 생명권이 있으니 산모의 생명을 포기해야 한다고 말하는 사람은 없을 것이다. 태아의 생명으로서의 가능성과 산모의 생명권이 동등하지 않다는 의미이다. 권리는 가능성을 근거로 정당화될 수 없다. 태아가 인간 존재의 가능성을 가졌다는 이유만으로 생명권이나 인간의 기본권을 가지는 것은 아니다. 헌법에 따르면 태아는 기본'권'의 주체가 될 수 없다. 물론 낙태를 간단한 일로 치부하는 생명 경시 태도가 바람직하다는 것은 아니다. 여성이 원하지 않거나 태어날 아이의 복지를 책임질 수 없는 상황에서 낙태를 결정하는 것은 도덕적 딜레마 속에서 윤리적으로 덜 나쁜 선택을 하는 것일 뿐이다. 낙태를 단순히 '생명을 보호해야 한다'는 생명권의 논리로만 접근하는 것은 여성에게 커다란 폭력이 되고 있다는 사실을 명심해야 한다.

2 여성, 출산하지 않을 권리 있다

임신과 출산과 관련한 모든 행위는 개인적인 행위다. 개인적인 영역에 국가가 개입하는 것은 근대적이다. 낙태에 대한 결정 역시 마찬가지다. 여성의 몸에서 일어나는 일은 여성 스스로가 판단할 수 있어야 한다. 여성이 원하지 않는 임신이나 책임질 수 없는 임신을 안 하는 것이 가장 바람직하지만 이는 현실적으로 불가능하다. 원치 않는 임신을 둘러싼 여성들의 사례들을 읽다보면 생명권을 내세워 낙태를 불법화하는 것이 얼마나 잔인하고 폭력적인 일인지 느끼게 된다.

수많은 원치 않은 임신이 산모와 태어날 아이의 삶을 망가뜨릴 수 있다. 예를 들어 미혼모가 아이를 키울 수 있는 사회적 인프라가 없는 상황에서 사회적 질타라는 심리적 폭력까지 감수하면서 아이를 낳으라고 하는 것은 여성에게 가하는 일종의 억압이다. 맞벌이 부부의 경우에도 마찬가지다. 양육 환경을 개선하지 않으면서 국가가 낙태를 금지하는 것은 오히려 생명 존중에 대한 철학이 없는 정책이라고 볼 수 있다. 생명의 존엄성보다 중요한 것이 '삶의 소중함'이라는 관점에서 낙태 문제를 봐야 한다.

여성은 출산하지 않을 권리가 있다. 여성에게 원치 않는 임신과 출산을 강요하는 것은 여성 신체에 대한 명백한 침해이고 인간 존엄성의 전제가 되는 자유의 본질을 침해하는 것이다. 또한 낙태 금지는 가부장적인 지배규범을 이용해 여성에게 가하는 일종의 억압이며 생물학적 조건을 절대화하여 여성을 사회적으로 무력화시키는 행위이기도 하다. 흔히 임신과 출산이 남성의 몸에서 일어났다면 훨씬 더 많은 연구와 투자가 이뤄졌을 것이라고 조소하는 사람들도 있다. 임신과 출산의 모든 책임을 여성에게 떠맡기고, 태아의 생명권을 내세워 여성을 억압해서는 안 된다. 국가가 임신과 출산에 관한 여성의 자율권을 침해해서는 안 된다.

3 낙태를 합법화한 나라의 낙태율이 낙태금지국인 우리보다 더 낮다

우리나라는 낙태가 법으로 금지돼 있지만 낙태율은 세계 1, 2위를 다툰다. 특히 10대 임신과 낙태는 증가 추세다. 이는 낙태 금지법이 낙태율을 낮추지 못하고 있다는 뜻이다. 이렇게 낙태가 일상적으로 이뤄지고 있는데도 이를 범죄로 규정해 여성은 어쩔 수 없이 높은 낙태 비용을 부담해야 한다. 문제는 낙태 비용이 부담스러운 10대의 경우 불법적인 시술로 생명의 위협을 받는 경우도 많다.

2002년 유럽연합의회는 앤 반 리포트Anne van Lancker-report라고 불리는 결의를 했다. 유럽연합의 국가가 안전하고 합법적인 임신중절을 확대하고 불법적 임신중절을 시행한 여성을 처벌하지 않는 것이 골자다. 또한 2008년 4월 유럽심의회는 유럽의 47개 회원국에게 "임신중절 금지는 임신중절을 감소시키는 효과를 낳지 않고 임신중절을 금지하는 것은 대부분 비밀리에 행해지는 임신중절로 이어지며, 이는 여성에게 더 많은 정신적 외상을 일으켜 위험하다"는 결의문을 내고 '안전하고 합법적인' 임신중절권을 부여해야 한다고 권유했다.

낙태를 무조건 불법으로 막을 경우 '원치 않는 임신'을 하거나 사회 경제적 이유로 불가피하게 낙태를 할 수 밖에 없는 여성으로 하여금 불법적인 수술을 감행하게 만든다. 이러한 낙태의 '음성화'는 당연히 여성의 건강을 심각하게 위협한다. 상황이 이런데도 무조건 아이를 낳아야 한다고 주장할 수 있는가. 여성의 몸을 보호하고 여성의 권리를 인정하는, 현실을 반영한 제도가 시급하다. 현실을 외면한 낙태금지법이 오히려 더 많은 폐해를 낳고 있음을 직시해야 한다.

"낙태 합법화, 불가"

1 태아는 엄연한 생명, 태아의 생명권은 보호받아야 한다

인간의 생명은 수정된 순간부터 연속적으로 성장해나간다. 어디서부터가 사람이고 어디서부터가 아니라고 끊어서 말할 수 없다. 따라서 태아는 수정 순간부터 생명의 존엄성을 부여받는다. 우리나라 모자보건법에서는 몇 가지 예외사항을 두고, 그 경우에는 28주 이내에 낙태가 가능하다고 허용하고 있는데, 28주만에 태어난 미숙아도 부모의 사랑에 힘입어 잘 자란 사례는 많다. 태아는 엄연히 생명이다. 그런데 더 큰 문제는 예외에 해당하지 않는데도 낙태가 너무나 손쉽게 자행되고 있다는 사실이다. 이는 명백한 살인행위이다.

한편 낙태 합법화를 주장하는 사람들은 환영받는 임신과 환영받지 못하는 임신이 있다고 말하면서 생명 자체의 중요성보다 사회의 한 구성원으로의 오랜 성장이 중요하다고 말한다. 환영받지 못한 생명은 태어나지 못해도 상관없다는 뜻인가? 사람이 태어나 사회에 기여하는 몫은 저마다 다르지만 생명을 가진 존재라는 점에서 모두 다 소중하며 누구도 침해할 수 없는 권리를 지니고 있다. 생명 자체보다 중요한 것은 없다. 지금처럼 불법적으로 낙태가 횡행하는 것은 생명에 대한 경외심이 점차 사라진, 물질주의적이고 이기주의적인 실상을 반영한 것이다.

또한 낙태를 가볍게 여기는 태도는 성에 대한 관점과 깊이 연관돼 있다. 낙태가 손쉬워지면 성을 더 가볍게 여길 수 있다. 그리고 성을 가볍게 보는 잘못된 인식은 성의 상품화, 도색문화, 혼전 성관계 증가, 이혼 증가, 청소년 성범죄 증가 등 사회문제로 이어진다. 생명에 기초한 인간존엄성은 수정한 순간부터 죽음에 이를 때까지 보호되어야 한다. 그리고 인간의 기본권은 모든 이를 위한 것으로, 모든 이들에게 지켜져야 한다. 누구도 태아의 생명권을 함부로 빼앗아서는 안 된다. 낙태 합법화는 절대 허용해서는 안 된다.

2 '출산하지 않을 권리' 때문에 생명에 대한 경외심 사라진 사회

산모가 낙태를 하는 이유를 보면 얼마나 생명을 경시하며 이기적이고 물질적인지 알 수 있다. 미혼모의 낙태 이유는, 사회적 비난(62.1%)과 장래 계획의 지장(31.4%)이 대부분이다. 기혼모의 경우에는 단산(35.1%), 건강(19.4%), 경제형편(16.9%) 등의 이유 때문이다. 그런데 낙태를 하고 난 다음 얼마 만에 재임신을 하는지 조사해보니 3개월 이내 24%, 6개월 이내 42%, 1년 이내 75%로 나타났다. 이 조사결과는 얼마나 많은 사람이 연속해서 낙태를 하는지, 생명 경시 풍조가 얼마나 심각한지 보여준다.

연구결과를 보면 임신 20주 이후 태아도 통증을 느낄 수 있다고 한다. 임신 중후기 낙태는 '잔인하고 비인간적이며 태아의 두개골을 찔러서 뚫고 뇌를 흡착하는 과정에서 태아에게 충분히 고통을 줄 것'이라는 견해가 일반적이다. 그런데도 여성 자신의 몸에서 일어나는 일이니 여성의 자율권을 우선적으로 존중해 주는 게 맞을까? 물론 자유주의 국가는 사적인 영역과 공적인 영역을 엄격하게 구별하고, 개인의 사생활을 보장한다. 이런 관점에서 보면 결혼과 가족계획은 전적으로 개인의 사생활에 속한다. 하지만 그렇다고 임신의 자율권이 곧 낙태를 정당화할 수는 없다. 낙태는 그 자체로 생명을 앗아가는 비인간적인 행위이기 때문이다. 이는 법으로 통제해야 한다. 자신의 삶을 위해 태아의 생명권을 짓밟는 것은 지극히 이기적인 행위다. 자율이라는 이름 아래 태아를 살해할 수 있는 권리를 요구해서는 안 된다.

3 허울뿐인 낙태금지법, 제대로 준수하도록 감시해야

인간이 반드시 지켜야 할 도덕규범을 무너뜨리는 것은 '무관심'과 '불감증'이다. 우리 사회에 성행하는 낙태는 생명에 대한 도덕적 불감증이 대표적으로 드러난 사회현상이다. 그런데도 낙태를 찬성하는 쪽에서는 오히려 현실성 있는 법을 제정하여 낙태를 합법화하자고 주장한다. 낙태가 성행하는 근본 원인은 무분별한 성규범과 생명 경시 풍조다. 여기에 낙태를 합법화하는 법제정까지 가세한다면 이는 생명윤리에 대한 기본적인 도덕심을 무너뜨리는 결과를 초래할 것이다.

우리 형법에서는 낙태를 죄로 규정하고 있다. 하지만 이 법은 이미 사문화된 상태다. 우리나라의 낙태가 이처럼 일상화된 것은 법의 현실성이 떨어졌기 때문이 아니라 법 집행이 제대로 이뤄지지 않아서다. 법을 제정한 본래의 취지를 제대로 살리기 위해 법 집행이 더욱 강력하게 이루어져야 한다.

또한 낙태는 크고 작은 의학적 부작용과 합병증을 일으킨다. 태아가 큰 경우에는 자궁이 크게 손상을 입고 영구불임을 비롯한 갖가지 낙태 부작용이 뒤따른다. 그리고 시술하는 의사들도 정신적으로 고통을 겪는다. 한 산부인과 의사는, 한 달에 50여건씩 낙태수술을 하면서 항상 불안하고 초조했다며 낙태 수술 불가를 선언했다. 이렇게 낙태는 의학적인 문제를 유발하는데도 실제적인 법적 제약이 없다. 이에 2010년 낙태를 반대하는 의사들로 구성된 프로라이프의사회가 불법 낙태수술을 시행한 병원 세 곳의 의사 여덟 명을 검찰에 고발조치하면서 실효성 있는 정부정책을 요구했지만 여전히 유야무야다. 낙태금지법을 실효성 있는 것으로 만들기 위한 정부의 대책이 필요하다.

토론해 봅시다

1. 낙태죄 폐지에 대해 어떻게 생각하나요? 관련된 내용을 잘 읽어보고, 찬반으로 나누어 토론해봅시다.

2. 낙태를 줄일 수 있는 여러 가지 방안을 나열해보고, 우리나라 실정에서 가장 큰 효과를 발휘할 방안이 무엇일지 말해봅시다.

실전 gogo

낙태는 태아의 생명권을 침해하는 행위이므로 정부가 더욱 강력히 제재를 해야 할지, 여성의 자기결정권이 중요하므로 낙태 금지 규정을 완화해야 할지 자신의 생각을 적어봅시다.

법과 사회

DISH

양심적 병역 거부자의 대체복무, 허용해야 하나?

양심적 병역거부에 대한 시각은 보수와 진보, 종교적 입장에 따라 극명하게 엇갈린다. 한쪽에서는 종교적 신념과 개인의 양심을 내세워 군복무를 거부하는 것은 형평성에 어긋날 뿐만 아니라 분단국인 우리의 국가 안보에 심각한 위협을 준다고 비판한다. 이에 대해 군사력이 과거와는 다르며, 양심적 병역거부를 허용하는 국가가 많다며 대체복무의 길을 열어줘야 한다고 맞선다. 양심적 병역 거부자의 대체복무, 해법은 무엇일까?

키워드로 읽는 논쟁

1. 대체복무제란 무엇인가?

대체복무제는 종교적 이유로 집총을 거부하는 사람들, 또는 비폭력주의·평화주의를 추구하는 개인적 신념에 따라 병역을 거부하는 사람들을 위해, 직접 군대나 관련 기관에서 복무하는 대신 그에 준하는 사회적 활동에 참가함으로써 국방의 의무를 대체하는 제도이다. 주로 군복무 기간만큼 또는 그 이상을 사회복지시설 등에서 사회복무요원이나 사회공익요원, 재난구호요원 등으로 근무하게 된다. 이 제도는 모병제(강제 징병하지 않고, 본인의 지원에 의한 직업군인들을 모집하여 군대를 유지하는 병역 제도)를 실시하는 국가에서는 해당 사항이 없으며, 징병제(국가가 법령으로써 일정 연령에 달한 국민에게 병역 임무를 지우고 강제적으로 군대에 복무시키는 제도)를 실시하고 있는 국가에서 시행된다. 전 세계적으로 종교적 이유와 무관하게 다양한 신념을 가진 병역 거부자들에게 대체복무를 허용하고 있다. 하지만 우리나라의 경우 병역을 극렬하게 거부하는 특정 종교인이 있어서 대체복무가 일부 종교인들에게 특혜를 주고 있다는 오해를 받는다.

현재 우리나라에서는 대체복무를 허용하지 않지만, 2007년 9월 종교적 이유나 양심에 따른 병역거부자들에게 대체복무를 허용하겠다는 방침을 발표한 적이 있었다. 대체복무제 도입을 주장해온 각계각층이 환영의 뜻을 표했지만 이명박 정부가 들어서면서 물거품이 됐다. 이명박 정부는 대체복무가 국민정서에 맞지 않으며, 대체복무에 대한 예비역들의 불만을 해소할 수 없다는 사유로 취소되었다.(집총거부자들은 사병 훈련 기간을 포함해 예비군, 민방위 활동도 거부한다.) 그러다 2017년 이유정 헌법재판관 후보자가 인사청문회에서 대체복무제 도입의 필요성을 제기했고, 문재인 정부 들어 논의가 재점화되었다.

2. 독립운동으로 기록된 병역거부 '등대사 사건'

1939년 6월 일제는 일본, 대만에 이어 조선에서도 여호와의 증인 신도를 대대적으로 체포했다. 신사참배 거부, 일본군 징집 거부가 이유였다. 조선에서 체포된 여호와의 증인 신도는 모두 38명. 당시 교세가 미약했던 점을 감안하면 여호와의 증인 신도 거의 전부가 체포됐다고 봐도 무방할 정도. 이 중 5명은 옥중에서 사망했고, 나머지 33명은 해방 이후에 출소했다.

당시 많은 민족주의자, 사회주의 혁명가들은 일제의 탄압에 무릎을 꿇었고, 많은 성직자들도 자신의 신념을 관철하지 못하고 신사참배에 굴복했다. 8·15 해방 당시 일제에 굴하지 않고 전향을 거부하고 있다 옥문을 나선 사회주의 혁명가는 20여 명에 불과했다. 그만큼 일제의 탄압과 회유가 집요했으며, 고문과 옥살이가 교묘하고 잔혹했다는 증거이기도 하다.

이러한 상황에서 종교적인 이유로 징병을 거부했던 여호와의 증인 신도 33명은 비전향으로 옥문을 나섰다. 이들은 모두 성직자가 아닌 평신도들이었다. 모진 고문과 옥살이와 회유를 버텨낸 것이다. 여호와의 증인 신도들은 그저 자신의 신앙심을 지킨 것뿐이라고 했지만 정부기관이 편찬한 각종 독립운동사에는 주요한 저항운동으로 기록하고 있다. 이름하여 '등대사 사건'이다. 등대사는 이들의 전통적인 선교 홍보지 〈파수꾼〉의 당시 이름이다.

3. 대체복무-외국의 사례

유럽에서 최초로 대체복무제가 실시된 나라는 영국이다. 제1차 세계 대전의 참상을 목격한 평화주의자들의 줄기찬 요구로 1916년 국가가 개인에게 양심에 반해 무기를 들게 하는 행위를 강요해서는 안 된다는 점을 인정하고 대체복무제를 실시했다. 독일은 서독시절부터 군축정책과 함께 신념에 따른 병역 거부자의 대체복무를 허용해오다가, 2011년 7월부터 징병제가 폐지되면서 소용이 없게 되었다.

우리와 같은 분단국이며 90년대 중반까지 60만 대군으로 중국에 저항해 온

중화민국(대만)은 대체복무제가 도입되기 전, 양심적 병역 거부자에게 가혹한 처벌을 내렸다. 7년형 이상 선고를 받고 4년 이상 수감생활을 해야 군 입대가 면제됐으며, 형량이 누진되지 않아 4년에서 하루라도 빠지면 45살까지 되풀이해 감옥에 끌려가야 했다. 대만의 대체복무는 경찰·소방업무 등 사회치안 분야와 의료서비스, 환경보호, 교육봉사 등 사회봉사분야로 나뉜다. 일이 험해 일손이 모자라는 3D 업종이 대체복무의 주 대상이다. 대체복무 기간은 일반 군인의 복무 기간인 22개월의 1.5배인 33개월이다.

한편 주변의 적국으로부터 늘 위협을 받고 있어서 여자들에게도 병역의무를 부여한 이스라엘의 경우도 유대교 성직자의 대체복무는 허용하고 있다. 일반 남성의 복무기간은 3년이지만, 유대교 성직자의 경우 그보다 짧은 기간 동안 대체복무를 한다. 이스라엘 국민들은 성직자들의 대체복무를 일반 군복무와 똑같은 가치로 받아들인다.

4. 법원은 이렇게 판단했다

2015년 5월 12일, 광주지법은 병역법 위반으로 기소된 여호와의 증인 신도 3명에게 무죄를 선고했다. 2004년, 2007년 판결 이후 8년 만의 일이다. 재판부는 "헌법에 보장된 양심의 자유와 국방의 의무 사이의 조화로운 해석이 필요하다"며 "국방의무 이행이라는 헌법적 가치가 크게 훼손되지 않고도 병역을 거부하는 양심도 보장할 수 있다"고 판시했다. 남북대치라는 특수성을 감안하더라도, 연간 양심적 병역거부로 교도소에 복역하는 인원은 600~700명 가량으로 전체 입영 인원의 0.2%에 불과하고 대체복무 형태의 군 복무자는 매년 징병검사 인원 중 약 13%에 달해 군사력 저하 등을 탓하기도 어렵다고 재판부는 설명했다.

그러나 2015년 광주지법에서 무죄를 선고받은 여호와의 증인 신도 세 사람은 대법원에서 유죄판결을 받았다. 대법원은 양심적 병역거부자의 양심의 자유가 또 다른 헌법적 가치인 국방의 의무보다 우월한 가치라고 볼 수 없다는 이유를 들었다. 또한 남북한 사이의 평화공존이 아직 정착되지 않았고, 대체복무제에 대한 국민들의 공감대가 형성되지 않았다는 이유를 들어 대체복무를 허용할 수 없다는 것이 헌법재판소의 다수 의견이다. 하지만 양심적 병역거부자가 형사처벌을 통해 받게 되는 불이익이 너무 크기 때문에 위헌이라는 소수 의견도 있었다.

한편 2015년 이후 양심적 병역거부자의 무죄판결이 증가하는 추세다. 2015년 6건, 2017년 7건, 2017년 44건이 1심에서 무죄 판결을 받았다. 그러나 대법원에서 무죄판결을 내린 사례는 아직까지 없다. 2심에서 무죄 판결을 받은 사례는 딱 두 건. 그러나 2017년 문재인 대통령은 대체복무제 도입을 공약한 바 있다. 그리고 같은 해 박주민 의원이 대체복무제 법안을 발의해 국민의 관심이 쏠리고 있다. 대체복무제 논란은 여전히 진행 중이다.

"대체복무, 찬성"

1 병역거부는 병역비리가 아니다

국가와 국민을 위해 군대는 필요하고 전쟁 없는 사회란 요원하다 못해 불가능해 보인다. 따라서 국가의 안전보장이 국민주권을 보호하는 기본이다. 하지만 그렇다고 신념에 따라 집총을 거부한 사람들을 범법자로 만드는 것이 당연하다고 볼 수 있을까? 해방 이후부터 2018년 1월까지 1만 9270명 이상이 양심적 병역거부로 처벌을 받았고, 2018년 기준 수감자가 300여 명에 이른다. 2017년까지 통상 600명 이상의 수감자가 있었던 것에 비하면 현저히 줄어들었지만, 전 세계적으로 보면 양심적 병역거부로 수감 중인 사람 중 대부분이 한국인이다.(2013년 유엔인권위 발표에 따르면 양심적 병역거부로 수감 중인 사람은 전 세계 723명이다) 양심적 병역거부자를 범법자로 만드는 이 제도는 당연히 바뀌어야 한다.

법이나 헌법은 다수로부터 소수를 보호할 임무가 있다. 물론 주권 및 인권을 보장받고 싶다면 국민의 의무를 다하면 되지 않냐고 반문할 수 있다. 양심적 병역거부자들은 국민으로서의 의무를 아예 면제해 달라고 요구하는 게 아니다. 총을 드는 일, 사람을 살상하는 전쟁과 관련된 행위를 하지 않겠다는 개인의 신념을 피력한 것이며, 따라서 다른 방식으로 국민의 의무를 하겠다는 것이다.

일부에서는 권력형 병역비리도 아니꼽고 속이 뒤틀리는데 이런 식의 병역특혜가 주어지면 누가 군대에 가며, 양심적 병역거부를 선언하지 않을 사람이 누가 있겠냐고 비판한다. 대체복무는 현재의 병역과 동일하지는 않다. 하지만 그에 준하는 형평성을 갖출 여지는 충분하다. 양심적 병역 거부자들이 기존 공익근무요원이나 방위산업체 같은 대우를 요구하는 게 아니다. 병역 의무에 준하는 어려운 임무를 하겠다는 것이다. 그저 병역을 피하고 싶어서 대체복무제를 선택할 수 없을 정도의 엄격한 제도를 마련하면 크게 문제되지 않는다.

2 대체복무제는 세계적 추세다

양심적 병역거부권이 인정되면 국가 안보가 위태로워질 것이라고 한다. 외국사례를 그대로 적용하기는 어렵지만 양심적 병역거부권이 인정된 것은 평화 시기가 아닌 베트남 전쟁, 제1, 2차 세계대전 등 전쟁 시기에서였다. 분단국가였던 서독은 2차 대전 이후 전쟁의 광기에 휩쓸린 나치의 잘못을 되풀이 하지 않으려 전쟁을 반대하고 평화를 지향하는 수단으로 양심적 병역거부권을 서독의 헌법인 기본권에 명시했고 시행해왔다. 그럼에도 동독보다 우월한 지위에서 통일을 주도했다. 나아가 병역의무의 대체로 출발한 시민봉사제도는 독일이 사회복지국가로 자리잡는데 중요한 요소로 작용했다. 대만 역시 중국과 대치 중이지만 군 정예화, 소수화, 강력화를 내세워 현대화하면서 대체복무제를 도입했고, 2000년 7월부터는 양심적 병역거부자까지 대체복무를 확대했다. 그런데도 병역회피를 목적으로 병역거부를 하는 사례가 드러나지 않아 2002년 3월에는 현역병보다 1.5배 길었던 대체복무의 복무기간을 감축하는 조치를 취할 수 있었다.

대체복무제가 도입되면 갑작스레 많은 사람들이 병역거부를 해서 국가안보를 위협할 것이라고 우려하는데, 이에 동의하지 않는다. 양심적 병역거부란 양심때문에 군대에 갈 수 없는 것이지, 단순히 군대에 가기 싫은 것이 아니다.

3 소수자의 인권을 생각하는 것이 민주주의다

2013년 6월 유엔 인권위원회UNHRC가 발표한 '양심에 따른 병역거부에 관한 분석 보고서'에 따르면, 종교와 신념 등을 이유로 군복무를 거부해 수감 중인 사람은 전 세계에 723명이다. 그런데 놀라운 것은 그 중 92.5%에 해당하는 669명이 한국인이라는 사실이다. 이것은 실질적으로 우리나라에서만 양심적 병역기피를 징벌로 다스리고 있다는 말과 같다. 나아가 양심적 병역거부자의 대체복무 문제는 세계적 추세임을 의미하기도 한다. 많은 사람들이 종교나 양심에 따른 병역거부를 인정하면 과연 누가 군복무를 하겠는가라고 말한다. 하지만 이 문제는 현역 근무자들이 느끼는 박탈감을 해결하는 차원에서 접근해야 옳다.

현 징병제도는 징병 적령기의 건장한 남성이면 누구나 군복무를 하는 것을 전제로 하고 있지만, 현실은 그렇지 않다. 징집대상자가 대략 40만명이고 그 중에 22만명 정도가 현역으로 분류된다. 나머지는 병역특례나 공익근무, 면제를 받고 있는 것이 현실이다. 법이 누구에게나 공평하게 적용된다면 우선 이들에게도 현역이나 그에 준하는 군대생활을 하도록 해야 옳다. 국방의 의무에 있어서 교육의 우열 및 신체등급을 이유로 이런 차등을 주는 것은 형평성에 어긋난다. 양심적 병역거부로 군 병력의 감소가 우려된다면서 이 많은 인원을 현역으로 편입하지 않으려는 처사는 이해하기 어렵다.

양심적 병역거부자는 소수자다. 소수자의 인권을 더 소중히 생각하는 것이 민주주의의 본질이라는 점을 생각해 좀 더 관용적인 태도로 사안을 살펴볼 필요가 있다. 병역을 어떻게든 기피하려는 위장된 양심자는 늘 있어왔다. 그러나 범법자가 되면서까지 이를 실행한 자는 극소수였다. 사회의 안정과 질서를 볼모로 소수자를 침묵시키는 논리는 정당하지 않다. 그것이 군부독재를 30년 이상 경험한 우리의 경직된 인식에서 오는 것은 아닌지 되돌아보자.

"대체복무, 반대"

1 병역기피로 악용될 가능성 높다

한해 600여명 안팎의 병역거부자는 연간 징병 인원 30만여 명의 0.2%에 불과하여 방위력에 미치는 정도가 미미하다. 또 모든 국민이 군인이 될 필요는 없으며 대체복무 기준을 명확하게 마련한다면 고의적 병역기피자를 충분히 가려낼 수 있다는 것이 양심적 병역거부자의 대체복무제를 주장하거나 옹호하는 측의 주장이다. 그러나 우리 사회의 여론조사 결과를 보면 이는 오판이다. 한 인터넷 여론조사에 의하면 1만 327명 중 양심적 병역거부에 대한 반대가 60.2%, 찬성이 13.3%, 기타가 26.4%로 나타났다. 병역거부를 찬성한 13.3%는 모두 군복무 경험이 없는 응답자였다. 또한 대학생 100명을 대상으로 조사한 결과 양심적 병역거부에 찬성하는 응답자가 44.5%로 나타났다. 뿐만 아니라 4개 인터넷 사이트와 공동으로 한 대학신문이 고교생 1022명을 대상으로 실시한 설문결과에 따르면, 반드시 군대에 가겠다는 응답자는 34.0%에 불과하고 나머지는 "능력에 따라 군대에 안 갈 수 있다"거나 "도움 받아 면제 받겠다"고 응답했다.

이를 다시 정리해 보면, 현재는 병역거부로 인해 처벌받은 인원이 한해 600여명에 불과하지만, 양심적 병역거부를 인정하고 대체복무를 허용할 경우 징집 대상 인원 중에서 최소 13.3%, 최대 44.5%가 병역을 거부하고 대체복무를 선택할 것으로 예측된다는 말이다. 이런 분위기가 확산될 경우 특정 종교를 보호막 삼아 또는 위장된 양심을 방패 삼아 그 이상의 인원이 병역을 거부할 것임은 너무도 자명하다. 따라서 병역거부자가 징집 인원의 0.2%에 불과하기 때문에 우리의 방위력에 미치는 영향이 미미할 것이라는 예측은 너무 안일한 주장이다.

2 안보위협은 달라지지 않았다

국가는 국민과 주권, 영토를 수호함으로써 국민의 생명과 재산을 보호하고 구성원의 자유와 행복을 보장하고 증진하기 위해 존재한다. 이를 위해 국가는 입법부와 행정부, 사법부를 두고 군대와 경찰을 통해 국가 권력을 행사한다. 국가 권력을 집행하는 군사력과 경찰력 등을 무력화시키려 하는 것은 국가의 존재 이유를 부정하는 것과 같다. 이런 이유로 대법원은 1969년 이래 네 차례의 엄중한 판결을 통해 양심적 병역거부를 인정하지 않았다. 북한의 군사적 위협이 상존하는 가운데 국방비의 대폭 증액이 현실적으로 어려울 뿐 아니라 출산율마저 떨어져 매년 징집 자원이 급격히 감소, 현재의 군대를 유지하기 위한 징집 자원의 확보조차 어려운 점을 고려한 사려 깊은 판단이었다. 이는 개인의 이익보다 국가의 이익이 우선한다는 '선언적 의미'도 담고 있다.

그러나 최근 법원은 종래의 판례를 깨고 종교적 이유로 병역을 기피한 이들에게 무죄 판결을 내리고 있다. 너무나 우려스러운 판결이다. 우리는 북핵 위험을 안고 있으며, 일본은 시시각각 군사 재무장을 강도 높게 하고 있다. 한반도를 둘러싼 주변 정세가 이렇게 심상치 않은 상황에서 어떻게 이렇게 무책임한 판결을 내릴 수 있단 말인가. 한편 병역거부자 대부분이 특정 종교의 신도이다. 재판부의 이 판결은 특정 종교에 대한 특혜로 보일 수도 있다. 그만큼 형평성 논란의 소지가 크며, 그 폐해도 만만치 않을 것이다.

3 국가가 있어야 국민이 있다

병역의무는 '국가가 있어야 국민이 있다'는 민주주의 시민정신의 기초인 동시에 국가 존립을 위한 가장 기본적인 사회적 합의다. 우리가 수없이 많은 외침을 받고서도 지금과 같은 자유와 평화를 누릴 수 있는 건 성실하고 묵묵히 병역의무를 다한 이들의 희생이 있었기 때문이다. 그리고 지금 이 순간에도 전후방에서 그들이 지키고 있기 때문에 일상의 평화를 누리는 것이다. 대체복무제를 해야 하느니 말아야 하느니 하는 논쟁마저 이들의 수고 덕이라는 사실부터 인정했으면 좋겠다.

일부에서는 병역거부자에 대한 처벌을 두고 전과자를 양산하고 있다는 등, 소수자의 인권도 보호해야 한다는 등의 이유를 내세우며 대체복무를 허용해야 한다고 목소리를 높이고 있다. 명백한 법률 위반, 범법 행위가 어느새 인권문제로 오도되는 현상까지 나타나고 있다.

병역제도는 그 나라의 정치·경제적 여건, 사회·문화적 전통, 안보 여건 등 복합적 요인에 따라 결정된다. 특히 징병제 국가에서는 무엇보다도 병역의무의 형평성 확보가 중요하다. 하지만 대체복무를 허용할 경우 이러한 형평성이 무너질 수밖에 없다. 양심적 병역 거부자들은 4~6주간의 기초군사훈련은 물론이고 복무 만료 후 8년간의 예비군 임무까지 면제를 해달라고 요구한다. 그야말로 특혜를 달라는 얘기다. 그들은 대체복무 기간을 일반 병역의무 기간보다 더 길게 하고, 복무 분야도 군복무 못지않게 열악한 곳에서 대체 임무를 하면 형평성을 확보할 수 있다고 말한다. 문제는 복무 기간이나 분야가 아니다. 많은 군인들은 그야말로 자신의 생명을 담보로 나라를 지킨다. 무엇으로 이 임무를 대신할 수 없다. 국방의 의무는 국가존립의 문제와 직결되기 때문이다.

토론해 봅시다

1. 양심적 병역거부자의 대체복무제에 관한 내용을 살펴보았습니다. 여러분은 어느 편의 주장에 더 공감합니까? 그 이유는 무엇입니까?

2. 국가가 정한 법률과 개인의 양심 사이에 차이가 생겨서 발생하는 갈등은 또 어떤 것이 있을까 생각해 보세요. 그런 일이 여러분에게 닥치면 어떤 선택을 하겠습니까? 토론해보세요.

실전 gogo

배심제는 일반 시민이 재판 과정에 참여해 범죄의 사실 여부를 판단하는 사법제도입니다. 우리나라가 배심제를 채택했다고 가정하고, 배심원 자격으로 양심적 병역거부자의 재판에 참석한다면 어떤 판결을 내릴지 정하고, 그 이유가 무엇인지 정리해봅시다. (400자 내외)

사면, 법치주의를 파괴하는 행위인가

매년 3·1절, 광복절, 석가탄신일 즈음이나 정권이 바뀔 때면 사면 논의가 등장한다. 사면이 연례행사처럼 이루어지고 있다. 사면 소식이 발표될 때마다 언론은 물론이고 학계, 법조계 등에서도 비판의 목소리를 낸다. 원칙 없는 사면이 사회적으로 도덕불감증을 야기하며, 법치주의의 근간을 해치고 있다는 것이다.

하지만 사면이란 제도가 사라지지 않는 이유는 긍정적인 측면이 있기 때문이다. 일각에서는 사면이 불완전한 법률 체계를 보완하고 완고한 법적용 과정에서 생기는 오류를 교정해 정의를 실현하는 데 도움이 된다고 주장한다. 여러분의 입장은 어떤가? 사면은 법치주의를 파괴하는 행위일까, 아니면 보완하는 행위일까?

키워드로 읽는 논쟁

1. 사면이란 무엇인가?

사면이란 죄를 용서해 형벌을 면제해주는 것으로 헌법상 대통령의 권한에 속한다. 형사소송법이나 그밖의 형사법규의 절차에 의하지 않고 형의 선고 효과 또는 공소권을 소멸시키거나 형 집행을 면제시키는 것으로, 넓은 의미에서 감형과 복권도 포함된다.

사면에는 일반사면과 특별사면이 있다. 일반사면은 범죄의 종류를 지정해 해당 죄를 범한 모든 사람을 대상으로 형 선고의 효과를 전부 또는 일부를 소멸시키는 것으로 국회의 동의를 얻어 대통령령으로 이뤄진다. 특별사면은 형 선고를 받은 특정인에 대하여 형의 집행을 면제해주는 행위로 재판의 흠결을 보충하거나 오판 수정을 위해 혹은 행위자의 개별적 상황에 대한 구제를 목적으로 이뤄진다. 광복절 특사, 삼일절 특사 등 연례행사로 치러지는 사면은 보통 특별사면이다. 법무부장관이 대통령을 대신해 사면대상자 목록 등을 담은 사면안을 사면심사위원회 심사를 거쳐 올리면 국무회의 심의를 거쳐 결정된다. 이처럼 사면은 대통령이 사법부의 판단을 일정 부분 변경하고 사법권 행사에 개입하는 것으로, 권력분립 원리에 어긋나는 예외적 현상이라고 볼 수 있다.

한편 복권復權은 법령이 정한 대로 자격이 상실 또는 정지된 자를 대통령의 명령으로 자격을 다시 회복시키는 것이다. 그러나 사면에 의한 복권은 자격을 회복할 뿐이지 형선고의 효력이 없어지는 것이 아니다. 단 특별한 경우 형선고의 효력을 없앨 수 있다. 일반복권은 대통령령에 의하고 특별복권은 대통령의 명으로 한다. 모두 국무회의 심의를 거쳐야만 한다.

2. 현대 법치국가에서 사면이 이뤄지는 이유는 무엇인가?

국가원수에 의한 사면은 절대적인 주권을 가진 절대군주제(영국의 헨리 7세부터 군주의 은사권이 있었다)에서 이뤄졌던 은사권恩赦權에서 비롯됐다. 은사恩赦란 나라에 경사가 있을 때 죄과가 가벼운 죄인을 풀어주는 것이다. 당시 절대군주는 처벌의 권한과 처벌을 면제할 수 있는 권한을 동시에 가지고 있었다. 이 은사권이 발전해서 법적 관례로 남아 있던 사면권을 제도화한 것이다. 현재 헌법이 있는 모든 국가에서 헌법상 인정하고 있다.

하지만 현대 국가들은 정교한 법치국가인데 왜 여전히 사면권이 필요할까? 그 이유는 법치국가적 절차라는 게 완벽할 수 없다는 인식 탓이다. 아무리 치밀하고 정교하게 법치국가적 시스템을 구축했다 해도 불합리한 결과가 나올 수 있고, 따라서 이를 바로잡을 수 있는 구제수단이 하나쯤은 있어야 한다고 생각하기 때문이다. 이밖에도 사면은 위기상황에서 형법체계의 부담을 신속하게 덜어주는 중요한 역할을 한다. 어떤 형벌이 여론의 비판을 받거나 정치적으로 문제가 있을 때 사면을 통해 간접적으로 보완할 수 있다. 이와 같은 이유로 현대 법치국가에서도 사면제도를 존치시켜온 것이다. 그러나 사면제도의 정당성과 필요성에 대한 논쟁은 여전히 계속되고 있다.

3. 우리나라 사면제도의 현실은?

우리나라는 정부수립과 함께 사면법을 공포해 1948년 처음으로 건국대사면을 실시했다. 이는 광복과 건국의 기쁨을 함께 누리고, 해방 후의 전환기에 뒤따르는 혼란을 막기 위한 것이었고, 동시에 식민시대의 부당한 법령과 법령에 따른 재판을 바로잡아 과거를 제대로 청산하기 위한 것이었다.

첫 사면 후 우리나라는 90여 차례 사면을 단행했다. 다른 나라와 비교했을 때 꽤 많은 횟수로, 주로 정치적 변혁기에 집중돼 나타났다. 특히 군사정권 시기에는 불법 행위를 정당화하기 위해 사면제도를 이용했다. 최근에는 생계형 범죄를 대상으로 한 대규모 사면, 경제인, 고위공직자를 대상으로 한 사면이 주를 이루고 있다. 하지만 80년대 민주화를 거치면서 대통령의 특별사면을 비판하는 목소리가 높아졌다. 특별사면이 형평성에 어긋난 권력 남용이며, 이로 인해 법질서에 대한 불신이 높아지고 있다는 지적이다. 이명박 전 대통령의 특별사면이 대표적인 경우다. 당시 대통령 당선인 자격이던 박근혜 대통령마저 특별사면의 대상을 신중히 정할 것을 이명박 전 대통령에게 여러 차례 주문할 정도였다. 하지만 이 대통령은 주변의 고언과 여론에 아랑곳하지 않고 부정부패 혐의로 수감 중인 자신의 측근 인사를 자신의 권한을 이용해 사면한 바 있다.

대통령의 사면권 남용에 대해 논란이 벌어진 것은 꽤 오래전부터였다. 2007년 12월에는 사면법을 개정·공포하는 한편 법무부 산하에 사면심사위원회를 설치하기도 했다. 사면심사위원회는 특별사면 등 사면업무의 공정성과 투명성을 확보하기 위한 최소한의 견제장치라 할 수 있다. 그러나 이것만으로는 미흡하다는 지적이 많다. 사면심사위원회와 더불어, 헌정질서파괴범, 반인륜범, 권력형 부정부패사범 등 사면대상의 배제조항과 최소한 형기 3분의 1 이상 경과해야 사면을 받을 수 있도록 하는 사면기간의 제한조항, 사면권 행사시 대법원장의 의견청취 등 사면 제한 규정 등을 추가할 필요가 있다는 지적이다.

4. 다른 나라의 사면제도는 어떤가?

사면은 각국의 헌법에서 보장하는 보편적인 제도다. 하지만 우리나라처럼 뚜렷한 원칙 없이 사면을 남발하는 나라는 찾아보기 어렵다.

독일은 지난 60년간 사면을 불과 네 차례 단행했다. 정말 특별한 경우가 아니면 사면·복권 등이 시행되지 않는다. 프랑스도 대통령의 사면권 행사를 엄격히 제한하고 있는데, 특히 국가와 사회의 기본가치를 침해한 범법자들에 대해선 사면·복권이 원칙적으로 금지돼 있다. 부정부패 공직자와 선거법 위반 사범, 테러와 정치적 차별을 저지른 사람, 15세 미만 미성년자를 때린 폭행범, 마약·밀수 사범, 불법낙태 관련자 등이 여기에 해당한다.

핀란드는 '대통령이 특별한 경우 대법원에 자문을 구하고 사면해야 한다'는 조항을 둬 정치적 타협에 의해 사법부의 판결이 무시되는 폐단을 막고자 했다. 일본은 사면업무를 담당하는 '중앙갱생보호심사회'란 기구를 법무부에 두고 사면을 희망하는 사람들은 우선 심사위에 신청하도록 했다. 사면을 신청하는 요건 또한 까다롭다. 미국은 다른 나라들에 비해 다양한 사면제도를 가지고 있는데, 역시 절차가 까다로운 편이다.

플러스 상식 [+]

우리나라 일반사면의 현황 및 문제점

그동안 일반사면은 일곱 차례 실시되었다. 지금까지 행해진 일반사면을 보면, 1948년 건국대사면은 식민시대의 부당한 법령과 그에 따른 재판으로부터의 과거청산의 의미와 독립 후 전환기에 따른 혼란을 막기 위하여 불가피하였다는 점에서 긍정적인 측면이 없지 않았다. 그러나 1961년 5.16쿠데타 이후에 집중적으로 단행된 네 차례의 일반사면은 군사정권의 불법성을 정당화하기 위한 만회책으로 은사를 베푼 것이었다. 또한 1981년 1월 징계공무원에 대한 일반사면 역시 1980년 광주사태 후 통일주체국민회에서 11대 대통령으로 당선된 전두환 대통령이 다음 해에 단행한 것으로서 국민들의 환심을 사려는 방법으로 이용하였다.

이렇듯 부당한 정권을 유지하기 위한 도구로서 사면이 이용되었다는 것이 역사 속에서 극명하게 드러나고 있다. 문민정부에서의 일반사면은 당시 국민화합을 위하여 사상 최대규모로 집행한다는 데 역점을 두었지만 형벌의 일반예방적 효과를 저해한다는 우려를 낳았다.

<사면의 법치국가적 한계>(정현미)에서 발췌

"법치주의 파괴"

1 사면제도는 본질적으로 사법제도와 배치된다

사면은 행정부가 사법부의 재판 결과를 무력화시키는 강력한 권한으로 사법부에 대한 중대한 간섭이며 침해다. 사법적 절차에 따라 내려진 각종 형벌과 제재를 무효화하는 행위이며, 사법절차 자체를 훼손한다. 따라서 사법제도 및 법치주의의 근간을 해치는 사면제도는 원칙적으로 금지되어야 한다.

사면권은 군주의 권력이 절대적이었던 절대군주시대에 유래했으며, 법을 초월하는 군주의 권위를 상징하는 것이었다. 사법적 절차에 따라 처벌이 예정돼 있거나 집행 중에 있더라도 절대군주는 이를 무효화하는 특별한 권위를 가지고 있었고, 체제의 유지를 위해 이 권한을 남용했다. 하지만 현대사회는 권력분립을 기본원칙으로 삼는 민주주의 사회이며, 법치주의 사회다. 법에 근거한 판단이 이루어져야 하는 사회에서 사면은 시대를 역행하는 제도이다. 또한 근대로 오면서 통치 행위의 범위가 축소돼왔으므로 사면권의 행사도 억제되는 것이 마땅하다.

사면은 법을 엄격하게 적용하는 과정에서 부득이하게 나타나는 법 오류 때문에 개인이 부당하게 불이익을 받을 때에만 예외적으로 허용돼야 하고, 그마저도 궁극적으로는 폐지되어야 하는 제도다. 어떤 사람들은 사면이 사법체제의 불완전성을 보완하는 역할을 하기 때문에 필요하다고 주장한다. 하지만 완벽하지 않은 법이 문제라면 법률을 개선하고 법 적용 단계에서 부작용을 최소화하려는 노력으로 해결하는 것이 옳다. 사면은 근본적인 해결책이 될 수 없으며, 결과적으로 법치주의에 손상을 가져올 뿐이다.

2 사면권의 남용과 오용으로 법적 안정성을 훼손하고 있다

사면은 대통령의 권한이지만 사법권 행사에 개입하는 제도라서 공평하게 이뤄져야 한다. 하지만 우리 사면의 현실은 남용과 오용으로 점철되었다. 사면법이 제정된 후 60여 년 동안 무려 90여 차례에 걸쳐 수만 명을 사면했다. 한 정권에서 많게는 20여 차례, 적게는 일곱 차례 이상 사면을 단행한 것이다. 60년 역사 동안 단 네 차례 사면을 실시한 독일은 물론이고 미국을 비롯한 다른 나라와 비교해보면 횟수도, 사면대상자 수도 엄청나게 많다는 걸 알 수 있다.

더 큰 문제는 명확한 원칙과 기준 없이 사면이 제멋대로 이루어지고 있다는 점이다. 사면이 정당성을 가지려면 평등하고 구체적인 기준을 제시할 수 있어야 하는데 우리의 현실은 그렇지 못하다. 지금까지 대부분의 사면이 집권자들의 정치적 필요에 따라 이루어졌고, 권력집단에 속하는 특권층 및 재벌 기업인들을 대상으로 한 사면이 많았다. 특히 비리 기업인이나 불법 정치자금에 연루된 고위 정치계 인사들은 마치 수학공식처럼 법원의 솜방망이 판결을 받은 후 얼마 지나지 않아 대통령 특별사면을 받는 순으로 법망을 유유히 빠져나갔다. 실제 2007년 한 시사프로그램이 김영삼, 김대중, 노무현 정부에서 특별사면을 받은 사회 고위층 인사 153명의 법 적용 실태를 분석한 결과, 1인당 선고 형량은 평균 30.9개월이었지만 실제 수감기간은 10.8개월에 불과했다. 죄를 짓고도 구치소에 단 하루도 수감되지 않은 경우도 82명이나 되는 것으로 나타났다. 이와 같은 현실에서 어떻게 사면의 명확한 원칙과 기준을 찾을 수 있겠는가.

현재의 사면제도로는 자의적인 사면을 막기 어렵다. 2007년 말 사면법 개정으로 사면심사위원회를 설치하는 등 최소한의 견제장치를 마련했지만 이는 구색 맞추기식일 뿐이며 여전히 대통령의 입김이 절대적이다.

3 국민화합, 경제살리기 등 사면의 이유, 실현 불가능한 명분일 뿐이다

사면을 실시할 때마다 내세우는 것들이 있다. 국민화합, 사회통합, 경제 살리기 등의 명분이다. 하지만 일반 국민들은 사면을 통해 그 명분을 이뤘다고 평가하지 않는다. 힘 있는 정치인이나 기업인을 대상으로 한 사면이 주로 이뤄졌기 때문에 '그들만의 잔치'라고 생각한다. 경제 살리기를 명분으로 실시되는 사면도 마찬가지다. 경제단체 등은 기업인 사면을 요청할 때마다 이들의 경제적 기여도와 국민통합을 내세운다. 물론 그들의 경제적 공헌을 모두 부정할 수는 없다. 하지만 그들은 명백히 실정법을 어김으로써 시장경제 질서를 어지럽힌 중대한 경제사범이다. 오히려 경제를 살리기 위해서는 배임, 횡령 등의 특정경제범죄가중처벌을 받은 기업인의 범죄를 더 엄중히 묻고 책임을 분명히 지워야 한다. 그래야 이후 동일한 범죄가 반복해서 발생하는 일을 막을 수 있다.

혹여 이들의 사면이 국가적인 이익이 된다고 해도 이는 대통령 스스로 법질서를 교란하는 행위이며, 기업인들에게는 도덕불감증과 범죄불감증을 안겨줄 뿐이다. 실제 범죄기업인에 대한 사면으로 경제사정이 나아졌다는 소식, 사면 이후 불법부실 경영을 반성하고 개선했다는 소식을 듣기는 어렵다. 정치인이나 기업인을 주 대상으로 하는 사면으로는 국민통합을 이룰 수 없다. 죄 지은 사람이 죗값을 치르기도 전에 풀려나는 사회에서 어떻게 통합을 바랄 수 있겠는가. 오히려 사회계층 간 불신의 골이 깊어지고 사회분열이 더 심해질 뿐이다. 정부는 이러한 명분을 내세운 사면 남발을 자제해야 한다.

“법치주의 보완”

1 사면은 법률과 재판의 불완전성을 보완하는 제도다

사면권은 절대군주 시대뿐 아니라 고대에도 있었고 현대사회에도 이어져 오고 있다. 법치주의가 탄탄히 자리잡은 현대에도 사면제도가 필요한 이유는 무엇일까? 왜 세계 각국은 헌법상 사면제도를 보장하고 있는 것일까? 그 이유는 사면이 법률과 재판의 불완전성을 보완하고 이로 인해 나타나는 문제를 해결해주기 때문이다. 어떤 사회의 어떤 법이든 완벽할 수는 없고 모든 법에는 크고 작은 문제점이 있다.

또한 법이 기계적으로 적용되거나 실질적으로 형평에 맞지 않게 적용되는 경우도 자주 발생한다. 실제 양심범, 종교사범 등의 경우 당시 시대적 상황 때문에 형을 선고 받았지만 처벌의 정당성 논란이 지속되는 경우가 많고, 시간이 지나면서 처벌의 의미가 퇴색하는 경우가 많다. 확정판결을 고수해야 한다는 입장을 고집한다면 법을 통한 정의실현은커녕 또 다른 희생을 낳을 뿐이다.

1948년 정부수립을 기념하기 위해 단행한 일반사면의 경우를 보자. 당시 1945년 8월 15일 이전에, 내란죄를 비롯한 41개 항목에 해당하는 죄를 범해 형무소에 갇혀 있던 6800명을 일반사면령에 의해 석방했다. 식민지 시대의 부당한 법령으로 피해를 입은 사람을 구제하기 위해서였다. 사면제도가 없었다면 이들은 부당한 형벌을 계속 감수해야 했을 것이다. 법을 존중하고 법치주의의 원칙을 따르는 것은 현대사회에서 꼭 필요한 일이다. 하지만 형식적 법치주의에 얽매인다면 법이 추구하는 진정한 정의를 실현할 수 없다. 사면은 법의 허점을 보완하고 대체할 수 있는 제도로, 법치주의의 근간을 해치는 것이 아니라 오히려 진정한 법치를 실현할 수 있도록 도와주고 있다.

2 사면제도의 오남용 우려, 제도적 보완 통해 해소할 수 있어

우리나라가 다른 나라에 비해 사면 횟수나 사면대상자가 많았던 건 사실이다. 하지만 대부분은 과거 군사정부 시절, 정치적 목적에 따라 실행된 경우다. 이후 민주화가 진행되면서 사면제도는 본래의 모습을 되찾고 있다. 많게는 20여 차례 단행되던 사면 횟수도 크게 줄었고, 사면이 이뤄질 경우에도 국가화합 및 사회통합, 경제 살리기 등 나름의 원칙과 기준에 따라 이루어지고 있다.

사면제도를 비판하는 사람들은 정부가 고위공직자와 기업인만을 위해 사면제도를 악용하고 있다고 하지만 이것은 미디어가 이들의 사면만 부각해서 생긴 편견이다. 실제로는 수만 명의 생계형 범죄자를 사면하는 등 국민화합과 사회통합을 위해 사면을 활용하고 있다. 합당한 이유가 있을 때만 예외적으로 기업인과 고위공직자를 사면하고 있다.

한편 자의적으로 사면제도를 남용한다는 우려는 사면심사위원회의 도입을 비롯한 제도적인 보완을 통해 해소할 수 있다. 현재 대통령의 자의적 사면권 행사를 방지하기 위해 사면심사위원회가 설치되어 있고, 사면심사위원회에는 대통령의 영향을 받지 않는 비공무원 일반인 위원이 최소 4명 이상 임명되도록 했다. 또한 사면심사의 공정성 확보를 위해 사면심사위원회의 심의서와 회의록을 공개토록 했다. 이러한 방안을 통해 사면이 공정하게 이뤄지도록 할 수 있으며, 그래도 미흡한 부분은 제도를 보완하면 된다. 실제 많은 국가들은 제도적 보완을 통해 사면제도를 안정적으로 운영하고 있다. 현실적으로 현대 법치주의 사회에서는 과거 독재시대나 절대군주 시대 같은 절대적이고 자의적인 사면권을 행사할 수 없다.

3 사회통합, 경제살리기 등을 위한 사면, 국가 이익 증대에 기여

현재 우리사회에서 이뤄지는 사면은 사회통합과 국민화합, 경제 살리기 등을 위해 오랜 고민 끝에 내리는 결정이다. 이명박 전 대통령은 2009년 12월 이건희 삼성전자 회장을 특별사면했다. 정부가 특혜 논란에도 불구하고 이 결정을 내린 것은 국익에 도움이 된다고 판단했기 때문이다. 그는 기업가로서 세계적으로 검증된 경영 능력을 가졌고, 평창 동계올림픽과 관련해 IOC 위원으로 국제 체육계에서는 드물게 큰 영향력을 발휘해왔다. 이 같은 재능과 역량은 아무나 손쉽게 갖출 수 있는 것이 아니다. 평창 동계올림픽 유치는 대한민국의 위상을 높였고, 남북간의 화해 분위기를 조성하는 데 큰 힘이 되었으며 스포츠 및 관광산업의 발전을 이루는 등 경제적 파급효과가 컸다. 이러한 국가적 대사에 필요한 인재를 위해 사면을 단행하는 것은 결과적으로 국민 모두를 위한 것이다.

기업인의 사면도 마찬가지다. 기업인 사면은 우리사회의 심각한 경제 불황을 타개하기 위해서였다. 기업인이 좀더 분발하고 좀더 헌신해서 경제불황을 타개하도록 유도하기 위해 예외적으로 이루어진 것이다. 고위 공직자의 경우도 마찬가지다. 그들은 우리사회에서 많은 공적을 이룬 사람들이다. 그들이 한때의 잘못을 뉘우치고 다시 공헌할 수 있도록 배려해야 한다. 또한 사회 갈등이 극심할 때 갈등을 해소하기 위해 정치적 결단으로서 사면을 단행하는 것은 국민화합과 사회통합을 실현할 수 있는 좋은 방안이다.

토론해 봅시다

1. 사면권은 절대 군주시대를 거쳐 현대에 와서 헌법상 하나의 제도로 정착하게 됐습니다. 이처럼 사면 제도가 지금까지 존속하게 된 이유가 무엇인지 말해봅시다.

2. 뇌물 수수 비리 혐의로 중형을 받은 정부 관료가 있다고 가정해봅시다. 이 사람을 사면할 경우 국가 전체에 상당한 이득이 된다는 객관적인 예측 자료가 있고, 또한 과거 그의 공적을 감안했을 때 한번쯤 용서해 주자는 일부 의견도 있습니다. 이럴 때, 과연 이 관료를 사면하는 게 타당할지, 아닐지 생각해봅시다.

실전 gogo

사면권은 법치주의를 파괴하는 측면이 강할까요? 아니면 불완전한 법률 체계를 보완하는 측면이 강할까요? 사면을 바라보는 긍정적·부정적 시각의 차이에 대해 알아본 뒤, 사면권을 제약하고 축소해야 할지, 아니면 현행대로 유지해도 무방할지 자신의 생각을 정리해봅시다.(500자)

시민불복종, 정당한가

시민불복종이란, 정의롭지 못한 법률이나 정부의 명령 등에 불복종하는 행위를 말한다. 마틴 루터 킹의 흑인 민권 운동, 베트남 전쟁 반대 운동, 여성의 참정권 운동, 간디의 비폭력 불복종 운동, 1980년대 우리나라 방송 시청료 납부 거부 운동 등이 대표적인 사례다. 현재 부패한 권력에 맞서는 시민불복종은 다양한 형태로 나타나고 있다. 하지만 시민불복종은 현행법을 어기는 행위다. 시민불복종 운동은 정당한 행위인가?

키워드로 읽는 논쟁

1. 헨리 데이비드 소로와 《시민불복종》

시민불복종은, 어떤 법률이나 정책이 양심에 맞지 않고 정의롭지 않다는 판단이 들 때 이에 복종하지 않는(불복종) 저항 행위를 말한다. 예를 들어 자신이 낸 세금이 정의롭지 못한 침략전쟁에 쓰인다고 판단할 때, 거부 의사를 밝히고 납세 거부운동을 벌이는 것과 같은 행위다.

'시민불복종'은 1848년 소로의 강연에서 비롯된 용어다. 소로의 《시민불복종》은 노예제 폐지운동을 위해 쓴 에세이 중 하나로, 발표 당시에는 '시민정부에 대한 저항'이라는 제목이었다. 소로 자신은 '시민불복종'이란 말을 직접 쓰지 않았지만, 그의 책은 '시민불복종'Civil Disobedience이라는 새로운 영어 표현을 추가한 몇 안 되는 저작으로 꼽힌다.

시민불복종의 이론적 기틀은 키케로, 토마스 아퀴나스, 존 로크 등 서구철학자들이 마련해두었는데, 소로가 이를 현실화했다. 소로는 미국의 멕시코 전쟁에 반대하며 인두세 납부를 거부해 감옥에 다녀온 후 《시민불복종》을 집필했다. 그에 따르면 양심과 도덕이 국가의 법보다 더 우위에 있으며, 국민의 뜻에 따라 세운 시민 정부라 하더라도 그 행위가 인간의 양심에 배치될 경우 양심에 따라 행동해야 한다며 시민불복종의 정당성을 강조했다. 그의 사상은 후에 간디의 불복종 운동에 영향을 주었다.

2. 소로에 대한 오해

소로의 《시민불복종》은 '가장 좋은 정부는 가장 적게 다스리는 정부'라는 말로 시작한다. 그래서 소로는 흔히 무정부주의자라는 오해를 받는다. 하지만 소로는 이 말자체가 이상적이라는 점을 인지하고 있었다. 소로는 모든 기계에 마찰이 있듯 정부의 행동에 다소 문제가 있더라도 큰 관심을 두지 않는다. 하지만 이 마찰이 기계 자체를 삼켜 억압과 강탈을 자행할 때는 혁명의 권리를 발동해야 한다고 생각했다. 소로는 국민을 노예 취급하며 지배하는 정부를 인정하지 않는다. 소로가 말하는 시민불복종은 무정부 상태를 지향하는 것이 아니라 정의를 회복하는 길이다.

또 하나, 간디는 소로의 영향을 받았다. 그래서 많은 사람들이 소로가 평화적 불복종을 주장했다고 생각하는데 이것 또한 소로에 대한 대표적 오해다. 소로는 정의를 추구하는 과정에서 폭력의 사용을 배제하지 않는다. "양심이 상처를 입을 때도 일종의 피가 흐른다고 할 수 있다"는 소로의 말은 평화적인 방법이냐, 폭력적인 방법이냐가 중요한 것은 아니라는 점을 보여준다. 실제로 소로는 노예반란을 일으키기 위해 연방 무기고를 무장 공격한 존 브라운을 옹호하는 '존 브라운 대장을 위한 호소'라는 글을 쓰기도 했다.

간디는 진리를 믿는 주장의 순수함을 보여주기 위해 법의 처벌을 순순히 받아들였다. 하지만 소로는 부당한 정부가 개인을 가둘 수 있는 권한은 애초에 없다며 국가의 권위를 송두리째 부정했다는 점에서 차이가 있다.

3. '시민불복종'이 정당화되기 위해서는…

미국의 정치철학자 롤스는 시민불복종의 개념을 다음과 같이 정리하고 있다. '정부의 정책이나 법률에 어떤 변화를 가져오려는 의도를 가지고 법에 반대해서 행해지는 공적이고 비폭력적이며 양심적인 행위.' 롤스는 시민불복종이 정당화되려면 다음과 같은 요건을 갖춰야 한다고 정리했다. 첫째, 국가의 행위가 중대하고도 명백하게 정의를 위반했을 경우여야 하고, 둘째, 법적인 절차에 따라 시정을 요구했지만 시정되지 않을 경우여야 하며, 셋째, 비폭력적인 방법을 사용해야 한다는 내용이다. 또한 롤스는 시민불복종이란 현행법을 어기는 것이므로 처벌을 감수해야 한다는 점도 지적했다.

한편 시민불복종은 저항권과 관련이 깊지만, 둘은 어느 정도 구분되기도 한다. 시민불복종은 현재 체제를 인정하면서 정의롭지 못한 개별 법률과 정책을 시정할 것을 요구한다. 반면에 저항권은 권력 자체를 몰아내기 위한 근본적인 혁명에 가깝다. 저항권은 일반적으로 국가와 법이 국민 주권의 원칙을 부인하고 군사력을 동원하는 등 강제적으로 권력을 장악할 때 나타난다.

4. 간디의 소금 행진과 시민불복종 사례

간디가 영국의 식민지 통치에 저항하기 위해 펼쳤던 불복종운동이 가장 잘 알려진 사례다. 1930년 간디는 78명의 추종자와 함께(소금을 생산하기위해) 해안 도시 단디를 향해 길을 떠났다. 당시 영국은 식민지 인도에서 소금을 생산하고 판매할 수 없도록 금지했고, 소금 생산을 영국의 전매사업으로 지정한 다음 인도인에게 과다한 세금을 물리는 소금법을 시행했다. 이에 간디는 영국에 세금을 내지 않고 직접 소금을 생산하자는 불복종 운동을 펼쳤다.(소금법 위반으로 6만명의 인도인과 간디가 투옥되었다.)

마틴 루터 킹 목사의 흑인민권 운동도 대표적인 사례다. 당시에는 버스에 백인 전용 좌석을 두도록 법률로 명시해 두었다. 이에 킹 목사는 인종차별적 법률을 지킬 수 없다며 '버스 안 타기 운동'을 벌였다. 이 시민불복종 운동은 결국 인종차별법을 폐지하도록 만들었다. 이밖에도 베트남 파병을 반대해서 벌인 징병 거부 운동, 여성의 참정권 획득을 위한 미국과 영국의 시민운동, 남아프리카 공화국의 인종 분리 정책에 대한 반대 운동, 1980년대 우리나라 방송 시청료 납부 거부 운동 등이 불복종 운동에 속한다.

최근에는 정부의 정책이나 법률과 무관하지만 기업의 비윤리적 구조나 행동의 개선을 촉구하는 불복종 운동이 벌어지곤 하는데, 이 역시 시민불복종의 일환으로 보는 사람도 있다.

5. 한국의 시민불복종 운동

한국 사회에 시민불복종이라는 개념이 도입된 것은 1960년대였지만, 당시에는 반공법, 국가보안법, 집시법 등 시민의 기본권이 제한되고 '긴급조치' 같은 초헌법적 조치가 난무하던 시절이라 실제로 시민불복종 운동을 벌이기 불가능했다. 최초의 시민불복종 운동은 1986년에 벌어졌던 KBS 시청료거부운동이었다. 농촌 실상에 대한 KBS의 왜곡보도에 분노한 전라도 완주군의 한 농민이 시작한 운동이다. 시청료납부거부 운동은 방송민주화와 공정보도라는 사회정의와 공공성을 내세웠고, 언론기본법의 폐지, 방송법의 제정, 한국방송공사법의 개정이라는 성과를 거뒀다는 점에서 최초의 시민불복종으로 평가된다.

1999년에는 분당 주민들이 고속도로 통행료납부거부 운동을 벌였고, 2000년에는 총선시민연대가 부적절한 후보자 낙천낙선운동을 벌였다. 후보자 낙선 운동은 불법선거운동에 해당했지만 비리 후보자를 가려내고 정당의 일방적 공천을 경고하는 의미로 처벌을 감수하며 이 운동을 전개했다. 한편 2008년 전 국민적으로 일어났던 쇠고기 반대 촛불시위도 시민불복종 운동으로 볼 수 있다. 이 역시 집시법 위반을 감수하며 정부 정책에 시정을 요구한 운동이었다.

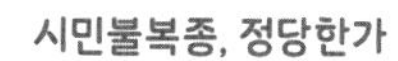

"시민불복종, 정당"

1 정의의 힘으로 잘못된 법과 제도는 바로잡아야 한다

시민불복종 운동은 실정법을 위반하는 것이므로 법 질서를 훼손하고, 나아가 법적 안정성을 해치고 사회 무질서를 초래하는, 정당화될 수 없는 행위라고 비판한다. 하지만 악법도 법이니 무조건 지켜야 하는지 깊이 고민해야 한다. 시민불복종은 악법으로 판단된 법의 준수를 거부하는 행위다. 어떤 법이 인간이 절대로 해서는 안될 악행을 강요하고, 폭력을 은폐하는 수단이 되고 있다면 이 경우에도 법을 준수해야 할까? 법과 제도는 정의를 실현하기 위해 만든 것이다. 다시 말해 법보다 우선하는 것이 정의의 문제요, 양심의 문제요, 도덕의 문제다. 예를 들어 집회와 시위에 관한 법률이 민주적 가치를 훼손한다면 그 법은 존재가치가 없는 것이다.

한편 시민불복종에 반대하는 사람들은 법과 제도가 민주적 절차를 거쳐 만들어진 것이므로 그 자체로 정당하고, 모든 사람들이 무조건 법을 지켜야 한다고 말한다. 하지만 다수결이라는 절차를 밟았다고 그 법 자체가 정당하다고 주장할 수 없다. 개인의 양심에 어긋나고 정의롭지 못한 법인데 합법적인 절차를 거쳤으므로 지켜야 한다고 주장하는 것은 잘못된 악행을 되풀이하는 결과를 낳는다. 악법에 기계적으로 복종할 의무는 없다. 개개인이 자신의 양심의 소리에 귀기울여 부정의한 법과 제도, 정책을 바꾸기 위해서 불복종 운동에 나서는 것은 당연한 의무이자 권리이며 나아가 국가를 더 나은 방향으로 혁신하겠다는 의지이다. 법과 제도를 맹목적으로 지키는 것보다 정의, 양심, 도덕을 따르는 것이 더 중요하다. 정의와 양심의 힘으로 잘못된 법과 제도를 바로잡아야 한다.

2 시민불복종은 정치적으로 보장받아야 하는 권리다

국민은 자신의 뜻을 실행하기 위해서 정부를 세웠다. 정부는 국민을 대신해서 사회질서와 안전을 위해 법을 만들고, 집행하고, 해석하는 역할을 한다. 문제는 국민을 위한 정부가 반대로 공동체의 질서와 안전, 개인의 생명과 자유를 위협할 때가 있다는 것이다.

여성의 참정권 역사를 보자. 미국 여성들이 최종적으로 자유롭고 민주적인 투표권을 쟁취한 것은 1920년이었다. 여성이 참정권을 획득하기 이전에는 여성이 남성보다 능력이 부족하며 가정을 지켜야 한다는 이유를 내세워 여성에게 투표권을 주지 않았다. 이에 20세기 초 영국을 비롯한 유럽과 미국에서 수많은 여성들이 참정권을 얻기 위해 대대적인 시민불복종 운동을 벌였다. 여성들은 자신의 자유와 권리를 위해 대규모 옥외 집회를 열고, 시위를 했다. 이때 국민을 위한 정부는 자신의 역할을 망각하고, 이들을 가혹하게 탄압했다. 이처럼 정부가 시민의 정의로운 주장을 받아들이지 않고, 오히려 국민의 자유를 위협한다면 시민들은 당연히 정부의 잘못에 비타협적으로 맞서야 한다.

어떤 법률이나 제도, 정책이 시민의 생명이나 자유처럼 근본적인 권리를 침해한다면, 시민들은 마땅히 정부와 악법에 맞서야 한다. 시민불복종은 사법적인 처벌의 대상이 아니라, 정치적으로 보장받아야 하는 권리다. 다시 말해 정부의 결정이 국민의 뜻을 거스르고, 국민의 권리를 침해할 때 국민의 저항권이 필요하고,

저항권의 일부인 시민불복종은 정치적 기본권으로 보장받아야 한다. 제대로 된 법치국가라면 시민불복종을 필수적인 정치문화로 받아들여야 한다.

3 시민불복종 운동은 역사적, 사회적 진보를 이끄는 큰 역할을 하고 있다

인간의 역사가 어떻게 발전해왔는지 돌아보면, 시민불복종 운동이 크게 기여해왔음을 알 수 있다. 자유와 인권의식이 성장하고 세계가 보다 평화롭고 정의로워지는 것이 사회의 진보다. 여성이라는 이유로 받았던 불평등, 흑인이나 유색인종이기 때문에 감수해야 할 사회적 불평등에서 벗어나 더 평등한 사회로 나아가는 데는 여성참정권 운동, 흑인민권운동 등의 시민불복종 운동이 큰 역할을 해왔다. 그리고 베트남전쟁 반대운동, 영국 지배하의 간디의 불복종운동을 통해 인류는 보다 평화롭고 정의로운 세계를 만들어나갈 수 있었다. 이처럼 시민불복종은 민주주의를 지키기 위해 정의롭지 않은 법률을 바로잡고, 부조리한 제도나 정책을 시정하기 위한 능동적인 정치 행위이다.

또한 사회적 약자의 인권과 권리를 신장시키는 것이 역사의 진보다. 그런데 장애인을 비롯한 사회적 약자들은 법이 정한 수단을 가지고 자신들의 권익을 말하기 어려운 조건에 있다. 이들에게 법대로 하라는 얘기는 그 자체가 폭력이다. 이들은 시민불복종 운동이라는 직접적인 행동을 통해서 자신의 권익을 주장할 수밖에 없다. 또한 현대사회의 시민불복종은 국가만이 아니라 기업의 잘못된 방침이나 비윤리적 구조에 대한 문제제기, 혹은 저항으로 나타나기도 한다. 이 역시 사회의 진보를 위해 반드시 필요한 시민의식의 발현이다.

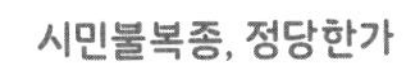

"시민불복종, 부당"

1 정의롭지 못한 법과 제도는 법적 테두리 안에서 고쳐나가야 한다

법과 제도는 기본적으로 정의에 기초해서 만든다. 법과 제도가 부정의하다고 판단될 때 이를 준수하지 않아도 된다는 얘기는 아니다. 개인의 정의와 양심, 도덕이 법보다 우위에 있다고 단정지을 수 없기 때문이다. 정의로운가 아닌가를 판단하는 것은 가치판단의 영역에 속하는 문제이다. 무엇이 옳고 그른가는 개인이나 집단에 따라 상대적으로 다를 수 있다. 현재의 집시법이 민주적 가치를 훼손하는지에 대해서도 상반된 견해가 존재한다. 정당한 절차에 따라 제정된 법을 정의롭지 못하다는 이유로 따르지 않는다면 사회 질서가 무너지고 혼란스러워질 가능성이 크다.

물론 정의롭지 못한 법률이 제정될 수도 있다. 하지만 이런 경우를 대비해 법의 개정을 요구할 수 있고, 헌법재판소에 위헌법률심판 제청을 할 수 있는 제도적 장치가 마련돼 있다. 따라서 우리는 법이 정한 절차에 따라 개선하려는 노력을 기울여야 하고, 이미 공포된 법은 개정될 때까지 이를 준수하는 것이 시민의 의무다. 법의 테두리 안에서 고쳐나갈 방법이 있는데도 불복종에 나서는 것은 고의적으로 법치 질서를 무시하겠다는 것이나 다름없다. 법치국가에서 법은 일정한 민주적 절차를 밟아 제정된다. 따라서 잘못된 법 역시 일정한 절차를 밟아 고쳐나가면 된다. 정의롭지 못한 법과 제도는 법의 테두리 안에서 고쳐나가는 것이 옳다.

2 시민불복종을 정치적 기본권으로 인정할 경우 민주주의의 발전을 방해할 수 있다

현대 민주주의 국가들은 대의민주주의를 선택하고 있다. 모든 시민이 정치에 참여하는 것이 가장 이상적이지만 어마어마한 인구, 다양한 집단들이 존재하고, 그들의 요구가 저마다 다른 상황이다. 직접 민주주의를 펼치는 것은 현실적으로 불가능하다. 물론 대의제는 여러 가지 문제점들을 안고 있고, 다양한 사회집단의 요구를 완벽하게 소화하기 어려운 난점이 있다. 하지만 이런 문제를 최소화하기 위해 보다 면밀하게 법과 제도를 민주적 절차에 따라 제정하고 시행하고 있으며, 이 법과 제도를 준수해야 한다는 것이 민주국가의 사회적 합의다.

시민불복종 운동은 사회적 합의를 거스르는 부당한 행위다. 개인이나 집단의 이익을 위해 모두가 목소리를 높이며 법과 제도를 준수하지 않는다면 민주주의 근간이 흔들릴 수 있다. 시민불복종을 하나의 정치적 기본권으로 인정한다면 오히려 사회불안을 초래할 확률이 높다.

이미 대의민주주의는 여러 가지 문제점들을 방지하기 위해 선거라는 제도를 마련하고 있다. 뿐만 아니라 청원 등의 방법을 통해 국회 입법과정에 시민들이 목소리를 낼 수 있도록 하고 있다. 게다가 각종 비정부기구[NGO]와 시민단체를 통해, 그리고 인터넷을 통해 활발히 국정의 각 부문에 대해 의견을 쏟아낼 수 있다. 소수의 견해를 피력할 다양한 방법이 존재한다. 이처럼 제도적 방법이 마련돼 있는데도 불복종이라는 극단적 방법을 취하는 것이야말로 민주주의의 발전을 저해하는 행위다. 시민불복종은 사회적 합의를 거스르는 부당한 행위로 이를 정치적 기본권으로 인정할 경우 오히려 민주주의의 발전을 방해할 수 있다.

3 시민불복종을 용인할 경우 공동체의 결속을 약화시켜 사회 발전을 방해한다

역사적으로 시민불복종이 저항의 한 방법이었고, 사회 진보를 일구는 데 일정 부분 역할을 해온 것은 사실이다. 하지만 이 경우에는 대부분 지극히 비민주적인 정치 체제나 부당한 권력 아래서 벌어진 일이다. 비민주적인 사회에서는 시민들이 저항권을 발휘하는 게 정당화될 수 있고, 필요한 일이기도 하다.

하지만 시대가 달라졌다. 전 세계 대부분의 국가에 민주주의가 정착되었고, 그 결과 모든 국민에게 동등한 권리를 부여한다. 여전히 몇몇 독재국가가 있지만 대부분의 국가들은 확고한 민주주의 체제를 정착시켰다. 그리고 이들 국가에서는 소외받는 소수의 목소리까지 정책에 반영하고자 노력 중이다. 한편 이제 전 세계 이슈는 정치에서 경제로 옮겨왔다. 정치적 안정을 이룩했다는 판단 아래 보다 평화롭고 풍요롭게 살기 위해서 경제 문제에 집중하고 있는 것이다. 시민불복종 운동은 이러한 시대적 흐름에 역행하는 것이며, 사회 혼란만을 가중시킬 뿐이다.

현대사회는 계층뿐 아니라 출신, 학벌, 인종, 직업 등 공동체 구성원들이 보다 다양해졌다. 저마다 추구하는 것도 달라서 정치적 요구도 다양해졌다. 그 결과 사회 전체를 위한 공익보다 사익이나 집단의 이익을 중시하는 풍토가 만연해지기도 했다. 이러한 상황에서 시민불복종을 인정할 경우 공동체의 결속은 약화될 수밖에 없고 여러 목소리가 경쟁하듯 쏟아져 나와 혼란을 초래할 것이다. 이런 상황이 사회 진보에 기여할 리 만무하다. 과거 특정한 시기에 시민불복종이 역사적 진보에 기여했다고 현대에도 이를 받아들일 경우 오히려 사회 진보만 방해할 뿐이는 사실을 명심해야 한다.

시민불복종의 딜레마

시민불복종은 국가나 시장의 부조리를 바로잡기 위해 문제점을 공공연히 드러내어 공론화하고 이에 대한 책임을 지려는 능동적인 움직임이다. 사실상 기존의 억압적인 정치질서가 시민불복종을 가로막는 곳에서 시민불복종은 권력과 법이 금지하는 정치행위를 시작하는 직접행동의 성격을 강하게 띨 수밖에 없었다. 그런데 시민의 권리를 능동적으로 실현하려는 직접행동의 성격이 강해질수록 법치주의 틀 내에서 자기 역할을 모색하는 시민불복종의 특성이 사라지는 딜레마를 피하기 어렵다. 가령 시민불복종이 혁명적인 행위와 다른 특성을 가지지 않는다면, 그런 행위를 시민불복종이라 불러야 할 이유가 사라진다.

소로의 《시민불복종》 발췌

"우리는 먼저 인간이어야 하고, 그 다음에 국민이어야 한다고 나는 생각한다. 법에 대한 존경심보다는 먼저 정의에 대한 존경심을 기르는 것이 바람직하다. 내가 떠맡을 권리가 있는 유일한 의무는, 어느 때든 내가 옳다고 생각하는 바를 행하는 것이다."

"모든 사람이 혁명의 권리를 인정한다. 정부의 폭정이나 무능이 너무나 심각하고 참을 수 없을 때 정부에 대한 충성을 거부하고 저항할 수 있는 권리 말이다."

"당신의 표를 모조리 던져라. 종이쪽지 한 장이 아니라 당신의 영향력 전부를 던져라. 다수의 뜻에 고분고분 따르는 한 소수는 무력하다. 아니 소수라는 이름조차 과분하다. 그러나 소수가 온 힘을 다해 가로막으면 그 힘은 불가항력이 된다."

토론해 봅시다

1. 시민불복종은 부정의한 법률과 정책에 저항하는 방법 중 하나로 정당화될 수 있을까요? 아니면 법치국가의 질서를 파괴하는 위법 행위일까요? 한 가지 입장을 정해 친구들과 토론해봅시다.

2. 시민불복종 운동의 용인이 불가피한 상황이라 가정해보고, 시민불복종으로 인정할 수 있는 최소한의 기준을 다음 중에서 골라 왜 그렇게 생각하는지 자기 의견을 발표해봅시다.

◎ 모든 합법적 수단을 동원했어도 실패한 경우
◎ 비폭력적인 방법만을 사용할 경우
◎ 부정의한 법률이라는 점이 명백한 경우

실전 gogo

"악법도 법이다"라는 말이 있습니다. 이는 법이 시민들의 합의로 성립된 것이므로, 설령 부당한 법이라도 이를 반드시 준수해야 한다는 의미입니다. 부당한 법을 따라야 할 경우 자신은 어떤 선택을 할지, 그리고 그렇게 선택한 이유는 무엇인지 함께 적어봅시다.(500자)

갈등은 사회변화의 원동력인가

노사간의 갈등을 비롯해 현실사회에서는 갖가지 문제들이 충돌한다. 이러한 충돌을 보면서 한쪽에서는 사회는 안정 상태를 유지하려는 속성이 있는데 갈등은 이를 깨뜨리는 것이므로 바람직하지 않다고 비판한다. 하지만 다른 쪽에서는 집단 혹은 계층 사이의 갈등과 대립은 당연한 것이며 갈등을 통해 사회가 발전한다고 주장한다.
갈등이 사회를 발전시켜나간다는 생각에 동의하는가?

키워드로 읽는 논쟁

1. 한국, 사회갈등 심각한 수준

사회는 끊임없이 변화, 발전해나간다. 그 과정에서 개인과 개인, 개인과 사회는 다양한 갈등을 겪게 된다. 농업사회에서 산업사회로의 전환은 경제구조만의 변화가 아니었다. 대가족 제도에서 핵가족 제도로 가족의 형태가 바뀌었으며 자연스럽게 가족이라는 개념도 변화를 겪게 된다. 그리고 지금 우리는 일인가족 시대로 가고 있다. 당연히 가족 내에서 가치관이 충돌할 수밖에 없게 된다. 이처럼 사회변화는 다양한 갈등을 야기한다. 노사갈등, 지역갈등, 빈부격차에 따른 계층갈등뿐 아니라 정보격차, 세대갈등 등 갈등의 양상은 다양하다.

최근 한국보건사회연구원의 보고서에 따르면 특히 한국의 사회갈등은 심각한 수준으로 드러났다. 지난 20년 동안 경제협력개발기구OECD 가운데 사회통합지수가 최하위권인 것으로 나타났다. 사회통합지수란 '사회적 포용' '사회적 자본' '사회이동' '사회갈등 및 관리' 4개 영역의 19개 지표값으로 산출한다. 이중에서 한국의 사회적 포용지수는 30개국 가운데 최하위인 30위였다. 이는 빈부격차, 여성노동자 차별, 노인빈곤 문제 등이 심각하다는 의미로 해석된다. 이처럼 다양한 영역에서 사회갈등이 증폭되고 있다. 사회학의 주요 개념인 기능론과 갈등론을 중심으로 우리나라의 사회갈등을 어떻게 보아야 할지 살펴보자.

2. 사회·문화 현상에 대한 분석이론, '기능론과 갈등론'

사회·문화의 여러 현상들을 우리는 어떻게 분석할 수 있을까. 어떤 하나의 관점으로 분석하기란 물론 불가능한 일이다. '기능론과 갈등론'은 사회현상을 설명할 수 있는 포괄적인 이론 가운데 하나다. 사회·문화의 여러 현상을 사회 체계 전체 수준에서 보는 것, 즉 사회제도나 구조, 사회변동을 다루는 것을 거시적 관점이라고 부른다. 기능론과 갈등론은 거시적 관점에 속한다. 이에 비해 미시적 관점은 집단 전체, 사회 체계 전체를 다루기보다 개인과 개인의 상호작용에 초점을 맞추는데 '상징적 상호 작용론'과 '교환이론'이 여기에 속한다.

기능론과 갈등론에 대해서는 뒤에서 좀 더 자세히 다루겠지만, 이 둘은 사회 갈등을 바라보는 관점에서 큰 차이가 난다. 기능론은 사회를 하나의 유기체로 보고, 각각의 기관들이 제 역할을 다함으로써 사회가 존속된다고 보기 때문에 사회 갈등을 부정적으로 본다. 화합과 질서 유지를 강조하고, 개인이나 집단의 기능적 역할에 초점을 맞추는 보수적 관점으로 기능하기도 한다.

반면 갈등론의 관점은 다르다. 갈등은 희소한 가치를 둘러싸고 지배적인 집단과 피지배적인 집단 간의 대립과 투쟁에서 비롯된 것으로 본다. 따라서 갈등은 늘 존재하는 것이며, 갈등이 사회변동에 기여한다는 입장이다.

3. 기능론

기능론은 사회를 하나의 유기체로 본다. 인간이라는 유기체를 보자. 인간의 몸을 구성하는 각 기관들은 생명 유지를 위해 저마다 필요한 기능을 수행한다. 눈, 코, 입, 위, 심장 등 인체의 각 부분들이 제대로 자기 기능을 수행할 때 건강한 몸이 유지된다. 튼튼한 치아로 잘 씹어야 위에서 소화가 잘 되고, 소화가 잘 돼야 영양소 공급이 원활하듯 각 기관들이 유기적으로 결합해야 제 기능을 해낼 수 있다.

기능론은 사회도 유기체와 같아서 사회의 모든 구성 요소들이 마치 톱니바퀴처럼 맞물려 각자의 기능을 제대로 해낼 때 사회가 유지, 발전한다고 본다. 산업과 시장은 자원을 생산하고 분배하는 기능을 맡고, 법률과 규범은 사회 질서를 유지하는 역할을 담당하며, 가족제도는 사회구성원을 재생산하는 기능을 맡는다.

기능론적 관점에 따르면 이러한 사회 구성 요소들은 상호의존적으로 연결되어 있다. 따라서 하나의 요소에 문제가 생겨 불균형이 발생하더라도 급격히 사회가 무너지는 일은 없다. 유기체처럼 상호의존적이라 불균형 상태를 해결하고 새로운 균형을 만들어내기 때문이다.

기능론은 한 사회의 가치나 규범을 합의의 산물이라고 보며, 사회 갈등은 문제가 발생한 것으로, 건강하지 않은 사회의 증거라고 파악한다.

4. 갈등론

갈등론은 말 그대로 서로 다른 이해관계를 가진 집단들 간의 끊임없는 갈등에 주목하는 이론이다. 경제적인 부나 사회적 지위, 정치 권력 같은 사회적 희소가치는 모두가 만족할 만큼 나누어가지기란 불가능하다. 따라서 집단과 개인들은 희소가치를 더 많이 차지하기 위해 서로 경쟁하게 된다.

갈등론에 따르면 공정한 경쟁이란 불가능하다. 왜냐하면 희소가치를 더 많이 차지한 집단이 그렇지 못한 집단을 지배하고 착취하기 위해 이미 존재하는 불평등 구조, 지배 구조를 강요하기 때문이다. 지배 계급은 피지배 계급을, 대기업은 중소기업을, 엘리트들은 일반 대중을 지배하고 착취함으로써 더 많은 희소가치를 획득할 수밖에 없다.

갈등론은 기능론이 주목하지 않는 갈등, 억압, 지배, 착취 같은 문제를 중요하게 다룬다. 특히 갈등을 사회발전의 원동력으로 보는 점과 사회적 역할의 분배가 합의가 아닌 강제에 의해 이루어진다고 보는 점에서 기능론과 다르다. 갈등론은 변동이나 갈등을 지나치게 강조한 나머지 사회집단 간의 협동과 합의 등이 갖는 중요성을 경시한다는 점에서 비판받는다. (출전_사회문화 교과서(교학사))

갈등은 사회변화의 원동력인가

"갈등, 사회 발전에 기여"

1 갈등은 일시적인 현상이 아니라 사회의 본질적인 모습이다

세상은 더없이 복잡하다. 성별, 연령대, 지위에 따라 전혀 다른 생각과 가치관을 갖는데 이 가치관들은 서로 화해하기 어려울 만큼 대립적이다. 부모와 자식 사이의 갈등을 보라. 부모 세대는 자신의 10대 경험으로 지금 아이들의 행동과 규범을 지적하는 경우가 많고, 아이들은 이에 반발하고 맞선다. 노사관계나 비정규직과 정규직 간의 갈등처럼 현대 사회에서는 긴장과 갈등이 의견 일치나 조화보다 더 일반적이다. 그리고 사회적 관계들은 대립적이고 경쟁적이다. 그런데 기능론자들은 사회를 살아 있는 유기체에 비유하면서 구성원들이 서로 합의하고, 규범에 따라 행동함으로써 균형을 이루는 것이 사회의 본질이라고 설명한다. 이는 현실을 도외시한 이상적인 설명이다.

현재 우리는 자본주의 사회에서 살고 있다. 자본주의 사회는 본질적으로 권력과 부, 지위 등의 분배가 평등하지 못하다. 부와 권력, 지위 등을 갖지 못한 소외된 사람들이 생겨날 수밖에 없는 구조다. 이들은 기득권 세력에게 강력한 불만을 표출하거나 저항할 수밖에 없다. 이 저항을 통해 사회는 조금 더 평등한 방향으로 나아갈 수 있다. 갈등은 일시적인 현상이 아니라 사회의 본질이다.

기능론은 어떤 문제가 생겼을 때 일시적으로 갈등이 나타나지만 사회에는 자동조절장치가 있어서 잘 유지된다고 주장한다. 그들 말대로 사회가 저절로 균형을 찾아갈 수 있다면 왜 전쟁과 폭동, 테러 같은 소요가 계속 발생하겠는가. 현대인이 겪는 크고 작은 갈등은 사회의 본질이다.

2 사회구성원 간의 합의된 가치, 실제로는 부와 권력을 가진 사람들의 이데올로기

기능론자들은 성, 연령, 계층 등에 따라 이해관계가 충돌하지만, 사회가 유지되고 점진적으로 발전해 가는 것은 사회구성원들이 합의된 가치를 인정하고 이에 따라 사회적 안정과 조화, 균형을 추구하기 때문이라고 말한다. 가부장제 아래서 대가족의 며느리가 자신의 권리를 희생당하는데도 자신의 의무와 삶을 무의미하다고 생각하지 않는 것은 구성원 간의 합의된 가치 때문이라는 것이다.

하지만 과연 '합의된 가치'일까. 결론적으로 말하면 기능론자가 말하는 합의된 가치란, 권력과 부를 가진 사람이 기존 사회를 정당화하기 위해 유포한 지배이데올로기일 가능성이 높다. 지배이데올로기란 말 그대로 지배계급의 이데올로기다. 가부장제는 집안의 남자 어른이 가족 내에서 독보적인 권력을 행사하는 관습이다. 그리고 가부장제 사회에서는 학교, 사회, 가정에서 여성은 순종적이어야 한다는 가부장제 이데올로기를 교육시킨다. 그 결과 여성은 순종적 삶을 자신의 규범으로 삼는다. 따라서 자신의 희생을 당연한 것으로 받아들이게 되는 것이다.

회사에서의 규범과 가치 역시 교묘하게 사용자의 이데올로기가 크게 반영된 것이라고 볼 수 있다. 여전히 많은 회사들은 회사 전체의 이익을 높여야 그 이익이 노동자에게 돌아갈 수 있다며 노동자의 희생을 강요한다. 하지만 정작 희생의 대가는 노동자가 아닌, 사용자가 독식하는 경우가 많다. 따라서 '합의된 가치'로 이루어진 조화와 균형은 부와 권력, 지위가 높은 지배계급을 위한 조화이자 균형일 확률이 높다.

3 갈등은 사회 혁신과 새로운 창조를 위한 힘이다

자본주의 사회의 불평등은 이미 고착화되었다. 권력과 부, 지위 등의 분배가 지배 계층에게 유리하게 작용하고 있다. 사회 갈등의 가장 일반적인 예가 노사간의 갈등이다. 노동쟁의가 일어날 때마다 지배층은 미디어를 앞세워 다음과 같은 여론을 만들어낸다. 사회질서와 사회 전체의 이익을 위해서 파업과 같은 투쟁을 자제해야 하며, 사회 발전을 위해서 노사 갈등은 피해야 한다고. 문제는 상대적인 약자인 노동자들에게만 일방적으로 갈등 억제를 요구한다는 점이다. 이는 당연히 사용자를 두둔하고 기존 질서를 옹호하는 논리로 작용한다.

또한 기능론자들은 민주주의 사회에서는 의회를 통해 누구든 자기계층의 의사를 표현할 수 있고, 사회적 약자의 이익을 보호한다고 말한다. 따라서 사회혼란을 일으키는 갈등을 표출할 게 아니라 대화와 타협을 통해 균형점을 찾아야 한다고 주장한다. 하지만 우리나라뿐 아니라 미국의 경우에도 국회의원의 압도적 다수는 중간층 혹은 상류층 출신이다. 다시 말해 사회의 의사결정에서 약자들이 소외될 가능성이 높고, 이들은 당연히 제도를 이탈해, 비합법적인 방법으로 자신의 이익을 관철하려고 노력할 수밖에 없다.

70년대 한국사회에서 노동자들의 피나는 투쟁이 없었다면 노동자의 권익이 지금처럼 높아질 수 없었을 것이다. 당장에는 사회적 혼란으로 비칠지 모르지만, 갈등은 사회에 유익한 기능을 수행한다는 사실을 인정해야 한다. 만일 갈등이 불거져 나오지 않는다면 다른 처지에 있는 사회구성원들이 서로를 이해하고 공감할 수 있는 기회를 갖기 어렵고, 사회를 진보적인 방향으로 바꿔나가기 어렵다. 갈등은 사회적 병폐가 굳어지는 것을 막고 사회를 보다 나은 방향으로 혁신하게 자극하는 한편, 새로운 창조를 위한 압력이 될 수 있다. 오히려 지나치게 균형과 조화를 강조하는 것이 사회 발전의 동력을 억누르는 일이다.

"갈등, 조화와 균형 깨뜨려"

1 사회는 하나의 유기체로 조화와 균형을 이루고 있다

사람의 몸은 간, 심장, 콩팥 등의 기관이 제 기능을 잘 하고 서로 조화를 이룰 때 건강하게 유지된다. 사회도 마찬가지다. 정치, 경제, 문화, 교육 등 여러 분야에서 사회구성원들이 자신이 맡은 기능을 잘 수행했을 때 사회가 유지되고 발전한다. 사회도 하나의 유기체인 것이다.

복잡한 현대사회에서 사회구성원의 이해는 충돌하기도 한다. 하지만 사회에는 각 사회구성원들이 합의한 공동의 규범과 가치가 있다. 그리고 구성원들은 이 가치를 준수하며 조화롭고 균형 있는 삶을 이뤄나간다. 인간은 누구나 저마다의 독특한 문화와 가치관, 행동방식이 있다. 계층, 성, 연령에 따라 생각의 차이도 존재한다. 하지만 합의된 규범과 가치가 이것들을 하나로 묶어주는 끈 구실을 한다. 조화로운 사회를 위해 학교에서는 학생들에게 모든 사람들이 지켜야 할 사회 규범을 가르치고, 사회에서 필요한 일을 해나갈 수 있는 역량을 키워준다. 회사라는 조직도 마찬가지다. 직급도 다르고, 하는 일도 다르지만 회사라는 조직이 함께 추구해야 할 원칙과 가치는 동일하며, 이를 조화시켜 나가려고 사람들이 노력한다.

이처럼 사회의 모든 구성 요소들은 상호 의존적 관계에 있고, 사회 전체의 균형과 조화, 통합을 위해 필요한 기능을 나누어 수행하고 있다. 사회는 조화와 균형을 추구하는, 하나의 살아 있는 유기체라고 할 수 있으며, 사회가 일정한 균형을 갖고서 움직이고 있다는 사실은 쉽게 반박하기 어렵다.

2 사회의 중요한 가치는 합의에 의해 이루어진 것이다

갈등이 사회를 변화시키는 동력이라고 주장하는 사람들은 모든 사회적 관계를 이해 중심으로 파악한다. 하지만 주위를 둘러보면 사람들은 이해관계를 앞세우기보다는 각자의 윤리, 혹은 가치관에 따라 살아간다. 우리 사회에서 청소부는 상대적으로 임금이 낮은 편에 속한다. 갈등론자에 따르면 이들은 낮은 임금에 대한 불만을 갖고 자신이 속한 조직에서 갈등과 대립을 일으키는 게 당연하다. 그러나 현실에서는 이러한 불평불만을 토로하기보다 직업에 만족하면서 가정과 사회의 안정을 추구하는 경향이 더 많다.

드라마에서는 종종 가부장적인 질서 안에서 시어른을 모시고, 집안일을 돌보느라 자신의 권리를 제대로 못 누리는 며느리가 등장한다. 하지만 그들은 자신의 일에 긍지를 느끼며 자신감 있게 살아간다. 세상의 모든 사람들이 모두 이해관계에 민감하게 움직이는 것은 아니다. 정서적인 만족이나 도덕적인 원칙을 더 중요하게 생각하는 사람들이 더 많다.

한편 갈등론자들은 자본주의 사회가 평등하지 못하고 차별적이며 소수의 사람들이 권력을 쥐고 행사하고 있다고 주장한다. 어떤 국가든 권력과 부를 가진 사람보다 그렇지 않은 사람들이 월등하게 많다. 이 말은 사회적으로 소외된 계층이 대다수라는 얘기이고, 갈등론자들의 주장대로라면 다수의 사람들의 불만이 폭발해 사회가 안정적으로 유지, 발전하기 어려워야 한다. 그러나 사회는 여전히 안정적으로 유지되고 있고, 근본적인 동요가 없다. 갈등론자들은 차별과 대립이 사회의 본질이라고 말한다. 그들의 주장대로라면 인간사회는 갈등이 폭발해 붕괴하는 게 맞다. 하지만 어떤가. 사회는 여전히 나름의 질서 속에서 안정적으로 유지되는 한편 조금씩 발전해가고 있다. 사회에는 조화와 균형을 추구하는 자기조절장치가 있기 때문이다.

3 극단적인 사회 갈등은 사회 전체에 부정적인 영향을 미친다

인간과 사회를 갈등론적 관점에서 이해하는 사람들은 현대 자본주의 사회에 팽배한 불평등을 문제삼는다. 그러나 불평등을 바라보는 관점도 수정해야 한다. 계층은 사회적 필요에 따라 생겨난 것이고, 보편적인 것이며, 필연적인 것이다. 또 개인의 성취에 따라 사회의 지위가 달라진다. 더군다나 지금은 계급사회도 아닌, 자유로운 선의의 경쟁이 가능한 자본주의 사회, 민주주의 사회이다. 더 중요한 일을 하는 사람, 더 큰 성과를 내는 사람에게 그에 상응하는 대가가 주어지는 것은 너무나 당연한 일이다. 자신의 처지에 대한 불만을 표출하기보다는 더 큰 성취를 위해 노력하는 것이 맞다.

갈등론자들은 갈등이 사회 변화에 긍정적인 영향을 주고, 궁극적으로는 사회통합에 기여한다고 주장한다. 또한 사회 시스템이 타성화되는 것, 사회 구조가 경직되는 걸 막는 방부제 역할을 할 때도 있다. 하지만 그보다는 극단적인 대립으로 몰아가 사회질서를 어지럽힐 때가 많다.

노사관계의 경우에도 합법적인 테두리 안에서 타협점을 찾아낼 때 사회 전체적으로 더 큰 열매를 맺을 수 있다. 노동자가 파업하면, 사용자가 직장 폐쇄 결정으로 맞선다. 이렇게 노사 간의 갈등이 더 격화되면 기업의 경영 활동에 심각한 손실을 입혀 경제 전반을 악화시킬 수 있다. 갈등이 당사자에게뿐 아니라 제3자에게까지 피해를 주는 상황으로 발전한다면 이러한 갈등은 억제하고, 조정되는 게 바람직하다. 극단적인 갈등 표출이 사회 전체에 부정적인 영향을 미치는 경우를 수없이 보아왔다. 갈등은 순기능보다 역기능이 많다.

토론해 봅시다

1. 기능론자들은 사회는 갈등보다는 구성원 간의 합의된 가치를 중심으로 조화를 이뤄나간다고 말합니다. 이에 대해 갈등론자들은 이 합의된 가치라는 것이 실제로는 부와 권력을 가진 사람들의 이데올로기일 뿐이라고 맞섭니다. 사회의 규범과 가치에 대한 양측의 주장에 대해 갈등론과 기능론으로 나누어 토론해봅시다.

2. 기능론자들은 사회적으로 계층이 나누어지는 것은 자연스러운 현상이며 사회에 대한 기여도에 따라 부와 지위가 달리지는 것은 당연하다고 말합니다. 불평등의 문제에 대한 기능론자의 시각에 대해 어떻게 생각하나요? 자신의 생각을 말해봅시다.

실전 gogo

기능론과 갈등론 중에서 하나를 선택해 노사문제를 어떻게 볼 것인지 자신의 견해를 적어봅시다.

사형제도 폐지 논란

최근 '어금니 아빠' 이영학이 1심에서 사형을 선고받으며, 사형제도 폐지를 둘러싼 논란이 다시 뜨겁게 일고 있다. 우리나라는 20년 넘게 사형을 집행하지 않아 사실상 사형제 폐지국으로 분류된다. 하지만 헌법재판소는 2010년 2월 사형제도에 합헌 결정을 내린 바 있다.

사형제도는 사회 기강 확립을 위한 형벌제도의 하나라는 주장과 제도에 의한 살인이라는 주장이 오랫동안 팽팽하게 맞서왔다. 사형제 존치와 폐지, 어느 쪽이 바람직할까?

키워드로 읽는 논쟁

1. 사형제도

사형은 형법 위반에 대한 처벌 중에서 가장 무서운 형벌이다. 세계적으로 많은 국가들이 채택하고 있는 법정 최고형으로 범죄인의 생명을 박탈하여 그를 사회로부터 영구히 제거시키는 형벌이다. 사람의 생명을 박탈하는 것이라 생명형이라고도 한다. 참수斬首, 교수絞首, 총살銃殺, 화형火刑 및 전기나 가스 사용 등의 방법으로 수형자의 생명을 빼앗는다.

사형은 가장 오랜 역사를 지닌 형벌이다. 사형제를 성문화한 최초의 법은 기원전 18세기 바빌로니아의 함무라비 법전이다. '눈에는 눈, 이에는 이'라는 응보주의[*]의 시각에서 25개의 범죄를 사형으로 처벌했다. 고대와 중세 때는 사형이 주된 형벌이었다. 그러다 18세기 무렵 계몽주의[**] 사상이 등장, '인간의 존엄성'에 대해 눈을 뜨게 되면서 사형이 줄어들기 시작했다. 현재 사형제도는 인간 생명의 존엄성, 오판 가능성, 정치적 악용 가능성, 형벌의 목적을 교화로 봐야 한다는 입장 등에 근거, 폐지 주장이 거세다. 한편에서는 사형을 남용하면 안 되지만 흉악 범죄를 예방한다는 차원에서 완전히 폐지할 수는 없다고 맞서고 있다.

* **응보주의**

응보형주의(절대설)라 함은 형벌의 본질을 범죄에 대한 정당한 응보라고 이해하는 사상으로 후기 고전학파에 의하여 주장된 이론을 말한다. 응보주의는 절대적 응보주의와 상대적 응보주의로 구분된다. 절대적 응보형주의는 형벌에는 응보 이외에 범죄예방과 같은 목적이 존재할 수 없고 오직 응보 그 자체를 자기 목적으로 한다는 이론을 말한다. 상대적 응보형주의는 형벌이 범죄의 규범적 의미를 명백히 함으로써 행위자 본인이나 사회일반인의 규범의식을 각성, 강화시키고 범죄행위로 나아가지 않도록 동기를 부여하기 위하여 가해지는 것이라고 주장하여 형벌의 범죄억지목적을 중시한 이론을 말한다. 출전_<경찰학사전>

2. 우리나라의 사형제도

역사 드라마에서 많이 봐왔듯 조선시대 말까지 교수형絞首刑, 참수형斬首刑, 능지처참형陵遲處斬刑 등이 행해졌다. 가끔 예외적으로 법률로 규정하지 않은 잔혹한 사형이 집행되기도 했다. 1894년 갑오개혁 이후, 잔혹한 사형은 중지되고 교수형만 집행되었으며, 집행 장소도 감옥으로 한정되었다. 현재 대한민국 일반형법에서는 교수형을, 군형법에서는 총살형을 택하고 있다.

1948년 정부수립 후 이듬해인 1949년 살인범에 대해 첫 사형집행이 이뤄졌다. 그후 1997년 12월 30일까지 형장의 이슬로 사라진 사형수는 모두 920명이었다. 한편 1997년 사형수 23명에 대한 일괄적 사형 집행이 있은 후 군인과 민간인을 모두 포함한 실제 사형집행은 20년 넘게 멈춰 있는 상태다. 국제엠네스티***는 한국을 실질적 사형폐지 국가로 분류하고 있다. 2016년 기준, '희대의 연쇄살인범' 유영철을 비롯해 모두 61명의 사형대기 기결수가 있다.

한편 그동안 국회에서는 몇 차례 사형제 폐지를 위한 법안을 제출했다. 15대 국회를 시작으로 18대 국회에서는 2008년 박선영 의원이, 2009년 김부겸 의원이 사형폐지 법안을 대표 발의했으나 매번 상임위 문턱을 넘지 못하고 있다. 한국법제연구원이 발표한 바에 의하면 2015년 국민 법의식 조사에서 응답자의 65%가 사형제 폐지에 반대했으며, 34.2%가 찬성했다.

** **계몽주의**

계몽사상은 영어로 Enlightenment. '밝게 만듦'이란 뜻이다. 다른 말로 하면 깨어나게 하는 것, 눈을 뜨게 하는 것을 말한다. 계몽 사상이 등장하던 당시의 사람들에게 '이성의 빛'이란 미신과 종교적 광신, 불합리한 관습이나 전통 같은 무지몽매한 어둠으로부터 깨어나게 하는 합리적 사고였다.

칸트는 계몽이라는 빛이 '편견이나 다른 사람의 지도에 의한 왜곡 없이 자신의 이성을 사용함으로써, 자신이 만든 미성숙으로부터 해방'되게 만든다고 했다. 서양의 유명한 근대 사상가인 볼테르를 비롯해 몽테스키외, 루소, 흄, 디드로, 칸트 등이 계몽주의자들이다. 계몽사상이 서양의 사상사적 발전에서 얼마나 중요한 위치를 점하고 있는지 가늠이 된다.

*** **엠네스티(Amnesty International)**

국제사면위원회. 1961년에 창설. 정치범의 석방, 공정한 재판과 옥중에서의 처우개선, 고문과 사형의 폐지, 난민보호, 대인지뢰반대, 인권교육 등을 활동 목적으로 한다. 162개국에 지부가 있으며, 1972년에 한국지부가 설립되었다.

3. 사형 집행, 재개되야 한다?

우리나라의 경우 사형제가 정치적으로 악용된 선례가 많다. 다른 나라와 마찬가지로 우리나라에서도 사형 판결은 일반적으로 흉악한 살인범에게 내려진다. 하지만 우리의 경우 다른 나라들에 비해 정치적 이유로 단행된 사형 집행이 자그마치 27%로 많은 편이다. 한편 과거 독재 정권 시절에 억울하게 사형이 집행된 사형수에 대한 재조사 작업이 대대적으로 이뤄지면서 사형제 폐지가 공론화되기 시작했다. 인혁당 사건*의 경우 관련자들에 대한 사형이 조작에 의한 사법살인으로 드러나면서 사형제 논란이 불거졌다.

현재 우리나라는 형 집행이 20년째 멈춰 있어 사실상 사형제 폐지국으로 분류돼 있는데 최근에 와서는 잔혹 범죄가 발발할 때마다 사형제를 부활시키자는 목소리가 커지고 있고, 사형제 논란이 재점화되는 일이 반복되는 상황이다. 인천 초등생 살인사건 때도 그랬지만, 얼마 전(2018년) '어금니 아빠' 이영학이 1심에서 사형을 선고받으면서 국내 사형제도의 현황과 과거 사형이 선고된 사건에 관심이 모아지고 있다. 여론 조사 결과도 사형제 유지 찬성 의견이 60%를 넘는다. 반면 사형제는 재판의 오판 가능성으로 무고한 생명을 앗아갈 위험이 있고, 나아가 어떤 경우에도 생명은 침해 혹은 박탈할 수 없는 기본권이므로 사형제는 폐지되어야 한다는 주장이 맞서고 있다.

4. 사형제 폐지, 국제사회의 흐름 무시할 수 없어

전 세계적으로 사형제 폐지가 큰 흐름을 형성하고 있다. 1977년 국제엠네스티가 사형제 폐지 캠페인을 시작할 때만 해도 전 세계 200개국 중 사형제를 폐지

＊인혁당 사건

1975년 북한의 지령을 받아 인민혁명당 재건위 활동을 했다는 죄목으로 유신정권에 반대한 일반인과 학생 8명이 사형을 당한 사건. 재판 종료 후 24시간도 지나지 않아 기습적으로 형이 집행되어 국제적 비난이 쏟아졌다.

한 나라는 16개국에 불과했다. 하지만 지금은 전혀 다르다. 국제앰네스티에 따르면 2016년 말 기준 전 세계 198개국 중 104개국이 법률상 모든 범죄에 대해 사형을 폐지했다. 우리나라처럼 실질적 사형폐지국으로 분류되는 나라는 37개국이다. 전 세계 국가 중 70%가 넘는 141개국이 법률상 또는 사실상 사형을 폐지한 셈이다.

하지만 이에 역행하는 움직임도 늘고 있다. 인도, 인도네시아, 파키스탄 등은 강력범죄 증가로 사형제를 부활시켰다. 터키는 2004년 유럽연합EU 가입을 위해 사형제를 폐지했었는데 최근 사형제 부활을 논의 중이라고 한다. 필리핀도 마찬가지다. 뿐만 아니라 사형을 집행하는 나라들의 집행 건수도 줄지 않고 있다. 2015년 기준 이란, 파키스탄, 사우디아라비아 3개국에서 사형 당한 이들은 1634명으로 전년 대비 50%나 증가했다. 이는 25년 만에 최고치다. 게다가 이들 국가에서는 법적으로 '참수'를 허용하고 있는데, 이란과 파키스탄은 교수형으로 대체하고 있지만 사우디는 여전히 '참수' 방식의 사형 집행을 고수하고 있어 국제사회에서 큰 비난을 사고 있다.

"사형, 폐지"

1 생명의 가치는 절대적인 것, 국가가 이를 박탈해서는 안돼

사형은 그 자체로 또 하나의 살인이다. 어느 누구도 남의 생명을 빼앗을 권리는 없다. 국가는 정당방위 외에는 개인 간에 발생하는 어떠한 살인도 금한다. 그렇다면 국가가 법의 이름으로 사람의 목숨을 빼앗는 것은 어떤가? 모순된 행동이 아닐까? 국가는 헌법에 생명권을 보장한다고 명시하고 있다. 범죄자의 생명권은 빼앗아도 되는 것일까? 생명권에 배치되는 행위 아닐까?

게다가 한번 박탈된 생명은 되돌릴 수 없다. 그런데 만일 국가(인간)의 판단 실수로 생명을 빼앗았다면? 1953년 영국 런던에서 희대의 연쇄살인범이 검거됐는데 그가 폭탄 같은 자백을 했다. 아내와 딸을 살해한 범인으로 몰려 3년 전 교수형을 당한 에번스 사건의 진범이 자신이라고 한 것이다! 세계 곳곳에서 이런 일들이 벌어지고 있다. 국가가, 인간이 심판하는 법이 완전무결하다고 누구도 보장할 수 없다. 더구나 전 세계 독재 정권은 사형제를 정치적으로 이용, 정적을 없애는 도구로 악용했다. 우리나라의 인혁당 사건 역시 사법살인으로 밝혀졌다.

이런 일을 되풀이하지 않을 유일한 방법은 사형을 영구 폐지하는 것이다. 누군가가 극악무도한 범죄자라는 게 입증됐더라도 살인을 벌하기 위해 살인을 하는 것은 정당하지 않다. 많은 사람들이 흉악범 사형 집행은 당연하다고 주장하지만 인과응보로써의 사형에는 감정적 요소가 다분히 내포돼 있다. 가해자를 죽인다고 해서 피해자의 생명이 돌아오지 않는다. 유족에게 정신적 위안이 될지 모르지만 이를 위해 사형을 법 제도로 명문화하는 것이 과연 이성적인지 의문이다. 용서와 화해가 더 근본적인 치유일 수 있다.

2 사형제는 흉악 범죄 예방에 별로 효과적이지 않아

날이 갈수록 범죄가 흉포해지고 있다. '어금니 아빠' 같은 흉악범이 나타날 때마다 사람들은 교정과 교화로는 범죄자를 정화할 수 없으니 사형이 마땅하다고 말한다. 다른 이의 생명을 극악한 방법으로 빼앗은 사람은 사형에 처해야 제2의 흉악 범죄가 일어나지 않는다고. 그러나 우리가 알아야 할 것은 사형제가 범죄를 예방한다는 명확한 근거가 없다는 것이다. 통계적으로 사형을 금하는 유럽 국가들에 비해 사형을 포함한 강력한 형벌제도를 가진 미국, 중국, 아시아 여러 국가의 강력범죄 발생률이 결코 낮지 않다. 미국 내에서 사형제도가 있는 주의 강력 범죄율이 사형제 폐지 주보다 더 높다.

또한 잠재적 살인자라 할 수 있는 갱이나 흉악범들은 일상적으로 생명의 위협에 노출돼 있어서 그들에게 사형은 별로 위협적인 처벌이 아니다. 살인 등의 중범죄의 경우에도 우발적인 범행이 많아 사형제가 있든 없든 범죄율에 큰 영향을 주지 않는다. 한편 조직적이고 계획적으로 일어난 강력범죄의 경우에는 완전범죄를 도모하기 때문에 처벌 수위를 고려하지 않는다. 그리고 사형 집행이 빈번할 경우 공포에 익숙해져 별로 위협이 되지 않는다는 것도 감안해야 한다.

인간은 자신의 죽음에 대해 명확하게 인식하지 못하는 편이다. 따라서 사형이라는 형벌 역시 막연하게 느낄 수밖에 없다. 여러 가지 면에서 봤을 때 사형은 범죄 예방에 별로 효과적이지 못하다.

3 절대적 종신형, 사형제 대안이 될 수 있다

17대 국회에서 몇몇 국회의원들이 절대적 종신형이 사형제 폐지의 대안이 될 수 있다고 주장했다. 2017년 미국 콜로라도 주에서는 아동 성매매범에게 징역 472년을 선고했다. 절대적 종신형은 살아 있는 동안 형 집행이 면제될 가능성 없이, 가석방 없이 선고된 형을 사는 것이다. 즉 죽을 때까지 구금하는 형벌이다. 절대적 종신형은 흉악범을 사회와 완벽하게 격리시킨다. 사형제의 대안이 충분히 될 수 있다.

하지만 사형제 존속을 주장하는 사람들은 절대적 종신형은 비용이 너무 많이 든다고 비판한다. 흉악한 범죄자를 국민들이 낸 세금으로 국가에서 먹여주고 재워줄 필요가 없다며 사형을 시키는 것이 훨씬 비용이 덜 들어간다고 주장한다. 그러나 면밀하게 따져보면 결코 사실이 아니다. 미국 뉴욕 시 통계를 보면 혹시 잘못된 판결로 사형 판결을 내릴까봐 오판을 줄이려고 들어가는 비용이 종신형보다 3배는 더 많이 든다. 재판비용과 수사비용 등을 조사한 수치다.

고려할 사항이 또 있다. 1924년 영국 내무성의 보고에 따르면 사형에 처할 수 있는 범죄에 사형을 선고하기에는 판사들의 죄책감이 너무 커서 오히려 살인범을 무죄석방하는 비율이 다른 범죄에 비해 높은 것으로 나타났다.

2016년 기준 198개국 중 104개국이 법률상 모든 범죄에 대해 사형을 폐지했다. 이처럼 사형제 폐지 쪽으로 전 세계가 움직이고 있다는 것은 어떤 의미인지 생각해보길 바란다. 사형제 폐지가 맞지만 아직 여건이 안 됐다느니 하는 말은 그만하고 사형제 폐지를 단행할 때다.

사형제도를 폐지해야 하나

"사형제, 있어야"

1 무조건 생명 존중을 내세운 사형제 폐지, 현실을 감안하지 않은 이상적인 주장이다

사형제가 있어야 한다고 말하면 누구도 함부로 타인의 생명을 빼앗을 권리가 없다고 맞선다. 동의한다. 어떤 사람이든 인간으로서의 가치는 존중받아야 하고 인간의 생명은 어떠한 가치보다 앞선다. 하지만 우리는 사회라는 공동체를 이루고 살고 있고, 사회공동체는 개인의 안위를 지켜줄 의무가 있다. 그리고 이를 위해 사회는 함께 지켜야 할 준칙을 마련했다. 그런데 만일 누군가 반인륜적인 참혹한 범죄를 저질러 사회를 어지럽힌다면, 사회적 격리와 같은 일반적인 형벌로는 도저히 다스릴 수 없는 악행을 일삼는 사람이 있다면 어떻게 해야 할까? 여러 논란을 안고 있는 사형제가 오랫동안 존속하고 있는 이유를 낮춰 평가해서는 안 된다.

인간의 생명은 존중받아야 마땅하지만 현실과 이상은 다르다. 범죄자의 인권에 어느 정도 한계를 두는 건 불가피한 일이다. 인간의 존엄성이 존중되어야 하는 이유는 그에게 인격이 있기 때문이다. 하지만 흉악범죄자의 인권을 지켜주는 것이 피해자의 인권을 지키는 것보다 중요한가 하는 회의가 든다. 또한 어떤 사람이 뇌사했을 경우 사망한 것으로 보고 장기 이식을 하는 것도 절대적인 관점에서 보면 생명 존중 사상에 배치된다. 하지만 우리는 이를 용인하고 있다. 생명 가치에 대한 상대적 해석도 가능하다는 얘기다.

한편 오판 가능성은 지금의 사법 시스템에서는 큰 문제가 아니다. 정확한 증거를 확보한 후 객관적인 판단에 따라 판결을 내리기 때문이다. 오늘날의 사형은 고대와 같은 등가 보복이 아니다. 흉악범에게 생명을 빼앗긴 자들이 개인의 보복을 국가에 위임하고, 국가가 이를 대신 행하는 사회정의의 실현이라는 가치도 있음을 상기하자.

2 사형제가 흉악범죄 예방에 효과가 없다고 단언할 수는 없다

강력 범죄가 기승을 부린다. 통계에 따르면 2015년 강력범죄(흉악)는 3만 5139건, 인구 10만명당 68.2건 발생했다. 강력범죄 발생 건수는 2006년 44.3건에서 지속적으로 늘어나 2015년에는 68.2건으로 최고치를 기록했다. 전체적으로 지난 10년 동안 강력범죄 발생비가 53.9%나 증가했다.

범죄자 교화와 강력범죄자의 생명 존중도 좋다. 하지만 잠재적인 피해자의 안전을 먼저 생각해야 한다. 선량한 시민을 보호하는 건 국가의 의무이다. 만일 극악한 범죄자를 사형시켜 조금이라도 사회가 죄없는 사람들을 보호할 수 있다면 그 제도는 유지해야 한다. 강력범죄가 늘어나는 추세이니 선량한 시민을 보호하고 범죄자들을 일벌백계하는 차원에서라도 법정 최고형인 사형은 있어야 한다.

현재 우리나라는 잠재적인 사형폐지국이다. 사형제가 있는데 집행하지 않는 것과 아예 사형제가 없는 것은 다르다. 우발적이고 충동적인 범죄의 경우 사형제 유무와 별 관계가 없겠지만 얼마 전의 인천 초등학생 살인 사건이나 '어금니 아빠' 같은 계획 살인, 연쇄살인은 다를 수 있다. 범죄자라도 판단 능력이 있고, 자기 목숨을 귀하게 여긴다면 범죄에 대해 다시 생각할 수 있다. 또한 사형제는 모방 범죄 등을 막을 심리적 장치 역할도 한다. 사형제 존치국가의 범죄율이 폐지국가보다 낮지 않다는 통계의 경우 흉악 범죄의 범위에 따라 달라질 수 있는 것으로 이에 대한 명확한 통계는 없다. 통계는 목적에 따라서 달라질 수 있기 때문에 사형제 폐지 주장의 근거로 삼기 어렵다.

3 형벌로서의 '사형' 의 무게와 효과는 사형으로만 실현될 수 있다

많은 사람들이 수감 생활 중에 진심 어린 회개를 한다고 하지만 그렇다고 모든 수감자들이 교화되는 건 아니다. 또 범죄자들이 범죄를 저지르기 쉬운 환경에서 성장하고 살아왔기 때문에 범죄를 저지른다고 하는데 이것 역시 인과관계가 명확하지 않다. 물론 공동체는 사회 구성원 전체에 대해 책임의식을 가져야 한다. 하지만 그럼에도 개인의 행위에 대해서는 분명하게 법적으로 책임을 물어야 한다.

사형폐지론자들은 인간이 인간을 심판해서 생명을 빼앗아서는 안된다며 사형제를 종신형으로 대체할 수 있다고 주장한다. 어떤 의미에서는 가석방 없는 종신형이 사형보다 더 잔혹할 수 있다. 생명권을 기준으로 봤을 때는 생명을 빼앗는 것보다는 평생 구금생활이 낫다고 하는데 이것 역시 다른 사람이 판단할 수 있는 문제는 아니다. 그런데 가석방을 전제로 하는 종신형은 사형제 대안으로서 의미가 없다. 결과적으로는 범죄자를 다시 사회에 되돌려 보내는 것이기 때문이다. 이 경우 사회구성원들의 불안을 가중시킬 우려도 있다.

전 세계적으로 사형제 폐지국이 많은 건 사실이지만 최근 이를 역행하는 움직임도 많다. 인도, 파키스탄 등은 강력범죄가 늘어 사형제를 부활시켰고, 터키는 사형제 부활을 논의 중이다. 형벌로서의 '사형'이 갖는 무게와 효과는 오직 사형 자체로만 실현될 수 있다.

토론해 봅시다

1. 사형제도는 범죄 억제 효과가 있다는 주장이 있는 반면 통계적으로 볼 때 범죄 억제 효과를 증명할 수 없다는 반론도 있습니다. 사형제도는 과연 필요악일까요? 범죄 억제 효과의 측면에서 생각해 봅시다.

2. 최근 인천 초등학생 사건과 어금니 아빠 사건 등으로 사형제도 존속 의견이 높아졌습니다. 이 같은 흉악범에 의해 스러져간 피해자 생명의 존엄성과 그 유가족의 정신적 고통은 무엇으로도 보상받기 힘들 것입니다. 이 같은 흉악범에 의해 여러분의 가족이 희생되었다고 가정해 봅시다. 그 범인의 사형을 반대할 수 있을까요?

3. 사형제도에 반대하는 측은 사형제도가 갖는 치명적 결함으로 오판에 의한 회복 불가능성을 내세우고 있습니다. 사형수가 진정 유죄라고 확신할 수 있을까요? 설사 오류의 가능성이 있더라도 선량한 시민을 보호하기 위해 어쩔 수 없다는 의견에 동의하는지 토론해봅시다.

실전 gogo

"인간의 생명은 신이 부여하는 것인데 국가가 형벌로 인간의 생명을 끊는 것은 있을 수 없다"는 주장이 있습니다. 이 주장에 대한 찬반 의견을 정리하되 설득력 있는 근거를 제시해봅시다.(300자 이내)

경제와 윤리

DISH

일수벌금제, 도입해야 할까

상식적으로 생각했을 때 똑같은 죄에 똑같은 벌금형을 내리는 총액벌금제는 너무나 당연해 보인다. 우리나라는 총액벌금제를 채택하고 있는데 서유럽 선진국들은 소득과 재산에 따라 벌금 액수에 차등을 두는 일수벌금제를 채택하는 경우가 많다. 경제적 여건에 따라 벌금 액수로 인한 형벌 효과가 다르기 때문이다. 교통범칙금 5만원은 연봉이 억대인 사람에게는 별것 아니겠지만 일당이 5만원인 일용직 노동자에게는 생존과도 직결되는 무게다. 경제력에 따라 형벌효과가 불평등하게 나타나는 것이다. 그러나 일수벌금제도 문제가 없는 건 아니다. 소득 산출이 어렵고, 법의 공정성이 흔들릴 수 있어서다. 일수벌금제의 이모저모를 알아보자.

키워드로 읽는 논쟁

1. 일수벌금형 제도(일수벌금제)란?

형법에 정해진 벌금액을 선고하는 총액벌금제와 다르게, 개인의 경제적 능력에 따라 벌금에 차등을 두는 제도를 말한다. 국세청의 소득액에 따라서 1일 벌금을 책정하고, 벌금일수를 곱해 나온 금액을 벌금형으로 선고하는 방식이다. 기본적으로 피고인의 연봉 내지 소득이 중요한 잣대이므로 소득이 적은 사람은 벌금을 적게 내고, 소득이 많은 사람은 많이 내게 된다. 핀란드는 1921년에, 스웨덴은 1931년에, 덴마크는 1939년에 이 제도를 시행했다. 이후 서독과 오스트리아가 1975년, 프랑스가 1983년에 이 제도를 채택했다. 스칸디나비아 제도와 유럽에 이 제도가 번진 이유는 이들 국가들이 경제적 인권과 평등이라는 사민주의 정신을 국가 모델의 바탕으로 삼아서일 것이다.

우리나라의 경우 1992년 일수벌금제도에 대한 논의가 있었고, 2004년 사법개혁위원회 활동 과정에서 다시 거론된 적이 있었다. 또한 2008년 경기불황으로 서민 경제가 어려울 때 검찰은 한시적으로 생계형 범죄에 대해 벌금을 깎아주거나 벌금 분납, 납부 연기제도를 도입한 적이 있다. 2009년 이명박 전 대통령이 "생계형 운전자들을 감안해 교통범칙금을 소득 수준에 따라 차등 부과하는 방안을 강구해보라"고 지시하면서 논의가 시작됐지만 지지부진한 상황이다. 하지만 학계에서는 현행 총액벌금제를 일수벌금제로 개혁해야 한다는 목소리가 높은 편이다.

2. 5억짜리 일당? 황제노역

2013년 대주그룹 허재호 전 회장의 일당 5억원 노역형이 사회적으로 큰 논란이 된 적 있다. 허 회장은 500억원대의 법인세 포탈, 100억원대의 횡령으로 벌금 508억원을 선고받았다. 1일 환산금액은 2억 5000만원. 벌금 대신 노역을 할 경우 204일을 해야 한다. 노역은 벌금 미납자를 수감한 상태에서 미납 벌금에 상응하는 형벌을 내리는 조치. 허 회장이 항소를 하자 법원은 벌금액을 반으로 낮추고, 그의 하루 일당을 5억원으로 올렸다. 즉, 벌금 254억원을 납부하지 않을 경우 하루 5억원의 노역장 유치 판결을 내린 것. 허 회장은 벌금 납부 대신 노역을 선택했다. 일반적으로 노역형에 대한 탕감 액수는 하루 5만원 내외인 걸 감안하면 허 회장의 하루 노역에 평범한 사람의 하루 노역에 비해 만 배의 가치를 부여한 것이다. 이에 사람들은 '황제노역'이라며 비판했고, 검찰은 노역형 집행을 중단했다.

반대로 겨우 100만원 벌금 때문에 교도소에 갇힌 스무 살 청년의 사례가 있다. 가벼운 접촉 사고를 낸 청년은 미보험으로 입건돼 벌금형을 받았지만 혼자서 사는 이 청년은 갑자기 100만원을 마련할 길이 없어서 20일 동안 교도소에 구금되었다. 법무부가 발표한 자료에 따르면 돈이 없어서 노역으로 벌금형을 대체한 건수는 2017년 한 해 7월까지만 해도 3만 1351건에 달한다. 월평균 노역형이 무려 4479건에 달하는 셈, 2017년 총 노역 건수는 5만 건을 넘겼을 것으로 예상된다.

황제노역 논란 뒤 국회는 벌금 1억~5억원은 300일 이상, 5억~50억원은 500일 이상, 50억원 이상은 1000일 이상 노역해야 벌금이 면제되도록 형법을 개정했다. 허회장의 하루 5억원짜리 황제노역은 이 사건 이후 사라졌지만 일당 1000만원이 넘는 귀족노역은 여전히 존재한다.

3. 전두환 차남 전재용, 일당 400만원의 귀족노역

2016년 7월, 전두환 전 대통령 차남 전재용 씨와 처남 이창석 씨가 벌금 미납으로 하루 동안 노역장에 유치됐다. 이들은 거액 탈세 혐의로 기소, 각각 벌금 40억원을 선고받았지만 극히 일부만 내고는 돈이 없어서 납부할 수 없다고 버티고 있던 것. 전씨의 벌금 미납액은 38억 6000만원, 이씨는 34억 2000만원이다. 이들은 벌금 납부를 거부했기 때문에 1000일 동안의 노역장 유치가 결정되었다. 하루 400만원짜리 노역을 하는 셈이다.

허 회장의 황제노역 논란 때 노역 일당의 형평성 문제가 제기되었지만 근본적인 문제는 해소되지 않고 있다. 높은 노역 일당을 받는 귀족노역이 근절되지 않고 있기 때문이다. 특히 경제 규모가 커져 초대형 금융, 탈세 사건이 발생하면 벌금액이 커질 수 있어서 지금과 같은 특혜 시비, 노역의 형평성 문제는 계속 불거질 수밖에 없는 상황이다. 고액 벌금 미납자의 황제노역, 귀족노역을 막으려면 형법을 다시 고쳐야 한다.

4. 1억짜리 과속 딱지? 일수벌금제를 도입한 핀란드 사례

2013년 놀라운 기사가 떴다. 스웨덴 국적의 핀란드 사업가가 우리 돈으로 대략 1억 3700만원의 벌금을 물게 된 것. 50km/h 구간에서 77km/h로 달리다 교통경찰에게 걸린 후 시속 27km/h를 과속한 대가로 1억원이 넘는 액수를 벌금으로 물었다. 핀란드 사업가 안데르스 위클뢰프(67) 씨는 자신은 평소에 자선사업도 많이 한다며 너무 무리한 벌금을 부과하는 것은 합리적이지 않다는 불만을 토로했다고 한다.

일수벌금제를 도입한 핀란드에서는 이렇게 고액의 과속범칙금이 종종 화제가 되곤 했다. 2002년 노키아가 핸드폰 시장을 한창 지배하고 있던 시절 부회장이던 안시 반 요키는 수도 헬싱키에서 50km/h 제한 속도 구간에서 75km/h로 달리다 과속범칙금을 받게 되었는데 금액이 자그마치 1억 6700만 원이었다고. 2004년에는 시속 25km/h 제한속도 구간에서 과속을 했다가 약 2억 5천만 원 가까운 돈을 벌금으로 낸 경우도 있었다. 같은 해 핀란드 출신의 레이서 키미 라이코넨은 스노보드 3대를 싣고 달리다 불법 적재로 걸려 약 4350만원의 벌금을 물었다고. 당시 그의 수입은 월 2억 2000만 원이었다고 한다.

한국형사정책학회 형사법개정연구회의 일수벌금제 도입방안

2009년 한국형사정책학회 형사법개정연구회는 현행 총액벌금제를 일수벌금제로 바꿀 것을 제안하고 있다. 한국형사정책학회 형사법개정연구회가 제안한 일수벌금제 도입방안을 보면 다음과 같다.

① 벌금형의 일수는 법률에 특별한 규정이 없는 경우 1일 이상 360일 이하로 정하였다.

② 벌금형의 일수 정액은 행위자의 경제적 사정을 고려하되, 특별한 사정이 없는 한 행위자의 1일 평균 수입을 그 기준으로 하고, 이 경우 1일수의 벌금 정액은 1만원 이상 1000만원 이하로 정하였다.

③ 벌금 미납 시 환형처분인 노역장유치제도를 폐지하되 이를 자유형 또는 사회봉사명령으로 대체하고, 이 경우 자유형 1일은 벌금형 1일에 해당한다고 정하였다.

④ 벌금을 선고할 때는 3년의 범위 내에서 분할납부나 납부연기를 명할 수 있고, 벌금의 분납액을 기한 내에 납입하지 아니할 때에는 법원은 벌금분납의 취소를 명할 수 있다고 제안하였다. 또한 이와 같은 일수벌금제 그 자체에 관한 제안 이외에도 벌금형에 대한 집행유예제도도 도입할 것을 제안하였다.

“처벌의 형평성 위해 필요”

1 처벌의 형평성을 위해 일수벌금제를 도입해야 한다

벌금제도에는 똑같은 죄에 대해 똑같은 벌금을 부과하는 총액벌금제와 소득과 재산에 따라 차등을 두는 일수벌금제가 있다. 핀란드는 일수벌금제를, 우리나라는 총액벌금제를 채택하고 있다. 핀란드에서는 노키아 부사장과 평범한 시민이 내야 하는 범칙금 차이가 어마어마하지만, 우리의 경우 다르다. 예를 들어 차량 정지선을 지키지 않을 경우 고물트럭을 몰면서 하루 5만원을 버는 생계형 운전자나 고급 승용차를 운전하는 고소득자나 모두 6만원의 범칙금을 부과한다. 동일한 범죄에 대해 동일한 벌금을 내는 게 일견 타당해보이지만 과연 그럴까?

고물트럭을 모는 생계형 운전자와 연봉이 10억원인 사람에게 6만원이라는 돈의 가치는 확연히 다르다. 시쳇말로 후자에게는 6만원이 ‘껌값’이겠지만, 하루벌이가 5만원인 사람에게는 생존을 위해 꼭 필요한 돈이다. 돈의 가치가 이렇게 다르니 같은 범법 행위를 했지만 벌금을 납부하며 겪는 고통의 차이는 클 수밖에 없다.

법은 모두에게 평등하게 적용되어야 한다. 하지만 현재와 같은 벌금형 제도는 결코 평등한 법 적용이라고 볼 수 없다. 벌금형은 법을 어긴 사람에 대한 처벌이고, 당연히 처벌의 고통은 같은 범죄를 저지른 사람이라면 모두 동일한 수준이어야 타당하다. 동일범죄 동일형량이라는 원칙에서 우리가 놓치지 말아야 할 것은 동일형량이라는 말 속에는 그 형벌을 받게 되는 범죄자의 고통이 동일해야 한다는 의미가 숨어 있다는 것이다. 동일한 형량이라는 말을 현실적으로 해석해야 한다.

핀란드를 비롯한 몇몇 선진국에서는 이러한 총액벌금제의 문제를 개선하기 위해 일수벌금제를 시행하고 있다. 범행의 무게에 따라 일수日數를 정하고, 그런 다음 피고인의 경제능력에 대응해서 1일 벌금액을 정한다. 이 둘을 합산해서 최종 벌금액을 산출하는 방식이다. 연간 1억원의 소득이 있는 사람에게 정지선 위반 시 6만원의 벌금이 부과된다면, 연간 10억원의 소득이 있는 사람에겐 60만원 상당의 벌금을 부과하는 식이다.

2 현재의 총액벌금제는 범죄예방 효과가 없다

형벌의 중요한 역할은 범죄를 예방하기 위한 것이다. 그리고 범죄예방 효과가 있으려면 형벌이 범인에게 심리적, 경제적으로 타격을 주어야 한다. 하지만 지금의 벌금형 제도는 가난한 서민에게는 치명적인 타격을 주지만 부유층에게는 아무런 타격이 안 된다. 몇 년 전 아나운서 출신 현대가 며느리 노현정 씨와 탤런트 출신 전두환 전 대통령의 며느리 박상아 씨가 자녀를 외국인 학교에 부정입학시킨 죄로 벌금 1500만원을 선고받았다. 과연 이 돈이 두 사람에게 형벌이 될 수 있을까? 반면에 가난한 서민의 가장에게 1000만원의 벌금이 부과된다면 이는 가족의 생계에 위협적일 수 있다. 그래서 경제적 어려움을 호소하는 피고인에게 판사가 선처하려고 벌금보다 오히려 더 중한 징역형의 집행유예형을 선고하는 경우도 있다.

2012년 재벌 계열 유통업체의 '골목상권 침해'에 대한 국정감사와 청문회가 열렸을 때 국내는 재벌 2세를 증인으로 소환했다. 정용진 신세계 그룹 부회장, 정지선 현대백화점 그룹 회장, 신동빈 롯데그룹 회장 등이다. 하지만 이들은 출석하지 않았고 증인 불출석 벌금(정용진 1500만원, 나머지 두 사람은 1000만원)으로 대신했다. 만일 평범한 상인이었다면 벌금이 두려워서 국회의 증인 소환에 불응할 수 없었을 것이다.

이처럼 벌금 액수를 지나치게 경직되게 정할 경우 범죄예방 효과가 없어지게 된다. 법은 그 시대의 상식을 제도화하는 것이다. 벌금은 우리나라 선고형 가운데 약 80%를 차지한다. 부유층에게는 실효성이 없는 벌금제도. 유·전무죄, 무전유죄 사회인 것이다. 과연 이것이 정의사회라고 할 수 있을까? 근본적으로 다른 기준이 필요하다. 일수벌금제는 법의 형평성, 범죄예방 효과뿐 아니라 벌금 혹은 과태료의 경제적 공정성을 살리고, 형벌을 통한 부의 배분적 정의까지 실현할 수 있는 제도이므로 도입해야 한다.

"동일 범죄엔 동일 형벌"

1 동일한 범죄에 대해서 동등한 형벌을 내려야 한다

일수벌금제를 주장하는 사람들은 평등한 법 적용을 위해서 이 제도를 도입해야 한다고 주장한다. 실질적으로 공정하게 법을 집행하기 위해서 소득에 따라 차등을 두어 벌금형을 선고해야 한다는 것이다. 노키아 사장과 일반 서민 사이의 소득 격차를 예로 들면서, 그들이 받아들이는 돈의 가치가 다르기 때문에 벌금이라는 처벌이 주는 고통이 다를 수 있으므로 실질적인 법적 공정성을 지키려면 동일한 범죄에 대해 차등을 두어 벌금형을 선고해야 한다고 말한다.

그러나 단순히 돈이 많다고 같은 범죄에 대해 훨씬 더 많은 벌금을 내는 것이 과연 공정한 일일까. 고물트럭을 모는 운전자와 고급 승용차를 모는 운전자의 범칙금을 예로 들었는데, 두 사람의 경제적 차이는 해당 범죄와 전혀 무관한 것이다. 오랫동안의 노력을 통해 경제적 능력을 쌓아온 사람에게 부자라는 이유로 사회적 희생을 강요하는 것이 정당한 일일까? '동일범죄 동일형량의 원칙'은 누구도 쉽게 부정해서는 안 되는 중요한 원칙이다. 이 원칙을 저버리고 과속범칙금을 정할 때 어떤 사람은 가난하다는 이유로 2만원, 누구는 부자라는 이유로 2억원을 매겨서는 안 된다. 벌금 선고가 이렇게 이루어질 경우 벌금형 2억원을 선고받은 사람은 마치 심각한 범죄를 저지른 것 같은 인상을 줄 수밖에 없다. 단지 부자라는 이유로 이와 같은 불합리한 결과를 감수하는 게 공평성이란 말인가. 이처럼 일수벌금제는 형을 부과하는 데 있어서 분명히 역차별의 소지가 있다. 한 사회의 경제적 공정성을 위해서라면 다른 방도를 찾아야 한다.

또 하나 일수벌금제의 문제점은 지나치게 형벌의 효과에 집중한다는 것이다. 형벌의 본질은 객관적인 행위의 결과나 불법의 정도가 어느 정도인지를 정하는 것이다. 그러나 일수벌금제는 일수 확정을 하는 데 주의를 기울이기보다 피고인의 경제상황에 따른 벌금액을 정하는 데 더 많은 비중을 둘 수밖에 없다. 이는 형벌의 본질을 침해하는 것이 될 수 있다. 벌금형을 선고하는 데 있어 경제적인 능력을 지나치게 강조하는 것은 말도 안 된다. 동일한 범죄에 대해서는 동일한 형벌을 내리는 것이 공정하다.

2 소득에 대한 경제적 투명성이 선결되지 않으면 오히려 봉급생활자에게 불리할 수 있다

일수벌금제에 대한 논의는 다분히 포퓰리즘의 성격이 강하다. 가장 큰 문제는 벌금액 산정의 기준이 되는 경제적 사정에 대한 조사가 사실상 불가능하다는 것이다. 지난 2009년 박대해 당시 한나라당 의원은 일수벌금제 관련 법안을 제출했지만 국회 입법조사처로부터 '소득기준이 불분명하다'는 이유로 보류 결정을 받은 적이 있다. "건강보험료를 통해 소득수준을 파악할 경우 보험료를 납부하지 않는 아르바이트생 등의 경우 소득을 산출하기 어렵다는 문제가 있"고 "현실적인 장벽과 행정상의 문제를 먼저 해결해야" 하기 때문이다. 따라서 소득이 1억원인 사람, 소득이 10억원인 사람을 나눠서 벌금액을 차등을 둔다는 일수벌금제는 이론적으로는 그럴듯하지만, 현실적으로 우리나라처럼 지하경제가 만연하고 소득의 투명성이 제대로 보장되지 않은 상태에서 일수벌금제를 도입할 경우 형벌 체계에 혼란만 불러올 확률이 높다. 벌금뿐만 아니라 다른 세금조차 제대로 납부되지 않는 경우가 비일비재하기 때문이다.

일수벌금제가 도입되려면 벌금형 산정의 기초가 되는 경제적 능력을 알 수 있는 정확하고 투명한 자료가 필요하다. 이러한 선결과제를 해결해놓지 않은 상태에서 성급하게 이 제도를 도입할 경우 세금과 마찬가지로 결국에는 소득과 재산이 투명한 봉급자나 일반인들만 일수벌금제 도입에 따른 부담을 질 게 뻔하다. 유리지갑이라고 불리는 봉급생활자의 벌금이 소득과 재산을 은닉한 자영업자나 전문가, 혹은 부유층의 벌금액보다 더 커질 수 있으므로 오히려 불평등한 형벌이 될 소지가 크다.

또한 일수벌금제도는 대체로 하루 소득을 벌금액 산정의 기초로 삼는데 이 경우 개인이 아닌 법인法人(법인은 자연인 이외의 것으로서 법률에 의해 권리능력이 인정된 단체 또는 재산을 말한다)에 대해서는 적용하기가 어려워 법인의 벌금 산정을 위한 별도의 절차가 필요하다. 이를 위해서는 경제적 사정을 판단할 인력을 확보하고 과학적 방법을 개발해야 한다.

토론해 봅시다

1. 일수벌금제 도입이 어려운 이유가 무엇인지 말해봅시다.

2. 일수벌금제 도입에 대해 찬반으로 나누어 토론해봅시다.

실전 gogo

황제노역, 귀족노역의 문제점이 무엇인지 적어봅시다.

보편적 복지를 지향해야 하나

'선별적 복지'와 '보편적 복지'에 대한 논쟁이 발화된 것은 2010년 무상급식 문제가 핵심 쟁점으로 떠올랐을 때였다. 이후 총선과 대선을 치르면서 우리 사회의 복지 방향이 보편적 복지로 향해야 하는지, 선별적 복지로 향해야 하는지 갑론을박을 벌어졌고, 지금까지도 논란이 되고 있다. 우리에게 복지란 어떤 의미여야 할까? 우리나라도 보편적 복지를 지향해야 할까?

키워드로 읽는 논쟁

1. 보편적 복지와 선별적 복지는 어떻게 다른가?

보편적 복지란 소득수준에 관계없이 누구에게나 동일한 복지혜택을 주는 복지시스템이다. 모든 노인에게 일정한 급여를 주는 기초연금제, 아동을 키우는 모든 부모에게 지급하는 보육수당을 비롯하여 전면적인 무상교육과 무상급식, 무상의료 등이 대표적인 사례. 보편적 복지는 모두가 겪을 수 있는 어려움을 공적 자금으로 함께 해결해가려는 예방적 제도라고 할 수 있다.

반면에 선별적 복지는 기본적인 사회생활을 해나가기 어려운 상황에 처한 사람들을 가려내 국가가 기본 생계를 지원하는 제도. 부자에게는 복지혜택을 줄 필요가 없으니, 가난한 사람이나 필요한 사람에게 집중해서 복지혜택을 주는 것이다. 따라서 선별적 복지에는 필연적으로 소득수준이나 실업 등 나름의 기준에 따라 대상을 선별하는 과정이 필요하다. 아동보육수당을 지급하더라도 부모의 소득수준에 따라 혜택을 받는 대상을 정한다면 이는 선별적 복지에 해당한다. 또한 선별적 복지의 경우에는 언제든 정해진 기준에서 벗어나면 복지혜택 대상에서 제외된다. 선별적 복지를 시행하려면 전체 인구의 자산조사를 해야 하고, 수급 조건이 복잡해서 행정 비용이 많이 지출된다.

2. 복지 정책에 대한 두 가지 관점

선별적이냐 보편적이냐 하는 복지 정책 방향의 차이는 복지를 바라보는 관점의 차이에서 비롯된다. 우리가 일반적으로 생각하는 복지는 선별적 복지에 가깝다. 즉 '온정주의'에 기초해, 사회적 보호를 필요로 하는 취약계층을 도와주는 것이 복지정책이라는 관점이다. 선별적 복지로 가야 한다고 주장하는 사람들은 같은 복지 재정으로 도움이 절실한 사람을 더 많이 도와줄 수 있다고 주장한다.

한편 보편적 복지는 부자에게 세금을 걷어 가난한 사람에게 시혜하듯 베푸는 방식의 복지를 거부한다. 모든 인간은 사회적 기본권을 누릴 권리가 있으므로, 이를 사회가 보장하는 것은 당연한 의무라고 본다. 따라서 모든 사람이 사람답게 살 수 있도록 의료, 교육, 주거, 보육, 노후 등의 기본복지는 보편적으로 보장되어야 한다고 주장한다.

보편적 복지는 사회 구성원이라면 누구나 동일한 수준의 생활을 누려야 한다는 평등의 이념에 기초해 있다. 불안정한 자본주의 사회에선 빈부와 관계없이 누구나 실직, 가난, 질병, 장애 등의 문제로 기본생활 영위가 어려울 수 있기 때문에 복지를 통해 사회가 구성원의 안전을 담보해야 한다는 것이다.

3. 우리나라의 복지 정책은 어떤 방향에 가까운가?

우선 선별적·보편적 복지냐를 물음을 떠나 우리의 복지환경은 취약한 수준이다. 사회복지 지출 수준이 OECD 30개 회원국 중에서 최하위권에 있다. 2014년 기준 우리나라의 GDP 대비 사회복지지출의 비율은 10.4%로 OECD 28개 조사 대상국 가운데 28위를 차지했다. OECD 평균(21.6%)의 절반에도 미치지 못했고, 가장 높은 비중을 차지한 프랑스(31.9%)나 핀란드(31%)와 비교해보면 3분의 1에 불과한 상황이다.

현재 우리나라는 선별적 복지를 택하고 있다. 거의 모든 복지체계는 소득이나 실직 여부를 구분해서 혜택을 주는 선별주의적 공공부조*와 금액을 납부한 만큼 혜택을 받는 사회보험의 형태이다. 국민기초생활보장제도가 대표적인데, 이마저도 사각지대에 놓여 혜택을 못 받는 가구가 절대빈곤 가구 중 약 58%에 달한다. 건강보험은 보편적인 사회보험처럼 보이지만 이 역시 가입하지 않으면 혜택을 못 받기 때문에 무상의료와는 다르다.

우리 사회의 획기적인 보편적 복지를 꼽으라면 소득계층과 상관없이 초등학교 전 학년, 중학교 1,2학년을 대상으로 실시한 무상급식이다. 또한 2012년 당시 박근혜 대통령 후보는 정부가 무상보육을 책임지겠다며 공약을 내건 바 있다. 0~5세 아이를 둔 가정에 소득계층과 상관없이 보육료 또는 양육수당을 지급하겠다는 제안인데, 이것 역시 보편적 복지라고 할 수 있다. 그러나 이 두 가지 복지 정책을 둘러싼 찬반 논란은 여전히 격렬한데다가, 대통령으로 당선된 후 무상보육을 위한 예산 편성에 나서지 않고, 시도 교육청도 예산을 세우지 않아 보육대란이 일어나기도 했다.

4. 보편적 복지는 무상복지 아니다

선별적 복지의 대상자는 사회적 약자집단이고, 보편적 복지의 대상자는 전체 사회 구성원이다. 하지만 그렇다고 해서 '누구나 항상 무상으로' 보편적 복지 혜택을 받는 것은 아니다. 보편적 복지를 추구할 때 중요한 제도는 사회보험이다. 영국의 국민건강서비스NHS처럼 조세 기반 무상의료서비스도 있지만, 재정 부담으로 인해 모든 복지제도를 조세 기반 무상으로 하기는 힘들다. 따라서 사회 구성원의 강제 가입과 소득별 보험료 차등 부담이라는 사회연대 원리에 기초하면서 재정 부담을 하는 사회보험이 보편적 복지제도의 근간을 이룬다.

결국 보편적 복지는 무상복지가 아니다. 다수 사회 구성원은 조세와 사회보험료 형태로 늘 재정 부담을 한다. 보편적 복지제도에서는 "내가 급격한 빈곤의 나락으로 떨어지지 않도록 적정 수준에서 도와줄 것이다"라는 믿음이 있기 때문이다. 사회 구성원이 이런 믿음을 갖고 기꺼이 세금과 사회보험료를 낼 수 있도록 복지 논쟁을 이끌어가야 한다. ('선별·보편복지 알고 말하라'(한국일보, 정재훈) 발췌)

5. 다른 나라의 복지 정책은 어떤 방향으로 가고 있나?

선별적 복지냐 보편적 복지냐는 서구 사회에서도 오랫동안 벌여온 논쟁 중 하나다. 선별적 복지는 개인의 능력을 강조하는 미국에서 발전한 반면, 유럽은 보편적 복지를 확대하는 경향이 강하다. 세계대전을 치르면서 새로운 공공재 없이는 자본주의 체제를 지탱하기 어렵다는 인식에서 발전된 것. 스웨덴, 노르웨이 등의 북유럽 나라들은 보편적 복지체제가 공고한 편이다. 이들은 우리보다 국민소득이 낮을 때부터 보편적 복지 전략을 시행해왔다. 하지만 최근 일부 유럽 국가에서는 재정위기 부담 때문에 보편적 복지가 약화되고 있기도 하다.

---

* **공공부조**

공공부조는 국가 및 지방자치단체의 책임 아래 생활 유지 능력이 없거나 생활이 어려운 국민의 최저생활을 보장하고 자립을 지원하는 제도를 말한다. 모든 국민이 인간다운 생활을 영위하기 위한 일종의 사회보장제도이다. 과거에는 '공적부조'라는 용어를 썼지만 1995년 12월 30일 제정된 '사회보장기본법'에서 '공공부조'라는 용어로 변경했다. 공공부조는 나라마다 다른 표현을 쓰고 있다. 우리나라와 일본, 미국에서는 법률상 공공부조로, 영국에서는 국가부조, 프랑스에서는 사회부조로 표현한다. 우리나라에서의 공공부조는 2000년 10월부터 시행하고 있는 '국민기초생활보장법'에 의해 이뤄진다. 이 법의 목적은 생활이 어려운 자에게 필요한 급여를 자급하여 이들의 최저생활을 보장하고 자활을 조성함으로써 사회복지 향상에 기여함에 있다.

"보편적 복지 늘려야"

1 복지는 시혜가 아니라 인간다운 삶을 위한 기본 권리다

우리 사회의 경우 복지 수준도 낮지만, 복지에 관한 관점 자체가 잘못돼 있다. 오랫동안 선택적 복지 체제에 길들여져 왔기 때문에 복지를 시혜적인 관점에서 보는 경향이 강하다. 다시 말해 복지는 사회적 보호를 필요로 하는 취약계층을 위한 것으로, 그들을 돕는 것이 복지 정책이라는 관점이 녹아 있다. 이는 복지를 바라보는 그릇된 관점이라고 할 수 있다.

복지는 국가가 가난한 사람들에게 베푸는 적선이나 시혜가 아니다. 현대 복지국가에서는 누구나 인간다운 삶을 누릴 권리가 있다. 이때 그 권리의 향유는 남녀노소, 지역, 인종, 빈부의 차이, 심지어는 납세 여부 등보다도 앞선 가치다. 따라서 복지는 가급적 모든 이에게 보편적으로 제공되는 것이어야 한다. 특히 아동과 장애인, 노인 등 사회적 약자인 경우 보호자의 유무나 빈부와 상관없이 같은 수준의 복지를 누려야 한다. 복지가 하나의 권리가 아니라 온정에 의한 시혜라면 온정을 베푸는 이들의 아량에 따라 복지 수준이 결정되고 끊임없이 선정기준에 대한 논란이 빚어질 것이다. 인간답게 살 수 있는 권리가 이처럼 누군가에 의해 좌우될 수는 없다.

더구나 선별적 복지는 기본적으로 평가와 감시를 동반한다. 복지 혜택의 대상이 되는지를 '평가'해야 하고, 지급대상이 되지 않는데도 복지혜택을 누리는지 '감시'해야 한다. 평가와 감시는 사회적 약자로 하여금 패배감, 사회적 박탈감, 위축감을 느끼게 함으로써 평등하고 인간다운 삶을 누리는 데 심각한 저해요소로 작용한다. 무상급식의 경우를 보자. 논쟁 초기에는 무상급식이 급식의 질을 떨어뜨리고, 교육예산이 급식에 드는 비용으로 몰려 다른 필요한 부분에 쓰이지 못한다는 비난을 받았다. 물론 교육예산 중 상당한 액수가 무상급식에 투여되는 것은 맞다. 하지만 선별적 급식의 경우, 대상을 선별하는 과정에서 많은 학생들이 상처를 받을 수 있는데, 교육현장에서 이러한 일들이 발생하는 것 자체가 비교육적이다. 물론 모든 복지를 보편적 복지로 제공하는 것은 현실적으로 불가능하다. 다만 보편적 복지를 지향하며 끊임없이 노력하는 것이 현대 복지국가의 의무라는 의미다.

2 사회격차로 인한 현재의 불안을 선별적 복지로는 감당할 수 없다

지금 우리 사회의 시장경쟁은 정상 범위를 벗어났다. 승자독식의 양극화 사회는 수많은 구조적 문제를 만들어내고 있다. 일자리는 불안정하고, 고용은 보장되지 않고, 자영업자는 대기업의 폭주에 밀려 생존이 어렵다. 취약계층과 타 계층의 경계도 모호하다. 자살률이 OECD 국가 중에서 1위를 기록할 정도다. 이렇다 보니, 저출산 문제가 심각해져 국가의 재생산구조마저 위기에 몰려 있다.

복지에 대한 관점과 태도가 바뀌어야 하는 이유다. 즉 사회격차로 인한 현재의 불안을 해소하기 위해서는 공공성이 확대되어야 하는데, 이는 기존의 선별적 복지로는 도저히 감당할 수 없는 수준이다. 물론 10%의 좋은 일자리는 높은 임금을 보장하고 완벽에 가까운 복지혜택을 주고 있다. 병원비며 대학등록금까지 기업이 부담해줄 정도인데, 이런 일자리를 가진 사람들은 당연히 북유럽 복지국가 스웨덴 같은 나라가 부럽지 않을 것이다. 하지만 나머지 90%의 사람들은 불안정한 삶에 방치돼 있는 형편이다. 취약계층을 선별해 복지를 시혜적으로 베풀어서 해결될 상황이 아니고, 복지 재정의 부담자와 복지 수혜자를 양분할 상황도 아니다.

보편적 복지를 늘리지 못하는 이유 중 재정 문제가 가장 크게 거론된다. 물론 선별적 복지를 할 경우, 재정 압박이 덜 할 수 있다. 하지만 깊이 따져보면 그렇지도 않다. 선별된 일부 빈곤층을 위한 복지재원을 중산층 이상의 국민이 부담하는 현재의 구조는 양극화와 고령화로 견뎌내기 어려운 상황에 와 있다.

선별적 복지의 맹점은 복지 수혜자와 재정 부담자를 양분하는 것인데, 재정 부담자는 자신을 위한 지불이 아니므로 재원 조달에 소극적이게 돼 복지 재정의 확대가 어렵다. 중산층 이상의 조세저항과 감세요구에 직면할 수밖에 없게 되는 것이다. 결국 이러한 한계로 인해 선별적 복지의 질이 저하되어 양극화를 심화시키는 결과를 가져오고, 양극화로 인한 중산층의 몰락은 복지 재정을 더욱 감소시키는 악순환이 반복된다.

더구나 현대의 시장 메커니즘은 모든 이에게 인간다운 생활을 보장하는 장치로서 안정적으로 기능하지 못한다. 그 누구라도 실직이나 가난, 질병, 장애, 노후 등 고통의 늪으로 추락할 위험이 존재한다. 보편적 복지는 이러한 상황에서 누구에게나 일정한 삶의 질을 보장하는 안전장치인 것이다.

3 선별적 복지는 행정비용이 많이 들고 수혜 기준을 정하기도 어렵다

일반적으로 사람들은 똑같은 재원이 있을 때 도움을 필요로 하는 계층에 집중할 때 더 많은 사람들에게 도움을 줄 수 있으므로 선별적 복지가 더 효율적이라고 생각한다. 하지만 현실은 그렇지 않다. 선별적 복지를 하려면 지급 대상을 정하고, 이를 집행하는데 막대한 행정비용이 쓰이기 때문이다. 따라서 이 행정비용을 줄여 복지자원으로 쓰는 게 더 효율적일 수 있다.

종종 과잉복지라는 비판을 받는 65세 이상 지하철 무임승차를 선별적 복지로 집행한다고 생각해보라. 무임승차가 가능한 대상을 가리는 데 드는 비용과 전체 노인을 대상으로 할 때 추가되는 비용의 차이는 크지 않다. 또 소득이 높은 노인의 경우 지하철을 많이 이용하지 않기 때문에 지하철 수익 증대에 별로 기여하지 못한다. 고소득층에 돌아가는 복지재원을 아까워할 필요가 없다. 이는 결국 다시 세금으로 환수되기 때문이다.

이외에도 고려해야 할 게 있다. 복지 수혜를 받는 자와 세금을 내는 자가 나뉘게 되면 사회통합의 걸림돌이 생기고 이를 해결하기 위한 사회적 비용이 또 추가된다. 특히 선별적 복지의 맹점은 수혜자에게 자신의 곤궁한 처지를 증명할 것을 요구하고, 이를 위해 대상자는 자신의 개인정보를 공개하고 증명해야 한다는 점이다. 복지를 필요로 하는 '취약계층'이라는 것은 하나의 사회적 낙인 역할을 하기 때문에 인권 침해의 우려도 있음을 감안해야 한다.

보편적 복지를 늘려야 할까

"보편적 복지는 이상주의적 발상"

1 복지를 모든 국민이 누려야 할 사회적 기본권으로 볼 수는 없어

인간답게 사는 것은 모든 국민에게 주어지는 보편적인 권리이다. 그리고 복지란 국민 전체가 행복하게 살아갈 수 있도록 하는 데 중점을 둔 정책이다. 하지만 그렇다고 복지를 모든 국민이 공통적으로 누려야 할 사회적 기본권의 하나로 보는 데는 문제가 있다. 왜냐하면 복지 정책을 위해서는 재정이 필요한데, 재정이 무한정일 수 없기 때문이다. 따라서 한정된 재정을 가장 효율적으로 쓰는 것이 현실적인 태도이며, 당연히 기본권을 제대로 못 누리는 취약계층들의 삶을 끌어올려 주는 역할이 먼저여야 한다. 이처럼 복지는 따뜻한 인간애와 온정주의에 기초한다. 선별적 복지는 가장 필요로 하는 집단에 가용자원을 집중하는 방식이고 보편적 복지는 인간답게 살기 힘든 사람들을 더 많이 구제하는 방식이다. 복지예산을 늘리는 것도 필요한 일이지만, 더 중요한 것은 이를 공평하고 효율적으로 쓰는 데 있다.

만일 보편적 복지를 지향할 경우, 재원 낭비로 이어질 것이 뻔하다. 보편적 복지를 주장하는 사람들은 유럽의 예를 들지만, 선진국의 보편적 복지는 어떤 면에서 정치권이 지지자를 확대하려 한 포퓰리즘의 결과일 뿐이다. '무상보육'의 경우를 보자. 본래 정부는 소득 70% 이하 계층에만 보육료를 지원하는 예산을 국회에 제출했었다. 하지만 대선 기간 동안 정치권이 표를 의식해 이를 전 계층에 확대했고 그 결과 집에서 자라던 0~2세 영아들이 보육시설로 쏟아져 나와 실수요자인 3~5세 유아를 둔 워킹맘들이 피해를 당하는 등 부작용이 심하다. 뿐만 아니라 재정 압박으로 이를 얼마나 시행할 수 있을지도 불투명하다. 이런 상황인데도 자신의 소득과 재산으로 보육과 양육이 가능한 고소득층들에게까지 세금으로 무상보육을 시행하는 것이 과연 합당한 일인가.

여전히 우리 사회에는 복지가 누구보다 필요한 취약계층이 많다. 더구나 우리 재정은 보편적 복지를 도입할 만큼 넉넉하지 않다. 허울뿐인 보편적 복지를 늘릴 것이 아니라, 선별적 복지를 제대로 행하는 것이 맞다.

2 현재의 경제 위기를 보편적 복지로 해결해야 한다는 발상은 이상주의적 공론일 뿐

현재 우리 사회가 직면한 경제 위기는 우리나라에만 국한된 것이 아니다. 신자유주의 경제체제 아래서 세계의 수많은 나라들이 공통으로 겪고 있는 문제이다. 이 문제를 보편적 복지로 해결해야 한다는 발상은 이상주의적인 공론이다.

유럽의 일부 국가는 경제 위기를 겪으면서 재정 적자를 감당하기 힘든 상황이 되자 보편적 복지를 급격히 축소하고 있다. 영국의 경우를 보면, 자녀가 2명인 가정에 300만원씩 지불하던 보편적 복지수당을 2013년 들어오면서 연소득 8500만원 이상은 일부만, 1억이 넘으면 지원을 받지 못하게 하는 등 보편적 복지를 축소하고 있는 상황이다. 이는 보편적 복지가 오히려 복지 재정을 늘려, 늘어나는 복지수요를 감당할 수 있다는 논리가 순진한 발상임을 보여주는 명백한 사례이다.

당장 우리의 복지 현실을 보라. 한국의 복지 수준은 OECD 회원국의 평균에도 못 미치고 있다. 그만큼 복지의 필요성이 높다. 그런데 재정 건전성을 뒤흔들면서까지 보편적 복지를 확대해서 복지 문제를 풀어간다는 논리는 현실을 도외시한 판단이다. 더구나 현재 우리의 복지 지출 증가 속도는 OECD 회원국 중에서 가장 빠르다. 복지정책의 확대는 필연적으로 세금 부담을 늘리고 정부 부채의 증가를 부른다. 또한 경기침체를 야기하고 결국 그 피해는 고스란히 젊은 세대와 저소득층에게 돌아갈 수밖에 없다. 특히 우리나라의 현 상황을 비추어볼 때 보편적 복지를 확대할 경우 세금을 2~2.5배로 늘려야 하는데, 이는 필연적으로 조세저항에 부딪힐 수밖에 없다.

또한 사회가 발전해감에 따라 복지 욕구가 더 다양해지고 있다는 것도 감안해야 한다. 보편적 복지처럼 획일적으로 지급하는 혜택으론 재정 압박 문제는 물론이고 다양한 복지 욕구를 충족시키기 어렵다. 무상보육의 경우를 보자. 재정 기반이 없어 중단 위기에 몰린 것도 문제지만, 무상보육에 재정이 집중됨에 따라 더 근본적인 문제를 해결하지 못하고 있다. 양육과 관련해서 부모들에게 가장 절실한 것은 믿고 맡길 만한 양질의 보육시설과 보육 시스템이다. 따라서 선별적 복지의 수준과 질을 높여서 다양한 욕구를 충족시켜주고 나아가 취약계층에 보다 안전한 서비스를 제공하는 식으로 복지 효율성을 높이는 것이 사회를 보다 안정화하는 길이다.

3 행정비용이 들더라도 필요한 사람에게 복지 혜택을 돌아가게 하는 게 더 효율적이다

선별적 복지를 시행하기 위해서 행정비용이 드는 것은 사실이다. 하지만 비용이 들더라도 효율을 높이는 방향으로 복지정책을 펴야 한다. 전체를 대상으로 복지혜택을 주는 것보다 취약계층에 더 많은 혜택을 주는 게 바람직하기 때문이다. 대상을 선정하는 행정비용이 무한정 소요되는 것도 아니다. 예를 들어 65세 이상 노인의 지하철 무료 이용의 경우 기초노령연금의 대상과 일치시키는 방법으로 선정하면 된다. 대개 복지 혜택을 받아야 하는 취약계층은 어느 정도 정해져 있고, 짧은 기간에 변하는 게 아니어서 여러 복지서비스가 공동으로 대상을 선정하는 방식을 취한다면 비용을 줄일 수 있다.

복지혜택의 대상자를 따로 선정하지 않으면 이러한 혜택에 대해 도덕적으로 해이해질 수 있다. 보편적 복지는 불필요한 재정 지출을 하게 한다. 만일 무상의료를 시행한다면 별로 아프지 않아도 병원을 찾는 사람이 많아져 복지 재정은 늘 것이고, 이 때문에 오히려 혜택을 봐야 할 사람이 피해를 입을 수도 있다. 고소득층 노인에게 지하철 무료이용 혜택은 불필요한 일이다. 더구나 지하철은 해마다 1000억원대의 적자에 허덕이는 상황이다. 이와 같은 이유로 행정비용이 발생하더라도 복지혜택이 별로 필요 없는 사람에게, 혹은 중복으로 복지혜택이 돌아가지 않게 해야 한다. 만일 이러한 절차를 번거롭게 생각한다면 복지 재정 누수 현상을 초래할 가능성이 크다.

토론해 봅시다

1. 우리 사회의 현 상황을 감안할 때, 빈부에 관계없이 모든 사람이 동일한 복지 혜택을 누리는 보편적 복지를 점차 확대할 필요가 있을까요?

2. 현재 시행중인 무상보육에 관해 인터넷과 기사를 검색해서 자료를 찾아보고, 무상보육 논란에 대해 자신의 입장을 말해봅시다.

실전 gogo

보편적 복지와 선별적 복지 가운데 자신이 동의하는 복지정책의 방향 하나를 선택해, 해당 복지 체계가 가진 장점이 무엇인지 정리해봅시다. (300자)

무상급식, 논란의 중심에 다시 서다

무상급식을 둘러싼 논쟁이 쉽게 꺼지지 않는다. 무상급식은 지난 2010년 6월 지방선거의 최대 쟁점이었고, 2014년 기준 초중고 무상급식 시행률은 평균 72.7%에 달한다. 한편에서는 전면 무상급식 시행은 당연함은 물론 급식의 질을 높여야 한다고 주장하는 반면, 홍준표 전 경남 도지사는 지자체가 무상급식 재정지원을 해야 할 법적 정치적 의무가 없다며 무상급식 정책을 재고해야 한다고 주장해 논란이 심화되고 있다. 무상급식 정책, 어떻게 봐야 할까?

키워드로 읽는 논쟁

1. 의무급식 vs 공짜급식, 세금급식

무상급식 제도는 지방자치단체가 학생들에게 점심을 무상으로 제공하는 것을 말한다. 우리나라의 경우 1992년부터 시작되었는데, 일괄적인 전면 무상급식은 아니었다. 무상급식 방법은 부모의 재산 정도를 가리지 않고 모든 학생들에게 제공하는 방법이 있고, 부모의 소득을 파악해 일정 수준 이하의 자녀를 선별해 무상으로 제공하는 방법이 있는데, 이는 각 나라의 재정 상태와 복지사상에 따라 정해진다.

대부분의 국가에서는 선별해서 제공하지만, 북유럽을 중심으로 한 일부 국가의 경우 보편주의 정책을 적용, 전면 무상급식을 실시하고 있다. 우리나라에서는 저소득층 자녀들에게만 무상급식을 실시해 왔는데, 2010년 6월 지방선거에서 무상급식 전면 확대를 선거공약으로 내세운 야당의 약진으로 무상급식이 확대 실시되었다.

한편 외국에서는 무상급식을 'Free School Meal'이라고 부르는데, 최근 우리나라의 경우 무상급식에 대한 찬반 입장에 따라 다른 용어를 사용하고 있다. 전면 무상급식을 주장하는 쪽에서는 의무교육 기간에는 모든 학생들에게 무상으로 급식하는 게 당연하다는 뜻으로 '의무급식'이라는 용어를 사용하고, 전면 무상급식에 반대하는 측에서는 '공짜 급식', '세금 급식' 등으로 표현한다.

2. 무상급식, 시도마다 다 달라

무상급식이 2010년 6·2 지방선거에서 화두가 된 이래 4년 만에 실시 학교가

3배로 급증했다. 교육부의 무상급식 현황을 보면 2014년 3월 기준으로 전체 초·중·고등학교 1만 1483개 가운데 72.7%에 달하는 8351개교가 무상급식을 시행하고 있는 것으로 나타났다. 일부 학년만 무상급식을 하더라도 시행 학교로 간주해 계산한 수치다.

그런데 재미있는 사실은 이러한 수치가 지역별로 시도마다 조금씩 다르게 나타난 것. 전남이 94.5%로 가장 높았고, 전북(90.8%), 강원(88.9%), 충남(83.9%), 제주(83.8%), 충북(82.3%), 세종(83.0%), 경기(80.2%) 등으로 나타났다. 한편 대구는 비율이 19.3%로 가장 낮았고, 울산도 36.9%로 눈에 띄게 낮았다. 학교별로는 초등학교가 무상급식 비율이 94.1%로 가장 높았다. 일부 학교를 제외하면 사실상 모든 초등학교가 무상급식을 하는 셈이다. 하지만 중학교의 무상급식 비율은 76.3%, 고등학교는 13.3%로 상급학교로 올라갈수록 무상급식 비율이 크게 낮아졌다.

3. 무상급식 논란

무상급식 논란이 현재는 잠잠한 편이지만 2010년 6월 지방선거 때는 핫이슈였다. 민주당을 비롯한 야당이 전면 무상급식을 핵심 공약으로 내세우자 여당에서는 '부자 급식'이라고 반격에 나섰다. 당시 김상곤 경기도 교육감은 650억의 무상급식 예산을 상정했고, 김문수 경기도 지사는 이를 전액 삭감하면서 논란이 거세졌다. 이 논란은 그해 12월 서울시의회가 무상급식 조례를 통과시키면서 무상급식에 찬성했던 당시 곽노현 서울시교육감과 반대했던 오세훈 서울시장의 대립으로 이어졌다. 논란이 격화되자 오시장은 2011년 8월 무상급식 찬반을 주민투표에 부쳤고, 선거에 패배할 경우 시장직을 사퇴하겠다고 밝혔다. 이 주민투표는 투표함을 개봉할 수 있는 투표율 33.3%를 달성하지 못해 폐기되었으며, 서울시는 투표 개표 무산을 오세훈 패배로 규정, 전면 무상급식을 추진했다.

무상급식 논란 이후 4년 동안 전면 무상급식은 확대되어 전국 초중고 학교

평균 72%가 무상급식을 실시하게 되었다.

홍준표 전 경남도지사가 전면 무상급식은 전형적인 포퓰리즘 정책이라 지자체가 이를 지원할 의무가 없다며 공세에 나서면서 무상급식 논란이 재점화됐다. 지방 재정이 악화된 상태에서 전면 무상급식을 무한정 확대할 수 없다고 못 박은 것. 이에 박종훈 교육감은 교육은 선별적 복지가 아닌, 보편적 복지의 확대가 정당하다며 반격에 나서면서 논란이 거세졌다.

4. 다른 나라는 어떻게?

세계에서 전면 무상급식제도를 실시하는 나라는 스웨덴, 핀란드 및 노르웨이와 덴마크를 포함한 스칸디나비아 국가. 이들 국가에서는 100% 무상급식이 시행되고 있다. 핀란드는 1948년부터, 스웨덴은 1967년대부터 실시한 것으로 알려졌다. 북유럽 국가들의 무상급식은 의무교육의 한 부분으로, 모든 인간은 부모와 사회, 경제적 지위나 성별 등 어떤 요인으로도 차별받지 않고 교육받을 수 있는 '기회의 평등'을 누려야 한다는 사회적 합의에 기초한 것이다. 미국이나 영국 등도 공립학교에서는 대부분 무상급식을 시행하고 있다. 미국의 무상급식 비율은 49.5%, 할인급식 비율은 9.5%이고, 영국은 34%가 무상급식이다. 또한 세계에서 무상 급식 규모가 가장 큰 국가는 인도로 수혜자가 약 1억 2000만명에 이른다.

한편 영국을 비롯한 프랑스, 독일, 미국 및 일본 등 대부분의 자유민주주의 국가들과 사회주의를 표방하는 중국 등에서는 전면 무상급식을 실시하지 않고 부모의 자산 정도에 따라 일정 수준 이하의 자녀들에게만 무상급식을 실시하는 선별주의 정책을 취하고 있다. 그리고 〈표 1〉에서 보듯이 국민부담률이 비슷해도 우리나라와 미국과 일본의 무상급식률은 현저한 차이를 보이고 있다. 따라서 의무교육과 무상급식은 일정한 상관관계가 있는 것이 아니라, 한 나라의 교육복지 사상과 재정 상황 등 여러 변수에 의해 달라질 수 있다.

<표 1> OECD 주요 국가별 무상급식(FSM) 비율 비교

구분	스웨덴	핀란드	미 국	한 국	영 국	일 본
FSM(%)	100	100	52.2	13.2	11.6	1.7
1인당 GDP($)	53,248	45,693	59,495	29,730	38,847	38,550
국민부담률(%)	43.3	44.0	26.4	25.3	32.5	32.0

- 1인당 GDP($)는 IMF(2017년도)
- 국민부담률(%)은 국회예산정책처(2015). 단, 일본은 2014년도 자료.
- FSM 자료의 경우 2008년도 자료
- 영국의 스코틀랜드 일부 지역에서는 1/3이 무상급식을 받고 있음(www.scotland.gov.uk, 2008. 10. 2.)
- 자료 : 한국교육개발원, 2010, 매일경제, 2010. 11. 9. 재인용 *재편집

“현행대로 유지해야”

1 무상급식은 돈의 문제가 아니라 교육 복지에 대한 의지의 문제

현재 초중고 급식 시행률이 72%에 이르고 있다. 여러 가지 어려움 속에서도 학교 급식이 보편적 복지로 자리를 잡아가고 있다는 뜻이다. 나아가 성장하는 아이들에게 더 안전하고 건강한 먹을거리를 제공하기 위한 노력이 계속되고 있는 상황이다. 그런데 2014년 경상남도가 무상급식 때문에 교육재정이 파탄났다며 급식비를 지원하지 않겠다고 선언, 순항 중인 급식 제도를 흔들었다.

부자아이들에게 무상급식이 필요하냐는 주장, 무상급식 때문에 다른 교육 예산이 부족해져서 교육의 질이 악화된다는 주장은 그럴듯해 보이지만 실상은 사회복지에 대한 인식의 부족이요, 악의적이고 정파적인 왜곡일 뿐이다. 예산이 없다는 주장도 믿을 수 없다. 무상급식 예산은 연 1조 9000억원이며 초중생 모두 안심하고 밥을 먹일 수 있는 금액이다. 토건사업이나 각 지자체의 전시성 예산을 조금만 줄여도 교육시설 예산, 과학실 현대화 예산, 신설학교 예산 등 다른 교육예산을 줄이지 않고 충분히 무상급식 예산을 마련할 수 있다. 2009년 기준으로 재정자립도가 가장 낮은 전라북도가 무상급식 실시 비율이 가장 높은 것만 봐도 알 수 있다.

무상급식은 돈의 문제가 아니라 교육복지에 대한 의지의 문제다. 한 나라의 교육복지 사상과 밀접하게 관련이 있다. 복지정책은 점진적으로 확대해 나가야 하고, 교육복지도 마찬가지다. 단적인 예로 OECD 국가들의 정부 총지출 중 복지예산의 평균비율이 대부분 50%를 넘는다. 하지만 우리의 경우 아직도 20%대 후반을 넘지 못하고 있다. 정부 지출구조의 방향 자체가 다른 것이다. 무상급식 때문에 다른 교육 예산이 부족하다는 주장은 억지다.

2 무상급식은 의무교육의 일환이다

무상급식 반대측에서는 사회적 합의로 실시 중인 무상급식에 대해 '부자급식'이라는 선정적인 표현을 쓰면서 본래 취지를 왜곡하고, 재정자립도, 재정 건전성을 무시한 전형적인 '좌파 포퓰리즘'이라고 몰아붙인다. 무상급식은 국가가 제공하는 의무급식으로 헌법이 규정한 의무교육의 연장이다. 헌법 제31조 3항에는 "의무교육은 무상으로 한다"는 원칙이, 학교급식법 제6조 1항에는 "학교급식은 교육의 일환으로 운영되어야 한다"는 조항이 있다. 또한 교육기본법 8조에서 "의무교육은 6년의 초등교육과 3년의 중등교육으로 규정"하고 있다. 따라서 의무교육 기간 동안 무상급식을 행하는 것은 헌법과 법률에 합치하는 국가의 의무이다.

국가가 의무교육의 일환으로 무상급식을 실시함으로써 재벌의 손자부터 기초생활수급자의 자녀까지 혜택이 골고루 돌아간다. 덕분에 사회적 연대감이 높아지고 사회통합에도 도움이 되고 있다. 부자들에게 왜 무상급식을 주느냐 핀잔을 주는 사람도 있지만, 급식은 공교육과 마찬가지로 의무교육의 일환이므로 누구에게나 균등하게 혜택을 주는 게 맞다. 만일 무상급식을 받는 부자들의 마음이 불편하다면 세금을 더 많이 내거나, 질 좋은 급식을 위해 기부금을 기탁하면 될 것이다. 무상급식은 공교육과 마찬가지로 의무교육의 일환이다. 포퓰리즘이라는 비판은 무상급식 제도를 정치적으로 이용하려는 속셈을 띤 것이다.

3 선별적 무상급식, 낙인효과 등 비교육적 문제 낳아

부모의 사회·경제적 처지에 따라 선별적으로 급식을 제공하는 방안은 교육적으로 매우 바람직하지 못하다. 저소득층 학생만을 대상으로 급식지원을 하게 되면, 무료급식 대상인 학생들이 심리적으로 위축될 수 있다. 이른바 '낙인효과'는 아이들에게 상처와 좌절을 남기고, 학생들 사이에 위화감을 일으켜 건강한 성장을 방해한다.

지금처럼 전면적인 무상급식이 실시되기 전에는 차상위 계층의 학부모가 급식비 면제를 받으려면 건강보험증 사본, 보험료 납부액 확인자료, 기초 생활수급권자나 한부모가정이라는 통합신청서를 제출해야 했다. 즉 공짜로 밥을 먹기 위해 '가난 증명서'를 제출하고 심사받아야 한다는 얘기다. 당연히 이 과정에서 학생들은 수치심과 모멸감을 느끼게 되고, 학교생활마저 위축될 수 있다. 또한 해마다 급식비 미납이 증가 추세에 있다. 교사는 급식비를 걷기 위해 학부모나 학생에게 납부를 독촉하는 한편, 급식비를 내지 못하고 먹는 학생들을 일컫는 '도둑 급식'이라는 말까지 생겨났다. 이 학생들이 겪을 마음의 고통을 생각해보라. 무상급식은 우리 아이들의 건강한 신체적, 정신적 발달을 위한 사회의 의무로 인식해야 한다. 사회적 합의를 거친 이 정책을 되돌리려 해서는 안 된다.

플러스 상식 [+]

무상복지

학문적으로는 소위 공짜라는 의미에서의 무상복지라는 용어는 거의 쓰지 않지만, 최근 우리나라에서는 전면 무상급식과 관련해 무상보육과 무상의료까지 사회복지 서비스를 보편적 복지 차원에서 확대하자는 의미로 사용하고 있다. 무상(無償)이란 말을 영어로 표현하면 'Free of charge'라고 할 수 있는데, 어떤 사람이 본인(또는 보호자)의 부담(기여)금 없이 사회복지 서비스를 제공받을 때, 이를 무상 서비스라고 부른다. 그가 지불하지 않은 서비스 비용에 대하여는 국가가 세금을 징수하여 부담하거나 다른 사람의 기부금 등으로 지급한다. 무상복지는 복지국가라고 일컫는 스칸디나비아 국가에서 시행하는 보편적 복지정책과 유사한 면이 있다. 예를 들면, 국철 및 지하철 이용시 65세 이상 노인들에게는 무임승차 제도를 시행하고 있는데, 이것이 우리나라에서 유일한 보편적 복지정책이라고 볼 수 있다.

"무상급식 재고해야"

1 전면적 무상급식은 교육재정의 파탄을 초래하므로 현재의 급식 정책을 재고해야 한다

지금처럼 전면적 무상급식을 시행하고, 나아가 급식의 질까지 높여야 한다는 주장은 일견 바람직해 보인다. 하지만 어떤 정책이 효과를 거두기 위해서는 재정문제 등을 현실적으로 따져봐야 한다. 현재 대부분의 지자체가 무상급식으로 인해 예산 부족 현상을 겪고 있다. 실제 전국 244개 기초자치단체 중 32%의 78개 시·군·구가 인건비 충당도 못할 정도로 재정자립도가 낮은 상황이다. 또한 서울시의 경우 무상급식으로 인해 다른 교육예산을 배정하지 못하고 있다. 2011년 전면 무상급식 실시 후, 서울시 교육청은 무상급식에 1162억원을 배정했다. 그 대신 학교시설 예산은 대폭 축소되었고, 영어전용교실 설치, 과학실 현대화, 보건실 개선 등의 예산은 일절 편성하지 못했다. 무상급식에 대한 전면적 재검토가 필요한 상황이다. 그런데도 현실적인 재정 문제를 외면한 채 전면적 무상급식뿐 아니라 친환경 급식으로 발전해가야 한다는 주장은 참으로 무책임한 것이다.

1인당 국민소득이 3, 4만 달러를 웃도는 미국, 영국, 캐나다, 프랑스, 호주, 일본, 이탈리아조차 전면 무상급식을 못하고 있다. 통계를 보면 전면 무상급식을 실시하는 나라들은 인구 1000만 명 이하의 소강국小强國인 노르딕 국가(스웨덴, 핀란드, 노르웨이)나 덴마크를 포함한 스칸디나비아 국가들에 불과하다. 이들 국가는 인구 대비 국가재정이 튼튼하기 때문에 이러한 사회경제적 토대에 힘입어 보편적 복지국가제도가 정착되었다. 현실적으로 이들을 우리의 표본으로 삼을 수는 없다.

2 무상급식은 복지를 통한 부의 재분배를 가로막는, 전형적인 포퓰리즘 정책이다

사회 경제적 조건과 상관없이 모든 사람들에게 복지 혜택이 돌아가는 보편적 복지는 복지의 이상이다. 하지만 이를 위해서는 경제적 여건이 확보되어야 한다. 만일 경제적인 여건이 충분하지 못한 경우 복지혜택이 취약계층에게 우선적으로 제공될 수 있어야 한다. 전면 무상급식은 자녀의 급식비가 전혀 부담이 될 리 없는 부유한 가정의 아이들에게까지 공짜로 급식을 제공함으로써 오히려 저소득층을 위한 재정을 줄이는 꼴이다. 다시 말해 복지를 통한 부의 재분배를 가로막고 있다는 것이다. 부자급식이라는 말이 나온 이유다.

지난 2010년 지방선거를 치르면서 '무상' 바람이 불었다. 물론 국가 예산만 풍족하다면 무상의료, 대학까지 무상교육 등 보편적 복지를 확대하는 것이 맞다. 하지만 1인당 담세율이 45%에 이르는 유럽과 달리 우리는 고작 20%에도 미치지 못한다. 이런 사정인데도 무조건 무상급식을 시행해야 한다는 주장은 전형적인 포퓰리즘이다. 취약계층을 집중 지원해도 모자라는 복지재원을 빈부를 가리지 않고 나눠준 결과, 지자체의 예산은 바닥이 났고, 다른 교육 예산 편성마저 가로막혔다. 따라서 2015년에 홍준표 경상남도 전 도지사가 무상급식비를 지원하지 않겠다고 선언한 것은 올바른 결정이었다. 물론 현재 시행 중인 무상급식 정책을 되돌리려면 아주 신중하게 접근해야 한다. 하지만 되돌리기 어렵다고 해서 무상급식을 지속한다면 국가와 지자체의 재정악화로 오히려 후대에 큰 부담이 된다는 것을 명심해야 한다.

3 선별 복지로 인한 '눈칫밥' 또는 '낙인효과'는 여러 가지 제도와 장치로 해소할 수 있다

전면 무상급식 정책을 유지, 발전해야 시켜야 한다고 주장하는 사람들은 선별 무상급식이 아이들에게 '눈칫밥'을 준다는 이유를 내세운다. 저소득층 아이들에게만 무상급식을 지원할 경우 '낙인효과'가 발생할 수 있다는 것이다. 물론 우려할 만한 일이긴 하지만 그렇다고 지자체의 재정 위기를 감수하면서까지 많은 세금을 들여야 하는지는 생각해봐야 할 문제이다. 왜냐하면 낙인효과는 지속적으로 노력한다면 충분히 해결할 수 있는 문제이기 때문이다.

또한 실제 교육현장에서 누가 무상급식을 받는지 알려지는 일은 드물다. 관련 서류는 밀봉해서 우편으로 부치거나 부모가 직접 제출하기 때문이다. 또한 저소득층 학생을 파악할 때 보건복지부의 사회복지통합전산망을 이용할 수도 있다. 이를 일선학교 전산망 등과 연계해 급식 지원 대상 학생을 파악한다면 일일이 서류를 가져오는 번거로움과 구차함을 해결할 수 있다. 영국처럼 One stop service 차원에서 주민자치단체에서 신청만 해도 학교로 연계되도록 하면 낙인 문제는 피할 수 있다. 눈칫밥을 먹을 수 있는 학생들을 진심으로 생각한다면 교육당국과 관련부처 관계자들이 머리를 맞대고 '티 안 나는 무상급식' 방안을 조용히 마련하는 것이 현명한 방법일 것이다.

토론해 봅시다

1. 일각에서는 무상급식이 아닌, 의무급식이라는 표현을 사용하자고 주장합니다. 이렇게 주장하는 이유가 무엇인지 정리해보고, '무상급식'과 '의무급식'이라는 용어 중 무엇이 더 적절한지 토론해봅시다.

2. 무상급식을 비판하는 사람들은 현재와 같은 무상급식 정책은 전형적인 포퓰리즘 정책이라고 비판합니다. 과연 무상급식을 포퓰리즘으로 볼 수 있는지 토론해봅시다.

실전 gogo

현재와 같은 무상급식 정책, 그대로 유지해야 할지 재고해야 할지 자신의 주장을 정한 다음 근거를 들어 자신의 생각을 적어봅시다.(500자)

소비가 우리에게 행복을 가져다줄까

시장, 마트, 편의점, 백화점마다 상품이 넘쳐난다. 온라인 쇼핑몰은 24시간 열려 있다. 풍요롭고 호화로운 꿈의 나라. 우리는 그곳에서 우리의 취향을 소비한다. '프라다 백'을 메고, '샤넬 No.5'를 뿌리고, '겐조' 향이 은은한 남자와의 데이트를 꿈꾼다. 무엇을 소비하느냐의 문제는 취향을 넘어 우리의 정체성을, 우리의 계층을 구분하는 잣대가 된다. '당신이 사는 곳이 당신을 말해줍니다'라는 아파트 광고 문구처럼.

하지만 더 많이 일해서 더 많은 소득을 올려 더 많이 소비하는, 경쟁적 소비를 향한 이 숨가쁜 질주가 종종 허무하다. 넘치는 상품과 부족함 없는 소비가 과연 나와 우리의 미래를 행복하게 해주고 있는가?

키워드로 읽는 논쟁

1. 현대사회를 소비사회라고 부르는 이유

소비는 필요한 물건이나 상품을 사서 쓰는 행위다. 마트나 시장, 쇼핑몰에 진열된 물건(재화)뿐만 아니라 손톱 손질이나 의사의 진료 등 서비스(용역) 이용도 소비에 포함된다. 다 아는 얘기다. 그렇다면 현대를 굳이 '소비사회'라고 부르는 이유는 뭘까? 소비라는 단순한 행위가 너무 큰 의미를 갖게 되었기 때문이다. 자본주의는 기본적으로 대량생산된 상품을 끊임없이 소비해야 유지되는 사회다. 더 많은 상품을 소비하게 만들기 위해서 기업은 상품에 다양한 환상을 입혀 대중을 설득한다. 그래서 사람들은 상품이 아닌, 상품이 드러내는 이미지를 소비한다. 500만원을 훌쩍 넘는 파텍 필립 같은 고급 시계는 시간을 알려준다는 시계의 사용가치만으로는 설명할 수 없는 상품이다.

세상엔 이와 같은 상품들이 넘쳐난다. 상품은 사용가치를 넘어 화려한 이미지의 옷을 입었고, 우리는 이 이미지에 이끌려 상품을 소유하고 싶은 욕망을 갖는다. 소비는 단순히 필요한 것을 사서 쓰는 행위가 아니요 자신의 취향을, 자신의 모든 것을 드러내고 과시하는 행위다. 그래서 사람들은 더 좋은 차, 더 좋은 집, 더 좋은 가구 등을 욕망한다. 이 욕망을 채우기 위해 더 많이 일하고, 더 많이 벌어서 원하는 물건을 얻는 일이 삶의 목표로 굳어졌다. 소비사회가 만들어낸 신화에 이끌려 끝없이 소비하는 삶을 살게 된 것이다. 현대사회를 소비사회라고 부르는 이유는, 이처럼 소비 행위가 우리의 의식과 행동양식, 자신의 취향을 드러내는 중요 요인이 되었기 때문이다.

2. 사용가치와 기호가치
_달릴 때보다 강남 한복판에서 막힐 때 더 빛을 발하는 페라리

우리가 소비하는 모든 물건에는 고유한 사용가치가 있다. 냉장고의 사용가치는 '음식을 신선하게 보관해주는 것'이다. 대량 생산, 대량 소비사회로 오기 전, 물건이 귀하던 시절에는 이 사용가치는 매우 중요한 것이었다. 하지만 현재 사용가치는 크게 매력적이지 않다. 지금 우리가 원하는 것은 그냥 냉장고가 아니라 '별그대'의 천송이가 과음 후 마시는 탄산수를 만들어낼 수 있는 '천송이 냉장고'다. 천송이가 사용하는 상품을 소비함으로써 '천송이'스러워진다고 느낀다. 천송이처럼 '유니크'하고 '럭셔리'하다는 것을 주변에 보여주고 싶은 것이다.

자동차는 어떤가. 안전과 속도라는 고유의 사용가치보다는 어떤 차를 소유했는지에 따라 사람을 평가하는 주변의 시선이 더 중요해졌다. 그래서 '한국에서 페라리는 고속도로를 200km로 달릴 때보다 길 막힌 강남역 사거리에서 빛을 발한다.' 국내 승용차 시장의 소비구조가 급속도로 대형화되고 있다. 1995년 2.7%에 불과했던 대형 승용차 비중이 2006년에는 24.3%로 증가했는데, 그 이유는 한국의 소비자들이 승용차를 사회적 지위와 연계시키는 성향이 강하기 때문이다. 이처럼 현대의 모든 상품은 사회적으로 의미가 부여된 '기호가치'를 갖는다. 옷, 신발, 가방은 물론이고 하다못해 어떤 음료를 마시느냐에도 기호가치가 들어 있다. '기호가치'는 다른 말로 하면 사회에서 통용되는 이미지이기도 하다.

3. 부르디외의 '구별짓기' 전략

일상적으로 우리는 스타벅스 커피가 좋은지 커피빈 커피가 좋은지, 어떤 브랜드의 어떤 상품을 좋아하는지 취향에 대해 이야기를 나눈다. 또 록을 좋아하는지 클래식을 좋아하는지 등 문화 취향에 대해서도 말한다. 재미있는 사실은 우리의 이러한 소비 취향, 문화 취향이 개인과 개인을, 계층과 계층을 구별짓는가 하면, 자신의 이미지와 감성을 드러내 보이기도 하고, 사회적 지위를 표시하는 사회적

코드로도 작동한다는 점이다.

프랑스 사회학자 부르디외는《구별짓기》에서 이러한 소비 취향과 문화소비가 계급, 학력, 혈통에 의해 어떻게 구별되는지를 실증적인 조사와 통계자료를 통해 보여주고 있다. 어떤 음악 작품을 좋아하고, 어떤 분야의 작곡가를 선호하는가의 여부가 그의 계급 기반, 직업 종류, 학력 수준에 의해 결정된다는 것이다. 따라서 취향은 선천적인 것이 아니라 개인이 살아온 사회적 조건에 의해 결정됨을 알 수 있다.

소비의 차별화를 보자. 럭셔리 소비에서는 가격이 중요하지 않다. 이 명품에 접근 가능한 사람이 몇 명인가가 중요하다. 다른 사람이 소비할 수 없는 상품을 소비하는 소비의 차별화. 만일 어떤 명품을 가진 사람이 늘면 또 다른 명품을 찾아나서게 된다. 부르디외에 따르면, 소비의 차별화는 계급적 차이를 보여주기 위한 '구별짓기distinction' 전략의 한 형태이다. 당연히 구별짓기는 내 문화 취향이 네 것과 객관적으로 다르다는 것 이상의 의미를 갖는다. 상류층은 자신의 문화를 고급한 것, 세련된 것으로 위치 짓고, 그것을 자연스러운 '취향'의 문제로 돌림으로써 소비 현상이 개인적인 차이라고 보이게끔 만든다. 하지만 이 차이는 결코 개인적인 것이 아니고, 개인의 행위와 생활 속에 스며들어 있는 동시에 그 개인의 사회적 위치, 즉 계급의 위치를 반영하고 있다. 자신의 경제적 수준과 무관하게 전 계층에서 명품 소비를 좇는 이유가 바로 여기에 있다.

4. 소비가 소비를 부르다_디드로 효과

하나의 상품을 구입함으로써 그 상품과 연관된 제품을 연속적으로 구입하는 현상을 디드로 효과Diderot effect라고 말한다. 이 용어는 18세기 프랑스 학자 드니 디드로의 에세이 '나의 오래된 가운을 버림으로 인한 후회'에서 처음 등장했다. 디드로는 어느 날 친구에게 진홍색의 멋진 실내 가운을 선물 받는다. 이 가운을 서재에 놔두었는데 시간이 지날수록 서재의 모든 것들이 너무 낡고 초라해 보이기 시작했다. 그래서 먼저 오래된 책상을 새것으로 바꾸고, 다음에는 의자를, 그 다음에는 벽시계를 바꾸다 나중에는 서재의 모든 것을 교체한다. 디드로 효과는 우리도 종종 경험하는 일이다. 겨울 외투를 하나 사면 외투 속에 입을 스웨터, 그 외투와 어울리는 구두를 구입하는 일로 이어지는 경우처럼.

디드로 효과가 나타나는 이유는, 상품 사이에 정서적, 심미적 동질성이 있기 때문이고, 외부의 시선을 의식하는 탓도 크다. 멋진 양복을 구입해서 입었는데 색바랜 낡은 구두를 신는다면 당장 '옷은 멋진데 구두는 왜 그래?'라는 주위 반응을 겪게 되기 때문이다. 하지만 우리가 주목해야 할 게 있다. 철학자 디드로는 서재의 물건을 모두 새것으로 바꿨지만 오히려 우울해졌다고 한다. 합리적인 소비란 그만큼 어려운 일이다.

"소비, 행복을 선사해"

1 소비는 인간의 다양한 욕구를 충족시켜준다

인간에게는 다양한 욕구가 있고, 우리는 이 욕구를 충족시키면서 만족감을 얻는다. 이 만족감은 행복의 근간根幹, 사물의 본바탕이다. 현대 소비사회로 오면서 우리는 의식주 같은 기본적인 욕구뿐만 아니라 다양한 욕구를 지니게 됐고, 이는 소비를 통해 해결할 수 있다. 예전에는 휴대할 수 있는 전화로 충분했지만, 지금은 언제 어디서든 인터넷에 접속할 수 있는 스마트폰을 원한다. 스마트폰으로 필요한 정보를 찾고, 자투리 시간에 웹툰 등 스낵컬처를 즐기고, 은행 업무를 보는 등 다양한 경험을 할 수 있기 때문이다. 이밖에도 각종 문화 콘텐츠를 감상하고 싶은 욕구, 여행 상품을 통해 삶을 훨씬 풍요롭게 만들고 싶다는 욕구가 있다. 만일 이 욕구들이 결핍된다면 행복에서 멀어질 수밖에 없다. 행복의 기본 요건인 건강마저 헬스나 요가, 수영 등의 서비스를 구매함으로써 얻는 시대이다. 소비만이 행복을 가져다주는 것은 아니지만, 소비행위 없이 행복에 도달하기란 쉽지 않다.

또한 사치란 필요한 것 이상을 비축하고 소비하는 행위다. 하지만 이는 사치에 대한 일종의 선입견이다. 필요한 것 이상을 바라는 인간의 욕망을 무조건 나쁘게만 볼 수 없다. 그 욕망이 예술 창작의 근본 동력이 되어 인간을 문화적인 존재로 거듭나게 하기 때문이다. 현대를 소비사회라고 정의한 것은 소비행위가 단순히 물질적인 소비 이상의 의미를 갖게 되어서다. 상품을 끊임없이 생산하고 소비하는 것이 사회를 움직이는 동력인데도, 현대인을 마치 과도한 소비에 빠진 자본의 노예처럼 부정적으로 바라보는 것은 현실을 직시하지 않는 태도다. 또 명품을 사거나 해외여행을 가는 것을 과소비로 몰아세우기도 하는데, 자신이 운용할 수 있는 소득 범위 안에서 갖고 싶은 것을 구매하는 일이 과연 지탄받을 일일까? 주체적이고 합리적인 소비는 그만큼 행복의 가능성을 높여주는 것이 사실이다.

2 현대사회의 소비는 개인의 정체성을 드러내는 행위다

소비는 단순히 상품 혹은 서비스를 구매하는 행위 이상의 의미를 가진다. 소비를 통해 우리는 취향을 드러내고, 정체성을 형성한다. 즉, 내가 어디에서 커피를 마시는지, 어떤 브랜드의 옷을 입고, 문화생활을 어떻게 하는지를 통해 우리 자신을 표현한다. 소비를 통해 자신의 개성이나 사회적 지위를 보여주고, 자신의 욕망이나 꿈을 실현하고 있는 것이다.

과거에는 속해 있는 신분과 조직에 따라 인간의 정체성을 규정했다. 하지만 이 틀은 가족, 부족, 계급, 국가에 의해 고정된 것인 만큼 개인의 자유와 개성을 발현하기 어려웠다. 하지만 현대 소비사회에 오면서 개인들은 고정된 정체성을 강요받지 않고, 소비를 통해 다양한 개성을 드러낼 수 있게 되었다. 자유와 개성의 신장은 당연히 개인의 행복을 높여준다.

또한 어떤 제품에 대한 광적인 선호가 하나의 문화를 형성하는 경우가 많다. 예를 들어 '애플빠'로 불리는 사람들은 마치 스포츠팬들이 연고팀을 광적으로 지지하듯 애플 상품에 전폭적인 성원을 보낸다. 나아가 애플 제품을 좋아하는 사람들끼리 동질감을 나누며 커뮤니티를 형성하기도 한다. 나이, 계층, 직업과 무관하게 소비 취향만으로 자유로운 커뮤니티를 만들고 그 안에서 특별한 소속감을 느끼는데, 이 소속감이 개인화된 현대인에게 정서적 안정과 행복을 주기도 한다. 현대인들은 특정한 소비 취향과 맞물려 있는 커뮤니티에서 행복감을 느낀다. 문화 콘텐츠의 소비도 마찬가지다. 이처럼 현대인에게 소비란 타인과 다른 자신의 개성과 취향과 정체성을 보여주는 것으로 진정한 자아를 찾는 데 일조하고, 자신에게 맞는 욕구를 자신의 능력껏 충족시킴으로써 삶의 만족을 높이는 행위다.

3 소비가 늘면 그만큼 행복할 가능성이 높아진다

소비의 질이 삶의 질과 직결돼 있다는 사실을 무시하기는 어렵다. 어떤 수준에서 소비할 수 있는지에 따라 생활이 달라진다는 걸 쉽게 확인할 수 있다. 조금 더 크고 안락한 집이 가정의 행복을 보장한다는 사실을 부인하기 어렵다. 최근 등장한 스마트 자동차는 사물인터넷 기기와 연결돼 차가 집 근처에 오면 실내 온도를 자동으로 맞추고, 조명을 미리 켜둔다. 쇼핑 갈 때는 냉장고에 부착된 네트워크 카메라를 이용, 부족한 식료품을 확인할 수 있다. 이런 첨단 제품이 선사하는 생활의 편리함이 삶의 만족도를 높이는 것은 당연하다고 할 수 있다.

이처럼 생활의 편리를 더하는 일상적 소비뿐만 아니라 놀이와 여가, 외모 가꾸기 등 경험적인 활동의 소비는 삶의 행복에 크게 기여한다. 현대인들이 레저와 여가에 많은 비용을 지출하는 것은 소비 행복이 직접적으로 삶의 행복을 높이는 데 기여하기 때문이다. 따라서 양질의 소비를 할 수 있는 고소득자일수록 더 큰 행복감을 느낄 확률이 높을 수밖에 없다.

미국 경제학자 스티븐슨과 울퍼 교수는 돈과 행복에 관한 연구를 진행하면서 구매력 지수가 높은 국가의 국민일수록 삶에 대한 만족도가 더 높다는 연구결과를 내놓았다. 실제 미국의 경우 가구소득이 연 25만 달러를 넘는 사람의 90%가 자기 삶에 매우 만족했고, 연소득 3만 달러 미만 중에는 42%만이 만족한 것으로 나타나, 소득과 소비가 삶의 질을 결정하는 중요한 지표임을 밝혀냈다.

"소비와 행복, 무관"

1 욕망 과잉, 소비 과잉의 시대, 진정한 행복이란 무엇인지 생각해야 한다

살아가는 데 필요한 최소한의 물질을 얻는 것은 필수적이다. 소비는 가장 기본적인 욕구를 충족시켜줘 만족감을 준다. 하지만 소비사회로 들어서면서 이 소비행위가 정도를 벗어나고 있다. 이는 대량생산과 끊임없는 소비라는 두 개의 바퀴를 축으로 굴러갈 수밖에 없는 현대 소비사회의 본질적 성격과 관련이 깊다. 지속적인 생산이 이윤을 낳기 때문에 기업은 광고와 이미지를 통해 인간의 물질적 욕망을 끝없이 부추긴다. 우리는 꼭 필요하지도 않은 상품을 소비하느라 많은 시간을 허비한다. 다양한 욕구를 충족시키기 위해서 다양한 상품을 구매해야 하고, 이를 위해 소득을 높여야 하니 더 많이 일할 수밖에 없다. 현대 소비사회는 구조적으로 낭비 투성이의 소비문화를 부추긴다.

한편 시장이나 마트는 인터넷 쇼핑, 홈쇼핑으로 확장되면서 공간의 제약에서 벗어났다. 우리는 스마트폰으로 언제 어디서든 소비한다. 이러한 소비패턴의 다양화는 소비 성격마저 변화시켰다. 물질과 편리함을 쫓는 소비생활에 중독된 현대인은 이를 충족시키기 위해서 대부분의 시간을 노동에 쓴다. 자신이 좋아하는 일을 즐겁게 하는 사람은 줄어들고, 소비를 통한 안락과 쾌락을 얻기 위해 노동하는 사람이 대부분이다. 우리의 욕구가 다양해졌고, 소비가 이를 충족시켜 행복을 선사한다는 것은 참으로 순진한 생각이다. 좋은 집, 좋은 차 등은 일시적인 욕망일 뿐이며, 충족되는 순간 금세 다른 욕망을 추구하게 된다. 걸음을 멈추고 과연 지금 우리의 소비가 진정한 만족감을 가져다주는지 살펴봐야 한다.

2 소비를 통해 정체성을 찾는다는 말은 기만, 과시적 소비의 다른 말일 뿐

'나는 소비한다, 고로 존재한다'는 크루거의 말은 현대 소비사회에 대한 날카로운 풍자다. 존엄성을 가진 인간의 존재가 고작 소비를 통해 규명된다는 것은 참으로 슬픈 일이다. 소비가 타인과 다른 개성을 드러내 보여주고 자신의 정체성을 찾게 도와준다고 말하지만, 과연 소비를 통해 밖으로 드러난 취향과 개성이 본연의 자신을 대변할 수 있을까? 자신이 어디서 커피를 마시고, 어떤 가방을 들고, 어떤 문화소비를 하는지 등의 소비행위를 통해 대체 무엇을 드러낸다는 말인가. 현대인들은 소비가 자신의 정체성을 만든다고 믿기 때문에 끝없이 소유욕에 사로잡힌다. 내가 사는 아파트가 나를 말해주기 때문에, 그 아파트에서 사는 것이 목표가 되는 꼴이다. 이는 허무한 과시적 소비요, 물질 숭배일 뿐이다.

현대 사회에서는 수많은 상품이 쏟아져 나와 자신이 뭘 원하는지도 제대로 알기 어려울 정도다. 그래서 유행을 좇거나 소득 수준과 관계없이 브랜드 소비에 끌려다닌다. 전 세계 사람들이 똑같은 영화를 보고, 똑같은 음식을 먹고, 똑같은 옷을 입는 등 개성은 사라져간다. 더구나 소득 수준에 따라 소비 양상이 다를 수밖에 없고, 이 소비 양상이 계층과 신분을 규정하는 '구별짓기'로 작용한다. 가난한 이들은 소외감을 느끼고 중산층은 미래에 대한 두려움을 갖게 되고 부자들은 과시적 소비로 소중한 가치를 잃고 있다. 과연 이러한 소비가 인간을 행복하게 하는가? 소비가 과연 나의 정체성을 보여주는 행위인가? 오히려 과시적 소비에서 벗어날 때 우리는 진정으로 행복할 수 있을 것이다.

3 소비와 행복, 직접적인 상관관계 없어

2015년 유엔이 정한 '세계 행복의 날'을 맞아 여론조사기관이 세계 143개국 성인들에게 얼마나 행복한지를 물었다. 우리나라 성인의 행복지수는 118위. 행복지수가 가장 높은 나라는 파라과이, 에콰도르, 과테말라 등 중남미 국가들이었다. 이 행복감 지수는 GDP, 즉 나라가 얼마나 부자이냐 아니냐를 따지는 게 아니라 하루하루 사는 재미가 있는지, 즉 사람들이 일상에서 느끼는 행복감이 어느 정도인지를 조사한 것이다. 이를 보면 소득 혹은 소비와 행복이 항상 일치하는 것은 아님을 알 수 있다.

언뜻 좋은 차, 좋은 집, 좋은 물건을 소비하면 행복할 것 같지만 이것이 행복을 결정하지 않는다는 걸 우리는 이미 알고 있다. 소비문화가 가진 폐해가 너무 크기 때문이다. 소비지상주의 시대를 살아가는 우리들은 과시적으로 소비하고, 과잉 소비하고, 사랑, 우정 등 인간적 가치보다 물질 중심적인 사고에 빠져 있다. 그 결과 쇼핑 중독, 빚, 만성적인 스트레스, 환경 문제, 자연 고갈 등 심각한 문제가 만연하게 되었다. 또 소득이 높고 소비가 만연한 사회에 오히려 우울증 환자가 많고 자살률이 높다. 왜 사람들은 경제적 소득과 소비에 집착할수록 불행해지는 것일까? 소비욕구와 경제적 성취 욕구가 강할수록 자기실현 정도와 생활의 생동감은 줄어들고 우울감과 걱정이 더 많아지기 때문이다.

이러한 현상 때문에 서구사회 일각에서는 물질과 편리함에 중독된 소비생활에서 벗어나 문명의 시계 바늘을 거꾸로 돌려보자는 목소리가 높아지고 있다. 자전거로 출퇴근하며 고급 승용차를 몰 때 느낄 수 없는 날씨 변화를 직접 느끼는, 사람이 늘고 있다. 일상을 생생하게 느끼는 경험이 행복감을 높여주기 때문이다. 또한 현대 소비패턴에서 벗어나 소비가 자신과 사회와 지구에 어떤 영향을 미치는지 고민하는 윤리적 소비활동을 하는 사람들의 행복감이 높다는 연구결과도 있다. 물질적 편리보다 정서적 풍요로움이 주는 행복감이 더욱 본질적이기 때문이다. 소비와 행복은 직접적인 상관관계가 없다.

토론해 봅시다

1. 현대인들은 행복을 위해 끊임없이 소비하려고 합니다. 그런데 과연 이러한 소비의 추구가 인간에게 행복을 가져다줄까요? 현실 속 구체적인 사례를 들어 토론해봅시다.

2. 부탄이나 방글라데시 등 최빈국의 국민들이 느끼는 행복지수가 세계에서 가장 높은 축에 속한다고 합니다. 그 이유가 무엇일지 적어봅시다.

3. 과소비나 명품소비가 야기하는 문제로는 어떤 것들이 있을지 말해봅시다.

실전 gogo

소비행위를 통해 개인의 정체성과 개성을 드러낼 수 있는지 자신의 생각을 적어봅시다. (500자)

가난은 개인의 책임인가

'가난은 나랏님도 구제 못한다'는 속담이 있다. 예로부터 빈곤은 나라의 골칫거리 중 하나였고 오늘날에도 빈곤은 여전히 중요한 사회문제다. 토론에 앞서 빈곤의 특징은 무엇이며 우리는 빈곤 해결을 위해 어떤 노력을 기울이고 있는지 살펴보자.

키워드로 읽는 논쟁

1. 빈곤을 어떻게 정의할 수 있나?

빈곤의 개념은 다양하지만, 일반적으로 기본적 욕구가 충족되지 않은 상태를 뜻한다. 살림살이가 넉넉하지 못하고 쪼들린다는 뜻의 '가난'과도 비슷한 말이다. 사실 기본적 욕구가 충족되지 않은 상태가 어느 정도인지 판단하는 기준은 지역과 개인에 따라 다를 수 있다. 그래서 빈곤은 여러 차원에서 다양한 유형으로 분류된다. 경제적, 사회적, 심리적 측면에서 분류하기도 하고, 절대적, 상대적, 주관적 빈곤 등 빈곤의 정도로 측정하기도 한다.

절대적 빈곤은 전체 소득이 신체적 효율성을 유지하는데 필요한 최저수준을 확보하지 못해 생존에 위협을 받는 상태를 뜻한다. 절대적 빈곤 개념은 생존 문제와 직결되기 때문에 최저생존 수준을 나타내는 최저생계비를 산출할 때 쓰인다. 반면 상대적 빈곤은 그 사회의 소득수준에 비해 상대적으로 낮은 소득 수준을 의미한다. 주관적 빈곤은 어떤 정해진 객관적인 수준에 따른 것이 아니라 개인의 주관적 욕망에 따라 자신이 가난하다고 느끼는 것이다.

2. 빈곤은 왜 문제가 될까?

빈곤은 오늘날에도 여전히 인류가 해결하지 못한 난제 중 하나다. 어느 사회에든 빈곤은 존재해 왔는데, 그 규모와 정도는 나라와 지역마다 다르다. 한편 빈곤은 개인의 문제에 그치지 않고 가족은 물론 사회문제로 이어진다. 개인의 빈곤은 일반적으로 건강과 교육의 불이익을 수반하고, 사회에 대한 불만을 증폭시키거나 범죄에 노출되기 쉬운 환경에 처하게 만들기 때문이다. 그리고 빈곤 가정의 자녀는 성인이 되어서도 빈곤을 경험할 확률이 높아져 빈곤이 대물림되는 등 사회 불안과 계층 간 갈등을 야기하기도 한다. 뿐만 아니라 빈곤층의 확산은 사회적으로 양극화가 심화된다는 것을 의미하기 때문에 사회·정치적 갈등을 야기할 뿐만 아니라 경제성장과 민주주의 발전에도 위협 요인이 될 수 있다. 빈곤의 원인이 어디에 있든 간에, 빈곤이 야기하는 결과는 개인을 넘어 사회 전반에 막대한 영향을 미친다.

3. 현대사회에서 빈곤이 줄어들고 있을까?

과거에 비해 물질적 자원이 풍부해진 것처럼 보이지만 현대사회에서도 빈곤은 여전히 큰 문제이며 어떤 의미에서는 과거보다 더욱 심각한 문제를 야기하기도 한다. 절대빈곤은 감소했을지 몰라도 상대적 빈곤은 늘어나는 추세이며 빈부격차 또한 점차 심화되고 있다. 정부 조사에 따르면, 우리나라의 빈곤층 규모, 즉 기초생활보장수급자와 중위소득 50% 미만의 소득을 올리는 차상위계층이 총 414만 명에 달하는 것으로 나타났다. 이는 전체 인구의 12%에 해당하는 엄청난 규모이다. 한편 전 세계적으로 보면 절대적 빈곤에서 헤어나오지 못하고 기아에 시달리는 인구가 8억에 달해 전체 74억 인구 중 적지 않은 비중을 차지하고 있다.

4. 우리 사회 빈곤의 특징

1990년대 들어 소득분배 구조가 개선되고 빈곤이 감소하는 추세를 보이다가 외환위기 이후 실업과 비정규직 고용이 급격히 늘어나면서 빈곤층이 확대되는 추세로 변화했다. 외환위기를 전후해 우리나라의 빈곤율은 한때 25%까지 올라갔으나, 경제위기에서 벗어나면서 다시 내려가 15% 선에서 머물고 있다. 그러나 최근 경기침체가 장기화되면서 조금씩 증가하고 있는 상황.

외환위기 이후 빈곤층의 특징은 일자리를 갖고 있으면서도 빈곤 수준에 머물고 있는 근로빈곤층이 늘고 있다는 점이다. 또한 2000년대 들어 빈곤탈출률이 감소 추세를 보이고 있다. 경기 침체와 높은 실업률, 소득 양극화 현상 등이 복합적으로 얽혀 있기 때문으로 보인다. 이에 따라 빈곤 문제에 대한 대책 수립이 필요하다는 목소리가 커지는 실정이다.

5. 빈곤 해결을 위한 복지정책

현대사회에서는 빈곤 문제를 해결하기 위해 다양한 복지정책을 시행하고 있다. 우리나라에서는 대표적인 빈곤대책으로 국민기초생활보장제도를 시행하는 중. 생계보호, 의료보호, 자활보호, 교육보호 등 생활보호대상자는 필요에 따라 국가의 지원을 받게 된다. 하지만 생활보호대상자들 중에서 근로능력이 있는 대상자에게는 생계비 지원을 하지 않고 자활할 수 있도록 자활에 필요한 생업자금을 대여해 주고, 직업훈련이 가능한 사람에게는 직업훈련기관에 위탁하여 직업훈련을 받게 하는 방식으로 간접적인 지원을 하고 있다. 이밖에 의무교육, 국민의료보험, 직업교육 프로그램이나 취업지원센터 등도 빈곤 탈출에 도움을 주는 정책들이다. 하지만 복지제도가 빈곤층의 자활의지를 떨어뜨려 빈곤 탈출에 오히려 장애가 된다는 주장도 적지 않아, 복지의 규모와 범위에 대해선 이견이 많다.

"가난, 개인의 책임"

1 가난은 개인의 나태와 무능력 탓이다

과거 중세시대에는 계급과 계층이 철저하게 나뉘어져 있었으며 심지어 직업의 자유조차 없었다. 고대시대의 노예나 중세시대의 농노들은 철저하게 귀족과 왕족들의 수탈로 굶주림을 벗어나기 어려웠다. 이때의 가난은 개인의 책임이라고 못 박기 어렵다. 하지만 세상이 달라졌다. 완전하지는 않지만 굶주림과 같은 절대적 빈곤에서 벗어난 시대다.

또한 자본주의 시대에 접어들면서 개인의 자유는 신장되었고, 모든 사람들이 신분의 제약 같은 제도적인 차별에서 벗어나게 되었다. 장사를 하든 기업을 운영하든 자신의 노동력을 제공하든 누구나 경제활동을 자유롭게 할 수 있는 시대이다. 개인의 노력에 따라 얼마든지 일할 수 있고 가난의 굴레를 벗어날 수 있다는 뜻이다. 물론 개인마다 타고난 능력과 환경이 달라 모두 부자가 되기는 어렵다. 하지만 성실하게 노력한다면 누구나 사회에서 평균적인 생활을 이어갈 수 있다.

물론 양극화가 심화되고 있고, 소득분배가 공정하게 이루어지지 못하기도 한다. 이러한 현실이 가난에서 벗어나기 힘들게 하는 요인인 것 또한 사실이다. 개인이 사회를 이루고 살아가는 데 있어서 완벽한 제도를 만들어내기는 어려운 법이다. 불평등을 줄이기 위한 정치, 사회적인 노력도 필요하다. 그러나 제도 개선이 마련된다고 해도 가난한 계층은 여전히 존재할 것이다. 가난은 개인의 잘못된 선택과 행위에서 오는 것이기 때문이다. 누구나 부자가 될 수는 없지만 가난을 면할 수 있는 조건은 충분하다. 그런데도 가난을 사회의 탓으로 돌리는 것은 참으로 나태한 생각이다. 가난의 일차적 책임은 일할 수 있는 능력이 충분히 있는데도 성실하게 노력하지 않는 개인에게 있다. 무절제한 생활습관, 낮은 경제관념, 노력하기보다 의존적으로 문제를 해결하려는 수동적인 자세 등. 이들은 잘못된 결정을 내리고 좋지 않은 삶의 방식을 고수하며 불성실하다. 가난은 자업자득이다.

2 현대사회는 가난에서 벗어날 다양한 기회를 충분히 제공하고 있다

가난을 사회의 탓으로 돌리는 이들은 현대의 자유경쟁 체제가 가난한 사람에게 불리하다고 비판한다. 경쟁이 공정하지 않은 상태에서 시장원리에만 맡기는 것은 무책임한 일이라고도 말한다. 하지만 현대사회는 완전한 자유경쟁도 아니요 전적으로 시장원리에 모든 것을 맡겨두고 있지도 않다. 대학입시에서도 지역균형을 위한 선발권을 마련하고 있고, 국민들이 기본적인 생활을 할 수 있게 교육과 의료, 복지 등의 문제에 국가가 어느 정도 관여하고 있다.

'개천에서 용 난다'는 말은, 어려운 환경에서 스스로 능력을 키워서 성공에 이르는 것을 말한다. 국가가 제공한 의무교육 덕에 어려운 상황을 극복한 사례는 너무나 많다. 특히 우리나라는 중등교육까지 의무교육을 시행한다. 과거에는 가난한 사람은 아예 학교를 다닐 수 없었다. 하지만 지금은 누구나 중등교육과정을 마칠 수 있다. 또 저소득층 자녀를 위한 장학제도도 다양하게 시행되고 있으며, 여러 기업과 복지재단에서는 저소득층 아동을 위한 교육 지원 프로그램을 운영한다. 이렇게 교육 여건이 좋아졌으니, 누구든 이 기회를 활용해 능력을 키운다면 좋은 일자리를 얻을 수 있다.

현재의 교육이 공정성을 담보하지 못하고 있다는 비판은 너무 부정적인 견해다. 부유한 집안 아이들이 사교육을 받아 경쟁 우위에 있다고도 한다. 그러나 지금의 입시에서는 수업 열심히 듣고, 교과서 열심히 공부하고, 부족한 내용을 EBS 교육방송으로 보충하면 충분히 좋은 결과를 얻을 수 있다. 저소득층 자녀들의 학업성취도가 낮은 것은 교육에 대한 부적절한 인식이나 미래에 대한 부정적 견해 때문이다. 가난을 벗어나려는 개인의 적극적인 의지와 노력이 뒷받침되지 않아 주어진 기회를 살리지 못하고 있는 것이다.

3 가난한 이들은 일자리가 없는 게 아니라 힘든 일을 기피할 뿐

우리 사회는 절대적 빈곤에서 벗어났다. 외환위기 이후 빈곤층이 확대되었다고 해도 절대적 빈곤층은 결코 늘어나지 않았다. 또 실업률이 높다고 하지만 한쪽에서는 일손을 구할 수 없어서 난리다. 절대적 빈곤이 해결된 상태에서의 빈곤은 개인의 탓이 크다.

일자리가 없다고 아우성이다. 청년 실업률이 나날이 고공행진이다. 정말로 일할 곳이 없는 것일까? 무조건 안전성이 보장되는 양질의 일자리만을 찾으려 해서는 아닐까? 예를 들어 목수 일은 전문기술직에 속한다. 건축현장에서 목수 일 전문가를 많이 필요로 하는데 이 일을 거의 70대 노인들이 하고 있다고 한다. 일당도 높고 보수도 높은 편인데 젊은이들이 누구도 배우려고, 일하려고 하지 않기 때문이라는 것이다.

또한 고용 없는 성장 구조로 접어들었다는 의견이 일부 있지만, 우리나라는 아직도 선진국에 비해 높은 성장률을 유지 중이고 일자리도 창출하고 있다. 외환위기 이후 비정규직 고용형태가 늘어난 것은 사실이지만, 비정규직의 확대는 단순히 우리나라에만 국한된 문제가 아닌 세계 경제 변화의 결과다. 이 변화를 어떻게 받아들여야 할까?

무조건 양질의 일자리만을 바라보며 불평불만만 늘어놓는다면 가난을 면하기 어렵다. 당장 임시직, 계약직이라도 성실하게 하여 능력으로 직장에서 인정받는다면 정규직으로 채용되는 경우도 많고 비정규직도 경력으로 인정되어 나중에 더 나은 일자리로 옮기는 데 도움을 준다. 그런데도 대학을 졸업한 다수의 청년 실업자들은 처음부터 안정적이고 고소득의 일자리만 선호하는 경향이 커, 차선책으로 자발적인 실업을 선택하는 것이다. 현재 실업률이 증가하고 있다지만, 이른바 '3D업종'의 중소기업들은 지금도 인력난을 호소하고 있다.

플러스 상식

월스트리트를 점령하라(Occupy Wall Street)

2011년 9월 17일, 뉴욕 월스트리트에 있는 주코티 공원에 사람들이 모여들어 행진을 시작했다. 시위를 조직한 단체도, 통일된 요구사항도 없었다. 사람들은 자유롭게 무대에 올라가 자기 얘기를 했는데, 공통적으로 '1%의 사람들이 99%의 소득을 차지하고 있다'고 인식했다.
월가 점령 시위는 2008년 금융위기와 깊은 관련이 있다. 2008년 월가의 5대 투자은행 중 하나인 리먼브라더스가 파산신청을 했고, 이에 세계 금융 시장이 순식간에 무너지면서 미국을 비롯한 세계 경제는 거대한 침체에 빠져들었다. 미국의 실업률은 10%를 넘어섰고, 저금리 정책으로 주택을 구입한 중산층들은 금리가 올라가 집을 잃거나 빚더미에 올라섰고, 다니던 직장이 폐업을 하고, 일자리를 구하지 못한 청년들은 좌절했다.
금융위기의 주범인 월가의 대형 은행들은 정부의 금융 구제에 힘입어 다시 사상 최대의 이익을 구가하면서 천문학적 보너스 잔치를 즐겼지만 일반 서민들의 삶은 복원되지 못했다. 2009~2010년 미국의 경제회복 기간에 전체소득은 2.3% 성장했다. 하지만 데이터를 면밀히 들여다보니, 실제로 99% 미국인들의 경제 성장은 0.2% 수준인 반면에 상위 1%는 11.6%였다. 1960년대와 70년대에는 미국 상위 1%가 국가 전체 소득의 9~10%를 차지한 데 비해, 금융위기 직전인 2007년에 그 비율이 23.5%로 두 배 이상 증가했는데, 2008년 금융위기로 부동산 거품이 커지면서 미국의 빈부격차는 더 벌어졌다. 월가 점령 시위는 이처럼 심화된 사회경제적 불평등에 대한 미국인의 분노를 담은 것으로, '우리는 99%다'는 최상위 1%에 의한 부의 독점과 소득 집중이라는 현실을 반영한, 역사상 가장 효과적인 구호로 평가된다. 한편 불평등 심화는 미국뿐 아니라 한국을 비롯해서 여러 국가로 확산되고 있다.

“가난은 사회적 책임”

1 가난의 원인은 사회 경제적 구조에 있으므로 가난은 사회의 책임이다

자본주의 시대가 와서 개인이 자유롭게 경제활동을 할 수 있게 되었으니 누구나 노력하면 가난을 면할 수 있다고? 이 주장은 지나치게 이론적이며 전혀 현실적이지 않다. 누구나 노력하면 가난이라는 굴레에서 벗어날 수 있다는 순진한 생각을 곧이곧대로 받아들일 사람이 있을까? 금수저니 흙수저니 하는 수저론, 빈익빈 부익부라는 말이 공공연한 것은 개인의 힘으로 가난을 벗어나기 어려운 현실을 반영한 것이다. 또한 이 말은 경쟁의 공정성이 보장되지 않는다는 뜻이기도 하다. 자본주의는 자유경쟁 사회이고, 경쟁에서 지면 낙오될 수밖에 없다. 고소득의 양질의 일자리는 경쟁력을 갖춘 소수의 사람이 갖게 되고, 그 외에 많은 사람들은 저임금, 저소득의 불안정한 일자리를 얻을 수밖에 없는 현실이다. 재산의 불평등도 문제지만 소득의 불평등이 점점 커지고 있다.

가난은 결코 개인의 책임이 아닌, 이런 불평등 구조를 만든 사회의 책임이다. 경제 불평등이 극심한 미국의 경우 최상위 1%가 전체 소득의 23%를 가져가고, 한국은 상위 10%의 수입이 전체 소득의 45% 이상을 차지한다. 부의 집중화 현상은 전 세계적으로 갈수록 극심해지고 있고 빈곤층의 확대와 더불어 절망적인 사회문제로 이어지고 있다. 과거에는 전체 경제가 발전하면 막대한 부를 소유한 부유층이 경제성장과 일자리 창출에 투자하고, 따라서 위에 있던 부가 일반 국민 모두에게 이익으로 돌아간다(낙수효과)고 믿었다. 그러나 낙수효과는 거짓으로 드러났다. 미국의 경우 1979년에서 1994년까지 경제성장으로 창출된 부의 99%를 상위 5%가 독차지했다. 우리나라 역시 2008년 금융위기를 겪으면서 갈수록 불평등이 심각하게 악화되고 있다. 금융위기 이후 취업난은 극심해지고, 임금인상은 더딘 데 반해 부자들의 자산은 빠른 속도로 불어나고 있는 상황이다.

가난은 사회구조와 권력의 분배가 왜곡돼 생긴 것이다. 가난의 문제를 사회구조적 관점에서 봐야 해법을 제대로 찾을 수 있다. 물론 가난한 이들 중에 게으르고 나태하고 무절제한 생활에 빠져 아무런 노력도 하지 않는 사람이 있다. 그러나 이것은 가난의 원인이 아닌 결과이다. 가난에 대한 우리들의 시각을 바꾸는 것에서 출발해야 한다.

2 의무교육, 경쟁의 공정성을 보장하지 못한다

흔히 양극화와 기회불균형을 바로 잡을 수 있는 가장 좋은 해법은 '교육'이라고 말한다. 과거에는 돈이 없어 학교를 못 갔으나 지금은 의무교육이 보편화되어서 교육 기회가 더 많아진 건 사실이다. 하지만 의무교육이 시행되고 있다고 해서 교육의 불평등이 완전히 사라진 것은 아니다. 오히려 교육의 양극화 현상이 훨씬 뚜렷해졌다. 부모의 경제력에 따라 자녀의 학력과 진학 학교가 갈리는 현상이 갈수록 심화되고 있다. 가정의 경제력이 배움의 기회를 결정하고, 학교에서는 부모 재력의 혜택을 적게 받은 아이들이 소외되고 있는 게 현실이다. 사교육 없이 가난한 집 자녀가 명문대에 진학하는 일은 하늘에 별따기다. 특목고와 자사고의 명문대 진학률이 일반고에 비해 월등하고, 명문대 출신이 양질의 일자리를 얻을 확률이 높다.

혹여 저소득층 학생이 어렵게 대학에 진학한다고 해도 부족한 학비와 생활비를 위해 아르바이트를 해야 하기 때문에 스펙을 쌓기 어렵고, 그 결과 졸업 후 좋은 직장에 취직하기 힘들 수밖에 없다. 이런 상황인데 어떻게 의무교육인 중등교육을 마치고 괜찮은 직장을 얻을 수 있겠는가. 그리고 옛날에는 '개천에서 용 나는' 사례가 많았는데 의무교육이 확대된 지금 이 속담은 옛말이 되어버렸다. 예전에는 대학에 가지 않고도 사법시험에 응시할 수 있었지만 지금은 사법시험이 없어져 로스쿨에 진학해야만 법조인이 될 수 있다.

한편 빈곤층을 위한 복지제도가 있어도 우리 사회의 빈곤층 규모를 고려한다면 아직도 턱없이 부족한 실정이다. 실제 아동·청소년 빈곤율은 매년 가파르게 증가하고 있는데 반해, 국민기초생활보장 수급율은 계속 정체돼 있다. 이처럼 가난에서 벗어날 수 있는 기회는 너무나 부분적이고, 그조차도 형식적으로 보장돼 있을 뿐이다.

3 불안정한 소득구조, 빈곤층으로 전락할 위험 높아져

한강의 기적을 일궈온 우리 국민들은 나라의 경제성장이 개인의 삶을 더 낫게 만들어줄 것이라고 믿고 어려움을 이겨냈다. 하지만 이제 이 믿음은 더 이상 지켜질 수 없다. 성장이 지속되었지만 국민들의 삶은 나아지지 않았고, 빈곤층은 나날이 늘고 있다.

가난한 사람이 늘어난 것은 실업률 증가와 관련이 깊다. 저소득층에게 근로소득은 거의 유일한 소득이다. 그런데 근로소득이 줄고, 실업으로 아예 소득이 끊길 경우 쉽게 가난의 덫에 갇히게 된다. 특히 저소득층 노동자들은 일용직, 계약직, 임시직 등 비정규직으로 고용된 경우가 많아 상시적으로 실업의 위험에 노출되어 있다. 실업이 곧 생계의 위협이 되는 서민들에게 실업이 자발적인 선택이라는 주장은 어불성설이다. 그리고 청년 실업률이 높은 것도 '괜찮은 일자리'를 얻기 위해 자발적으로 실업을 선택하기 때문이 아니다. 현재 고용창출 없는 저성장 경제 구조가 굳어지고 있는 것과 경력직을 선호하고 비정규직 고용이 늘어난 노동시장의 변화가 근본적인 원인이다.

물론 노동조건이 열악한 '3D업종'을 기피하는 현상이 없는 것은 아니다. 하지만 이들 업종은 고용의 질이 극히 열악하고 근로빈곤을 탈피할 만큼 전망이 밝지 않다. 결국 빈곤층이 늘어나는 근본적인 이유는 양질의 일자리를 창출하지 못하는 경제구조와 사회체제에 있다.

토론해 봅시다

1. 가난은 게으름과 무능력, 무절제함이 결과한 개인의 책임일까요? 아니면 불평등한 사회구조가 만들어낸 산물일까요? 가난의 책임이 개인에게 더 많은지, 사회에 더 많은지 토론해봅시다.

2. 현재의 우리 사회는 빈곤 탈출을 위한 기회를 충분히 제공하고 있는지 아니면 여전히 부족한지 근거를 들어 말해봅시다.

3. 다음 중에서 빈곤을 없애기 위한 가장 효과적인 방법은 무엇일지 하나를 고른 다음, 선택 이유를 말해봅시다.

   □ 경제성장을 통한 일자리 창출 □ 증세를 통해 빈곤 계층에 대한 복지 확대

   □ 무상교육을 통한 교육기회 평등 보장 □빈곤층의 자활의지를 높이고 취업교육 확대 □ 기타

실전 gogo

정부가 지금껏 생활보호대상자를 지원해 왔던 복지예산을 대폭 삭감하고, 그 대신 경제 활성화에 투자한다고 가정해봅시다. 이러한 정부 조치가 빈곤층의 증감에 어떤 영향을 미칠지 자신의 생각을 정리해봅시다.

예술과 문화

DISH

청소년 보호를 위한 영상물 등급제, 꼭 필요한가

각종 영상물이 쏟아져 나오고 있다. 가히 영상의 시대라고 할 수 있을 정도다. 영상제작 툴이 발달하면서 누구나 영상을 제작해 유튜브 같은 SNS 채널에 업로딩하고 있다. 그리고 이렇게 생산된 영상 콘텐츠를 누구나 손쉽게 소비할 수 있는 시대에 살고 있다. 그만큼 많은 청소년들이 폭력적이고 음란한 영상에 무방비 상태로 노출돼 있다.

영상물 등급제는 유해 영상물로부터 청소년을 보호하기 위한 것으로, 폭력성, 음란성 등을 살펴 청소년관람 불가 등급을 매긴다. 그런데 일각에서는 영상물 등급제가 실효성이 없으며 표현의 자유를 제한하고 청소년의 자유와 권리를 제약하는 제도라고 비판한다. 청소년 보호를 위한 영상물 등급, 꼭 필요한 제도일까?

키워드로 읽는 논쟁

1. 영상물 등급제란?

영상물 등급제는 영화나 비디오 등 다양한 영상 콘텐츠에 대해 영상물등급위원회가 연령별 등급을 주는 일이다. 현재 영상물 등급은 전체 관람가, 12세 이상가, 15세 이상가, 18세 이상가, 제한 상영, 다섯 단계이다.

이 등급 분류는 영상 콘텐츠의 공개나 유통 여부를 결정하기 위한 절차가 아니다. 등급 분류는 청소년 보호가 목적이다. 청소년들에게 유해한 영향을 미치는 표현물까지 표현의 자유라는 이름으로 공개, 유통을 허용할 수 없다는 것이 헌법재판소의 입장이다. 따라서 15세 이상 관람가와 청소년관람불가 등급(18세 이상가)이 중요하다. 15세 이상 관람가 등급의 경우 그보다 어린 나이여도 보호자가 동반하면 관람할 수 있지만 청소년관람불가의 경우에는 보호자가 동반해도 볼 수 없다.

영상물 등급이 이렇게 다섯 단계로 운영되기 시작한 것은 1999년 영상물등급위원회가 발족한 시점 이후부터이다. 처음에는 영상물 등급분류제도에 '등급분류 보류제도'를 포함해서 시행했다. 하지만 '등급분류 보류제도'가 사전검열이라는 위헌결정을 받으면서 폐지되었다. 그러다 2002년 제한상영가 등급이 신설, 지금은 영화 내용의 표현 정도에 따라 등급만 분류하는 완전등급제 형태가 되었다. 한편 청소년 보호법에서는 만 19세부터 성인으로 규정하지만 영상물 연령 등급에서는 한 살 낮춘 18세로 하고 있는데, 대학교 1학년 중에서 만 18세인 경우가 있기 때문이다.

2. 영상물 등급제를 하는 이유는?

영상 콘텐츠에 등급을 매기는 것은 그 나라의 사회 문화적 특성과 무관하지 않다. 우리의 영상물 등급제는, 창작의 자유를 보장하면서도 청소년들이 유해한 내용을 무분별하게 소비하지 않도록 유도하기 위한 것이다. 이 등급 분류를 통해서 영화를 보는 관객과 부모들에게 영상물을 제대로 선택하고 관람할 수 있게 안내하는 서비스인 셈이다. 특히 영상물 등급제는 공공성과 윤리성을 기준으로 유해한 영상물로부터 청소년을 보호하는 일이 주된 업무이다. 영상물 등급 기준은 주제와 선정성, 폭력성, 대사(언어적 내용), 공포, 약물, 모방 위험 등 7개 범주로 나누어 분류한다.

하지만 이러한 판단 기준이 있다고 해도 심사위원의 주관적인 생각이 개입할 수 있기 때문에 종종 '고무줄 잣대'란 비판을 받는 등 논란이 많다. 연령 기준논란도 끊임없이 논란이 되고 있다. 최근에는 뮤직비디오 등급 분류와 관련해 해당 업계가 논쟁을 벌였는데, 관련업계는 등급 분류가 가요계 현실에 맞지 않는 구시대적 발상이며 표현의 자유를 제한한다고 반발하고 있다. 이에 대해서 영상물등급위원회는 '등급분류는 규제가 아닌 안내이며 청소년들이 올바르게 영상물을 관람할 수 있도록 내용정보를 제공하는 서비스'라고 맞서고 있다.

3. 영상물등급위원회

영상물등급위원회는 영화 및 비디오물의 진흥에 관한 법률 제71조에 의거, 영화·비디오물 및 공연물과 그 광고·선전물에 대한 윤리성 및 공공성을 확보하고 청소년을 보호하기위해 1999년 독립적 민간기구로 설립되었다. 영상물등급위원회 위원은 문화예술, 영상, 청소년, 법률, 교육, 언론, 비영리단체 등에서 종사하고 전문성과 경험이 있는 민간인 중에서 대한민국예술원회장의 추천에 의하여 문화체육관광부장관이 위촉하게 되어 있다.

영상물등급위원회는 위원장 및 부위원장을 임명이 아닌 호선을 통해 선출하고, 법적, 제도적 장치를 통해 등급분류 업무를 자율적, 독립적으로 수행하는 독립 위원회 성격을 유지하고 있다. 현재 영상물등급위원회는 과거 심의기관인 공연윤리위원회, 한국공연예술진흥협의회와 다른 기구로 영상물 수정, 삭제 등 일체의 '심의' 행위를 하지 않고 영상물에 대한 연령별 등급만 분류하고 있다. 또한 전문적이고 효율적인 영상물 등급 분류를 위해 각 분야별 소위원회를 구성하여 운영하고 있으며, 소위원회 위원은 공모를 통한 선발로 투명성과 객관성을 보장하고 있다. (《청소년 보호와 영상물 등급제》(김기태)에서)

4. 청소년 관람불가 판단 기준은?

청소년보호법*에서 밝힌 유해 판단 기준은 다음과 같다. "첫째, 청소년에게 성적인 욕구를 자극하는 선정적인 것이거나 음란한 것, 둘째, 청소년에게 폭력성이나 범죄의 충동을 일으킬 수 있는 것, 셋째, 성폭력을 포함한 각종 형태의 폭력 행사와 약물의 남용을 자극하거나 미화하는 것, 넷째, 청소년의 건전한 인격과 시민의식의 형성을 저해하는 반사회적·비윤리적인 것, 다섯째, 기타 청소년의 정신적·신체적 건강에 명백히 해를 끼칠 우려가 있는 것." 청소년 보호법은 기준을 적용할 때 일반적인 사회통념과 각각의 매체가 가진 특성을 동시에 고려해야 한다고 규정하고 있지만, 이럴 경우 판단하는 사람의 주관과 기성세대의 가치관이 반영될 수밖에 없지 않냐는 비판이 제기되고 있다.

---

* **청소년보호법**

청소년에게 유해한 매체물과 약물 등이 청소년에게 유통되는 것과 청소년이 유해한 업소에 출입하는 것 등을 규제하고 청소년을 유해한 환경으로부터 보호·구제함으로써 청소년이 건전한 인격체로 성장할 수 있도록 함을 목적으로 하며, 1997년 7월 1일 시행되었다

이후 일부 법 집행상 실효성 확보가 필요하거나 해석상 논란의 소지가 있는 부분 및 규정미비로 청소년보호 사각지대가 되어온 부분 등을 보완하기 위해 1999년 7월 1부터 개정 청소년 보호법이 시행되고 있다. 이때의 청소년은 만 19세 미만의 사람을 말한다.

5. 우리나라 법제도의 청소년 연령구분

일반적으로 청소년이라고 하면 대부분 10~19세를 말하긴 하지만 때에 따라서는 24세까지 범위를 넓혀 말하기도 한다. 청소년에 대한 기준은 각종 법률에서 정하고 있는데, 현행 법률에서는 청소년을 '미성년자, 청소년, 연소자'등 여러 명칭으로 부르고 있으며, 나이도 통일돼 있지 않아 혼란을 주기도 한다. 민법은 미성년자(만20세 미만), 소년법은 소년(만20세 미만), 청소년보호법은 청소년(만19세 미만), 근로기준법은 연소자(만18세 미만), 형법은 형사미성년자(만14세 미만)로 규정한다. 이런 혼란 때문에 청소년 연령 기준을 통일하자는 주장이 계속 나오고 있다.

6. 등급분류, 세분화 필요하다

현재 우리나라는 전체 관람가, 12세 이상가, 15세 이상가, 18세 이상가, 제한상영 등 다섯 단계로 영상물을 분류한다. 등급분류가 보다 세밀해질 필요가 있다는 비판이 많다. 어린이들과 청소년들에게 내용 정보를 제대로 서비스하기 위해서는 더 세분화해야 한다는 얘기다. 다른 나라의 경우와 비교해보자. 미국의 경우는 G[General], PG[Parental Guidance], PG-13, R[Restricted], NC17[No Children under 17]로 분류하고 있고, 영국의 경우에는 U[Universal], PG[Parental Guidance], 12(12A), 15, 18, R18[Restricted 18]로 분류한다. 독일은 0세 이상 상영가, 6세 이상 상영가, 12세 이상 상영가, 16세 이상 상영가, 청소년상영금지 등으로 구분하고 있다. 우리의 경우 0세부터 만 11세까지 전체관람가다. 이에 비해 독일은 훨씬 세분화되었음을 알 수 있다.

독일을 비롯해 영국, 미국, 호주 등에서는 아동의 생물학적인 성숙도를 고려해서 등급체계를 마련하고 있다. 등급분류가 청소년 보호를 위한 실질적 역할을 제대로 하기 위해서는 어린이와 청소년의 신체적, 정신적 발달 단계에 맞춰 더 세분화되어야 한다.

"등급제 필요"

1 폭력적이고 선정적인 장면은 청소년에게 악영향을 미치므로 규제해야 한다

책이나 잡지 등 출판물로 읽은 것은 쉽게 잊혀지는 반면 생동감 있는 영상매체는 오랫동안 기억에 남는다. 또한 출판물에 비해 영상물은 짧은 시간 동안 많은 사람들에게 전달할 수 있어서 파급력도 훨씬 크다. 폭력적이고 반인륜적인 내용을 담은 영상물은 당연히 사람들에게 큰 충격을 준다. 더구나 안정적이지 못하고, 일탈적이고, 예측하기 어려운 성장기 청소년에게는 이로 인한 폐해가 더 클 수밖에 없다. 뿐만 아니라 청소년들은 대중문화를 무비판적으로 수용하고 있다. 광적일 정도로 연예인들에 열광하고, 텔레비전 프로그램이나 대중음악에 지나치게 몰입한다. 이는 영상물의 영향력이 다른 세대에 비해 훨씬 크게 작용한다는 사실을 뒷받침해준다.

특히 폭력적이고 선정적인 영상물은 청소년들에게 직접적인 악영향을 미친다. 미성숙한 청소년들은 자극적이고 선정적인 장면을 보면 정서적으로 큰 충격을 받는다. 음란한 장면의 경우 더 그렇다. 처음 이와 같은 영상물을 보고 한동안 충격에서 벗어나지 못했다고 말하는 청소년들이 많다. 하지만 이처럼 선정적인 장면을 계속 보게 되면, 마치 그것이 일상적인 것인 양 수용하고, 이를 모방하고 싶다는 호기심에 사로잡히게 된다. 최근 급격히 늘고 있는 10대 성범죄나 탈선이 영상물의 선정성과 무관할 수 없는 이유다. 폭력적인 장면도 마찬가지다.

IT 기술혁신의 날개를 달고 수많은 영상물이 대량으로 쏟아져 나오고 있다. 특히 청소년들에게 악영향을 끼치는 반윤리적이고, 폭력적이며 음란한 내용들이 넘쳐나고 있는 실정이다. 청소년 보호법에 따라 불법적인 영상물을 규제하는 것은 국가의 당연한 의무이고, 나아가 영화, 비디오, 게임, 공연 등 합법적인 영상물에 대해서도 청소년들에게 유해한지를 판결해서 분류해야 한다.

2 영상물 등급제가 존재해야 청소년의 윤리의식이 올바르게 자랄 수 있다

영상물 등급제는 영상 작품을 어느 연령층이 보기 적합한지, 어느 연령층은 봐서는 안 되는지를 판단하여 연령별로 분류한다. 영상물의 내용을 심사해 그 내용이 유해할 수 있다고 여겨질 경우 일정한 연령층 이하의 관객들에 대해서는 배포를 제한하는 것이다. 이처럼 연령에 따라 상영을 제한하면 지나치게 폭력적이거나 선정적인 영상물로부터 청소년을 보호할 수 있다. 시청각을 표현수단으로 하는 영상물은 자극이나 충격이 매우 강하고 직접적이며, 이미 배포되어 수용되고 난 다음에는 이를 효율적으로 규제할 방법도 없다. 따라서 영상물 등급제는 유해 영상물의 무분별한 노출로부터 청소년을 보호하고, 건전한 사회윤리의식을 세우고, 국가사회의 건전성을 유지하기 위해서 꼭 필요한 조치다.

그런데 한편에서는 영상물 등급제를 두고 실효성이 없다고 주장한다. 가정에서 얼마든지 개인적으로 감상할 수 있는 방법이 많기 때문이라는 것이다. 텔레비전의 유료 영화보기뿐 아니라 다운로드를 통해 수많은 영상물에 접근 가능한 상황이지 않느냐는 주장이다. 하지만 규제가 있는 것과 없는 것은 어마어마한 차이가 있다. 규제란 내면의 도덕적 기준이 된다는 사실을 명심해야 한다. 18세 이상 관람가 영화를 보려고 할 때 느끼는 청소년들의 불편함, 불안감, 도덕적 죄의식은 이와 같은 규제가 가진 특성이다. 규제가 있기 때문에 청소년들은 유해한 영상물로부터 거리를 둘 수 있고, 자기 스스로 절제를 할 수 있는 것이다.

만일 영상물 관람 규제가 없다고 상상해보라. 성인을 대상으로 한 영상물들을 여과 없이 상영한다면 어떤 일들이 벌어질까? 청소년들에게 가해졌던 규제가 사라진다면, 악덕 상인들은 이를 상업적으로 악용해 호기심 많은 청소년들을 상대로 장사를 하게 될 것이다. 이는 청소년들이 유해영상물에 무분별하게 노출되는 결과를 낳으며, 청소년들의 정서에도 좋지 않은 영향을 미치게 된다. 영상물 등급제는 청소년을 유해 영상물로부터 보호하기 위해 꼭 필요하다.

"등급제 필요없어"

1 청소년도 영화와 현실을 구분하는 판단력이 있다

청소년은 성장기이므로 불완전하다고 말한다. 그렇다면 모든 성인은 성장이 완료되었고, 완전하다고 말할 수 있나. 성장 중에 있다고 해도 청소년은 독립된 인격을 갖춘 한 인격체로 인간에게 부여된 모든 권리를 소유하고 행사할 수 있다. 그런데도 사회는 청소년은 과도기에 있다며 단순히 '나이'라는 잣대로 그들의 권리를 제한하려 한다. 청소년도 각자 나름대로 기준을 갖고 있는 주체적인 인간이다. 따라서 대중문화를 선별하여 수용할 수 있다. 영화에서 폭력적인 장면이 나온다고 해서 이를 무분별하게 따라할 청소년들은 극소수에 불과하다. 영화와 현실을 구분하고, 영화를 영화로서 볼 줄 아는 정도의 판단력을 모두 가지고 있다.

또한 선정적인 음란물이 청소년의 탈선을 부추긴다는 주장에 대해서도 공감할 수 없다. 전문가 조사 내용을 보니, 음란물의 접촉이 충동을 일으키는 것과는 연관성이 있지만, 음란물의 접촉이 성적인 탈선이나 범죄로 이뤄지는 비율은 극히 낮게 나타나 별 연관이 없다고 한다. 뿐만 아니라 '선정성'이라는 기준 역시 모호해서 영상물을 심의하는 사람의 주관에 크게 좌우되어 신뢰성이 의심된다.

폭력적인 장면도 마찬가지다. '폭력성'이라는 기준도 지나치게 주관적이고 개인적인 취향에 따라 달라지기 때문에 일관성 있는 기준을 내놓기란 쉽지 않다. 이런 이유로 영상물 등급제가 '고무줄 잣대' 아니냐는 논란에 휩싸이는가 하면, 분류 기준에 일관성이 없어 사람들이 납득하고 공감하지 못하는 경우도 허다하다. 게다가 폭력장면이 모든 사람의 폭력성을 증가시키는 것은 아니다. 수용자의 자아 성숙도에 따라 큰 차이가 있다. 악영향이 꼭 청소년에게만 국한되는 것도 아니다. 자극적이고 폭력적인 영상물은 성인에게도 악영향을 줄 수 있으므로, 청소년 규제를 통해서 해결될 문제가 아닌 것이다. 사람들은 흔히 유해 영상물이 청소년 비행의 주된 원인이라 말하지만 그 근거를 찾기는 어렵다.

2 영상물 등급제는 표현의 자유를 억압하며 실효성이 없다

영상물 등급 기준은 주제와 선정성, 폭력성, 공포, 모방 위험 등 7개의 범주로 나뉜다. 특히 청소년 보호를 내세우며 선정성과 폭력성 등을 주요한 기준으로 삼는데, 이 기준에는 기성세대의 보수적인 윤리관이 개입해 있는 경우가 허다하며 일관성도 없다. 또한 작품의 맥락을 고려하지 않고 몇 장면만을 문제 삼아 청소년 관람을 제한하는 경우가 많고, 반대로 단순하게 특정 화면을 삭제하거나 축소해 청소년 관람 가능 등급으로 만드는 경우도 많다.

1989년부터 2003년까지 할리우드 메이저 영화사들이 제작한 영화의 등급과 수익을 조사한 결과, 전체 관람가 영화의 평균 수익이 18세 이상 관람가의 11배에 달한다는 결론이 나왔다. 당연히 제작자들은 성인등급을 받지 않기 위해 계획했던 표현 방법의 수위를 낮추거나 바꿀 수밖에 없게 된다. 영상물 등급제가 표현의 자유를 제한하는 것이다.

또한 지금과 같은 규제는 실효성이 없다. 대부분의 청소년들은 인터넷을 통해 18세 이상 관람가 영화를 얼마든지 접할 수 있다. 게다가 요즘 청소년들은 사회에서 관람을 규제하는 영상물보다 더 자극적이고 수위가 높은 영상물을 접한다. 또한 현실적으로 청소년들의 극장 출입을 제한하기도 어렵다. 신분증 검사도 허술하고, 워낙 발육상태가 좋아 조금만 꾸미면 성인인지 청소년인지 구분하기도 힘들기 때문이다.

이러한 상황에서 영상물 접근에 장벽을 쌓는 것이 어떤 의미가 있을까? 오히려 규제는 청소년들의 호기심을 자극하고, 반발심만을 불러일으킨다. 사람은 금지된 것에 더 큰 호기심과 욕망이 생기기 때문이다. 아무리 유해영상물에 대한 장벽을 튼튼하게 쌓아도 급변하는 미디어 환경 속에서 청소년들은 보다 능숙하게 허점을 공략하며 대처할 것이다. 규제를 고민하기 전에 이미 많은 청소년들이 유해영상물을 접하는 현실을 인정하고, 오히려 이들이 비판적으로 미디어를 수용할 수 있는 방안을 강구해야 한다.

토론해 봅시다

1. <다크나이트> <시계태엽오렌지> <택시 드라이버> 등 모방범죄 사태를 일으킨 영화들이 꽤 많습니다. 폭력적이고 선정적인 장면이 청소년 모방범죄와 탈선 등에 직접적인 영향을 준다는 주장에 대해 어떻게 생각하는지 토론해봅시다.

2. 영상물 등급제가 청소년 보호를 위해 필요한 제도인지, 과도한 규제인지 토론해봅시다.

실전 gogo

영상물 등급제가 실효성이 있는 제도인지 자신의 생각을 정리해봅시다. (300자)

광고, 새로운 예술로 봐야 하나

2003년 파리에서 시위대가 지하철의 모든 광고물을 페인트와 매직펜으로 닥치는 대로 더럽힌 사건이 있었다. 광고가 정신과 문화, 세상을 상품화하고 있으며, 공공의 공간을 훼손한다며 광고 반대운동을 펼친 것. 이들은 광고가 새로운 예술은커녕 모방에 불과한 반反문화라고 비판했다. 하지만 미디어 이론가 마셜 맥루한은 "광고는 20세기의 가장 위대한 예술 형식이다"라고 단언한다. 양쪽의 주장에 귀가 솔깃해진다. 광고를 예술에 포함할 수 있을까? 광고를 예술의 새로운 형태로 볼 수 있을까?

키워드로 읽는 논쟁

1. 광고, 너 누구니?

먼저 광고廣告의 한자어를 뜯어보면 '널리 알리다'라는 뜻이다. 영어 'advertising'은 라틴어 'advertere'에서 유래했다. 'advertere'는 '~으로 향하게 하다. 또는 '주의를 돌리다'라는 의미. 사람들의 주의를 돌려 무언가를 널리 알리는 행위를 광고라고 볼 수 있다. 광고의 기원은 문자가 발생했을 때로 거슬러가야 할 만큼 오래 전에 발견된다. 고대 이집트의 파피루스에서도 "도망간 노예 샘을 찾아주면 순금 반지를 드립니다"라는 광고 글귀를 찾아볼 수 있을 정도. 일반적으로 물물교환을 하거나 매매가 성사되려면 판매자가 구매자에게 자신의 의사를 전달하기 위해 활동하는데 이것이 광고의 원초적인 형태라고 할 수 있다.

광고의 사전적인 정의는 "광고주가 매체를 통해 의사전달을 하는 단방향 의사소통 방법이며, 광고를 접하는 수용자의 태도를 변화시키기 위한 목적을 가진 행위"이다. 쉽게 말하면 광고는 매체(미디어)를 이용해 사람들을 설득해서 어떤 물건이나 서비스를 구매하게 하거나, 어떤 생각이나 사상에 동조시켜 행동하도록 만드는 기술이다. 현대 소비사회로 진입하면서 광고는 눈부신 발전을 이루며 사회에 영향력을 행사하게 되었다.

2. 광고와 매스미디어

20세기는 명실상부 소비문화 시대였고 더불어 광고가 눈부시게 발전해 중요한 사회현상의 하나로 주목받게 되었다. 이처럼 광고가 성장한 데에는 매스미디어가 기여한 바가 크다. 광고는 보통 글과 이미지를 이용해 사람들을 설득하는 기술인데, 20세기 초반만 해도 신문, 잡지 같은 인쇄 미디어가 광고의 주류 매체였다. 그러다 20세기 중반 라디오, 텔레비전의 등장으로 광고의 파급력이 거세져 신문, 잡지, TV, 라디오, 사인보드 같은 전통적인 미디어에 버스, 지하철, 운동장, 빌딩, 주차장, 종이컵 등에 이르기까지 모든 것이 광고 미디어가 되는 시대가 되었다. 여기에 디지털과 통신기술의 발달로 미디어간의 융합과 진화가 가속화되면서 하루에도 수백 개의 광고에 노출되는 시대에 이르렀다.

이와 같은 매스미디어의 발달이 광고의 발달을 부추김에 따라 사람들을 설득해야 하는 광고는 점차 고도로 복잡하고 과학적이며 예술적인 활동으로 이어지게 되었고, 예술적 완성도가 높아진 광고가 늘어나면서 광고도 예술 영역에 포함시켜야 한다는 주장이 대두되었다.

3. 광고, 예술의 옷을 입다

예술을 정의하기란 어렵다. 아리스토텔레스의 주장에 기대 말하자면 예술은 인간 내면의 감정, 지식, 느낌, 의지 등을 글, 음악, 행동 등으로 표현하는 것인데, 이 표현이 다른 사람, 즉 수용자에게 영향을 미치는 미적 행위라고 할 수 있다. 하지만 아름다움 또한 저마다 다르게 느끼는 탓에 무엇이 예술적인가 정의하기란 매우 어렵다.

한편 창의적 아이디어가 필요한 광고인들은 영화, 문학, 미술, 음악, 무용 등 모든 예술 장르를 광고에 사용했다. 작품 자체를 모방하는 경우도 있었고, 다비드상에 리바이스 진을 입히는 등 조각과 회화를 이용하기도 했다. 광고는 본질적으로 예술과 친연성(친척으로 맺어진 인연과 같은 성향)이 있다고들 말한다. 광고가 예술을 차용한 역사는 길다.

1880년대 이미 토마스 배럿이 영국 빅토리아 시대 신중산층 사람들에게 페어스 비누를 판매하기 위해 밀레이의 회화를 과감히 사용해 고급 예술애호가를 경악시킨 적이 있었다. 그만큼 예술과 광고의 관계는 그만큼 밀접하다. 그러던 것이 20세기 전반 다다이즘의 도발이 시작되고 후반에 팝아트가 발전하면서 예술과 광고의 고전적인 경계가 무너지고 있는 상황이다.

4. 팝아트와 광고의 친연성

팝아트Popular Art(대중예술)는 광고가 예술의 영역으로 들어간 대표적인 경우다. 팝 아트는 신문 만화, 상업디자인, 영화의 스틸, TV 등 현대 대중문화에 등장한 이미지를 미술로 수용한 사조를 말한다. 팝아트는 1950년 초 리처드 해밀턴 등의 작가를 필두로 영국에서 시작했는데, 60년대 말에는 앤디 워홀, 키스 해링, 로이 릭턴스타인(리히텐슈타인), 클래스 올덴버그 등 뉴욕 팝아티스트의 활동이 두드러졌다. 팝아트가 태동한 50년대 후반, 60년대 초반은 서구 산업사회의 물질주의 문명이 황금기를 맞이했던 시기로, 산업사회에 대한 낙관적 분위기의 영향을 받았다.

"팝아트의 효시는 영국의 미술가 리처드 해밀턴이 1956년 발표한 〈오늘날의 가정을 그토록 색다르고 멋지게 만드는 것은 무엇인가?〉다. 해밀턴은 팝아트 속성을 열한 가지로 이야기하면서 팝아트가 대중적이고 소모적이고 저렴하고 대량생산이며 일시적이고 위트가 있고 교묘하고 화려하며 섹시하다고 말했다. 배리 호프먼은 팝아트에 대한 해밀턴의 이러한 진술은 마치 광고 기획자인 AE가 브랜드의 속성에 대해 묘사하는 방식과 매우 유사하다고 평하면서 팝아트와 광고의 태생적 친연성을 강조했다. 실제로 해밀턴 자신이 팝아트는 비속하고 조야한 상품의 세계와 화해를 추구한다고 하면서 광고와 예술의 효과는 서로 다른 것이 아니라고 주장했다."(《방송광고의 미학원리》 중)

5. 2003년 프랑스에서 벌어진 '광고 반대운동'

2003년 11월 28일 파리 12구 나시옹 광장에 50여 명의 사람들이 모여 광고 반대 운동을 펼쳤다.

광고반대주의자들의 모임인 'StoPub'은 광고 선전물에 낙서를 하며 광고반대 운동을 펼쳤는데, 이날은 세 번째 시위였다. 이들은 거리와 지하철의 광고물에 "광고는 건강에 해롭습니다"라는 낙서를 도배하다시피했다. 다음해 3월 10일, 파리 지방법원에서는 이들에 대한 재판이 열렸다. 파리 지하철과 버스를 통합 관리하는 파리교통공사RATP와 그 광고를 전담하는 회사 메트로뷔스가 지하철 광고 훼손 혐의를 둔 62명의 시민에게 92만 유로(약 13억 원)의 손해배상을 청구한 것. 하지만 이들 가운데 5명만 자신들이 고의로 광고를 훼손했다고 인정했고, 나머지 사람들은 우연히 그 자리에 있었을 뿐이라며 혐의를 부인했다.

한편 이날 방청석에는 '베네통 광고'로 명성이 자자한 이탈리아 사진작가 올리비에로 토스카니 등 광고 비판 세력으로 '전향'한 광고인들이 피고측 증인으로 출석해 눈길을 끌었다. 결국 법원은 50일의 심리 기간을 두고 판결을 미뤘다. 교통공사는 이에 앞서 파리 지하철 역내 40여개의 광고 게시판을 열흘간 비워 두면서 시민들이 자유롭게 표현할 수 있는 공간을 마련했다. 그러나 관련 시민단체들은 여론을 호도하기 위한 '연막작전'일 뿐이라며 더욱 근본적인 개선책을 요구하고 나섰다. (〈파리 젊은이들의 광고 반대운동〉(월간 중앙) 발췌 정리)

광고는 새로운 예술인가

"광고, 예술의 일종"

1 고급예술과 저급예술의 경계가 사라지는 현대사회에서 광고는 예술이다

고급예술을 지향하는 낡은 관념은 버려야 하며, 광고도 새로운 예술로 받아들여야 하는 시대다.

예술은 고급스럽고, 고차원적이고, 순수하고, 영원한 것이라고 말한다. 하지만 20세기 초중반 현대 소비사회로 오면서 예술에 대한 이러한 고정관념은 새로운 예술운동의 직격탄을 맞는다. 액션페인팅, 개념예술, 컴퓨터예술, 키치, 팝아트 등은 순수예술, 고급예술만이 고차원적이라는 가치의 서열화에 도전함으로써 예술권력을 무너뜨리고자 했고, 대량생산, 대량소비 사회의 현실과 화해하고자 했으며, 대중문화와 예술 사이의 경계를 허물어뜨렸다. 이들은 광고를 저급한 것, 조야한 것, 대중적인 것, 파생적인 것이 아닌, 당대 사회문화 현상을 투영하는 매체로 받아들였으므로 광고와 수많은 상호작용을 해왔다. 마샬 맥루한이 "광고는 20세기의 가장 위대한 예술 형식이다"라고 선언한 이유도 이런 맥락이다.

영국 화가 밀레이의 회화가 페어스 비누 광고에 쓰인 것은 1862년이었을 만큼 예술과 광고의 상호작용은 오래전부터 있어왔고 현재까지 계속되고 있다. 물론 과거에는 둘 사이의 경계가 분명했고 그 경계를 없애려 했던 많은 예술가들의 명성은 크게 손상되기도 했다.

그러나 현대에 오면서 팝아트의 대가 앤디 워홀과 키스 해링은 앱솔루트 보드카를 그려달라는 광고주의 청을 수용했다. 그들은 대량상품의 이미지를 받아들여 작품화했고, 그것을 통해 대상을 보는 새로운 방식을 사람들에게 제시하고자 했다. 워홀과 키스 해링이 그린 앱솔루트 보드카병은 예술인가, 광고인가? 광고이므로 예술이 아니라고 선뜻 대답하기 어려운 시대이며, 예술에 대한 시각이 변화해야 한다는 사실을 받아들여야 한다.

2 광고는 미적 즐거움을 주는 예술이며, 예술은 새로운 변화를 포용해야 한다

예술에 대한 견해는 사람마다 달라서 일치하기 어렵고, 무엇이 더 예술적인지 우열을 판가름할 기준도 없다. 예술을 보는 취향은 저마다 달라서 어떤 것이 한 사람에게 즐거움을 준다면 그 사람에게는 그것이 훌륭한 예술이 될 수 있다는 얘기다. 셰익스피어 문학이 훌륭한 예술작품이듯, 당대 사회문화의 한 지점을 잘 포착해 잘 만들어낸 광고도 충분히 미학적이며 따라서 예술이라고 할 수 있다.

몇 해 전 디디비 베를린DDB Berlin에서는 폴크스바겐의 친환경 5인승 차량 '더 폴로 블루모션' 광고에서 어셔와 마그리트의 초현실주의 스타일을 이용한 시리즈를 선보였다. 단순히 그림 기법만 차용한 것을 넘어 두 예술가의 전형적 스타일을 광고 차량의 콘셉트와 아름답게 조화시켜 독일의 예술 잡지에 게재돼 호평을 받았다. 팝아트적이고 키치적인 이 작업의 예술성을 예술계가 인정할 정도였다. 이미 광고와 예술은 서로를 향해 걸어오고 있다. 예술계가 엄숙함을 버리고 더 많은 사람들과 소통하려 한다. 광고계의 경우에는 놀라운 기술력, 새로운 테크놀로지를 이용한 기법 등 높은 미학적 성취로 이미 예술의 경지에 이르렀다.

현대의 광고는 일반적인 개념에서 출발해 새로운 것을 추구하는 예술의 속성을 실현하고 있으며, 제한된 조건 아래에서 최대한의 효과를 거두기 위한 종합예술로 손색이 없다. 예술은 언제나 변화하고, 늘 새로운 흐름을 반영하고 포용함으로써 진화를 거듭해오고 있다. 예술에 제한을 두어서는 안 된다. 어떤 것이든 예술이 될 수 있다.

3 광고가 상업적이기 때문에 예술이 아니라는 주장에는 동조할 수 없다

광고는 본질적으로 소비 욕구를 자극하는 상업적 목적이 있기 때문에 예술이 될 수 없다고 주장하는 사람들이 있다. 하지만 앱솔루트 보드카의 소비층이 아닌 열네 살 소녀가 성인이 될 때까지 잡지의 앱솔루트 보드카 광고 지면을 찢어서 소중하게 스크랩하는가 하면, 대학생들의 기숙사나 침실에 유행처럼 앱솔루트 광고 포스터가 붙어 있기도 하다. 이는 광고 본래의 목적과 무관하게 하나의 예술로서 수용자들에게 사랑받고 있다는 명백한 증거이다. 또한 광고는 창작 과정에서 충분히 미적인 성취를 일궈왔다. 칸느 광고제, 클리오 광고제 등이 열리는 것은 광고를 예술로 보는 흐름을 반영한 것이다. 따라서 현대 광고의 예술성을 무시하고 상술로만 치부하는 태도에는 문제가 있다.

그리고 예술은 돈과 무관한, 고고하고 창의적인 작업으로 추앙받고 있지만 사실은 예술 장르 역시 광고와 마찬가지로 대중들에게 알려지고 기억되기 위한 치열한 상업 경쟁을 하고 있다. 이는 꼭 현대에 와서만 그런 것이 아니다. 과거 고전주의 시대의 화가들 역시 궁정과 귀족이 원하는 작품을 창작함으로써 부와 명성을 얻어왔고, 바흐, 모차르트, 하이든 등 추앙받는 예술가들 역시 예술 작품을 팔아 돈을 벌기 위해 각고의 노력을 기울였다. 이처럼 예술과 자본은 뗄 수 없는 관계이다. 따라서 광고가 상업적인 목적이 있기 때문에 아무리 예술적 성취를 이뤘어도 예술이 될 수 없다고 말하는 것은 잘못된 주장이다.

"광고, 예술 아냐"

1 예술이라는 옷을 입은 광고 상품화 가속시킬 뿐

고급예술이 쥐고 있던 문화 권력에 대한 문제제기는 일면 타당성이 있으며, 모방과 패러디로 치부되던 장르가 예술로 자리매김하는 등 예술의 영역이 확장되고 있는 것도 사실이다. 특히 팝아트가 대량생산사회의 어두운 현실을 작품의 소재로 받아들여 재해석하고자 한 시도도 일정부분 받아들일 수 있다. 하지만 팝아트의 진정성에는 의구심이 들 뿐만 아니라 팝아트를 앞세워 광고를 예술의 한 갈래로 보아야 한다는 주장에는 무리가 있다.

현재 광고는 문화 혹은 예술이라는 옷을 입고 거리, 지하철 등 공공의 영역을 침범하고 있고, TV뿐만 아니라 건물과 물건들마저 장악하고 있다. 또한 미디어 파사드, 즉 대형 옥외광고는 행인의 시력에 악영향을 미칠 뿐 아니라 에너지 낭비를 유발하는데도 마치 하나의 문화나 예술처럼 비평되고 있는 실정이다. 더군다나 대대적인 광고물량을 쏟아내는 기업은 몇 백 몇 천 군데에 달한다. 이들의 상품 광고가 공공영역을 함부로 침범하여 문화와 정신의 상품화마저 가속화시키고 있다.

IT기술혁명에 따른 미디어의 진화로 광고물량이 어마어마한 상황이라 광고주들은 어떻게 해서든 사람들의 주목을 끌어 더 많은 상품을 팔기 위해 기업의 자본을 바탕으로 광고의 질을 높이고 있다. 그 결과 '예술 광고'가 생겨나고 있는데, 이는 자본과 상품의 논리가 교묘해진 결과일 뿐, 결코 예술은 아니다.

2 광고는 새로운 게 아니라 만들어진 이미지를 강제로 투여하는 것이므로 예술 아니다

사람들은 예술에서 쾌감과 즐거움을 얻길 기대한다. 하지만 쾌감이 결코 예술작품을 특징짓는 기준이 될 수는 없다. 따라서 예술에 대한 취향이 사람마다 다르므로 어떤 사람에게 즐거움을 준다면 훌륭한 예술이 될 수 있다는 생각은 지나친 단견이다. 예술이 추구하는 쾌락과 즐거움은 이와는 다른 차원의 것이다. 전쟁과 파시즘의 공포를 한 폭의 그림에 담은 피카소의 〈게르니카〉는 쾌감과는 근본적으로 성격이 다른 예술적 감동을 선사한다.

현대에 오면서 사람들은 손쉽게 오락을 즐긴다. 진지한 것을 외면하고 정신을 이완하기 위해 가벼운 즐거움을 추구하는 것이다. 광고를 예술로 받아들이자는 주장 또한 이러한 맥락에서 나온다. 물론 예술은 사회의 변화와 더불어 진화, 발전해야 한다. 하지만 그렇다고 제한 없이 모든 것을 예술로 받아들일 수는 없다. 예술의 중심축은 자유와 창조정신이며, 예술적 감수성은 현실을 새로운 방식으로 보고 느낄 수 있도록 도와줘야 한다.

우리는 알게 모르게 사회에 널리 퍼져 있는 관점으로부터 큰 영향을 받는다. 영화와 광고, 잡지 등은 이미 있는 수많은 이미지를 매일매일 유포한다. 그 중에서도 광고는 특히 현실에 대한 새로운 생각이나 판단을 유보시키고 아무 문제의식 없이 주어진 대로 보게 만든다. 광고가 미적일 수 있다. 하지만 그렇다고 해도 광고의 역할은 유행을 조장해 소비를 부추기는 상업적인 부산물일 뿐이다. 그러므로 예술에는 어떠한 제한도 둬서는 안 된다는 사실을 내세워, 광고를 새로운 시대의 예술인 양 주장하는 것은 절대로 받아들일 수 없다.

3 예술적 성취가 높아도 광고의 본질은 소비자를 현혹하는 것일뿐

물론 예술작품에 버금가는 잘 만들어진 광고가 존재한다. 그러나 그 목적이 소비자를 유혹해 상품 구매로 유도하기 위한 것이라는 사실에는 변함이 없다. 광고는 절대로 예술일 수 없다. 광고는 상품 판매를 위한다는 목적성이 뚜렷할뿐더러 정보 전달 기능, 경제적 기능을 하기 때문에 예술이 아닌 판촉행위이다. 마케팅 조사를 기초로 소비자의 기호에 맞춘 광고와 경제적 이익에 구애받지 않는 예술작품 사이에는 분명한 차이가 있다.

광고는 상업적 이익이 목적이고, 예술은 외부의 상황과 무관하게 예술가 자신의 본질적인 내면을 표현하는 것이 목표다. 광고가 예술이 될 수 없는 이유는 바로 여기에 있다. 종종 광고계 종사 중 작업의 한계를 깨달음과 동시에 표현의 자유와 욕구가 억압되고 있음을 절실히 느끼고 광고계를 떠나 예술 작업으로 방향을 선회하는 사람이 나오는 경우도 이 때문이다.

광고의 궁극적 목표는 특정한 상품을 소비자에게 파는 것이다. 몇몇 광고들의 예술적 성취가 꽤 수준 높은 경우가 있지만, 그것 역시 기업과 상품의 이미지를 높이기 위한 것이요, 매체의 다변화로 광고의 주목도가 떨어지는 것에 대한 자구책에 불과하다. 기업은 결코 소비자 대중에게 예술적 감동을 주기 위해 막대한 돈을 들여가며 광고를 하는 것이 아니다. 광고의 동기 자체가 지극히 상업적이기 때문에 그 표현방식도 상업적일 수밖에 없다. 아무리 뛰어난 미적 성취를 이뤘다고 해도 소비자를 현혹시키기 위한 광고를 예술의 영역에 포함시킬 수는 없다. 예술 본연의 무목적성과 순수성을 갖고 있지 않기 때문이다.

토론해 봅시다

1. 상업적인 목적을 가진 것은 예술이 아니라는 견해에 대해서 여러분은 어떻게 생각하시요? 자신의 주장을 펼쳐봅시다.

2. 현대사회의 광고가 지금의 사회현상을 새로운 시각으로 보게 한다는 견해와 광고가 획일적 소비문화만을 조장한다는 견해가 서로 맞섭니다. 여러분의 생각은?

실전 gogo

현대사회의 광고를 새로운 예술로 봐야 하는지, 아니면 예술이 아니라고 봐야 하는지 자신의 견해를 정하고 근거를 들어 논술하시오. (500자 이내)

디지털 시대의 패러디, 창조적 비판인가 뒤틀린 조롱인가

패러디의 역사는 유구하다. 패러디는 단순히 다른 작품을 모방하는 게 아니라 작품을 정밀하게 분석해 작품 자체의 문제점을 드러내고 새로운 작품으로 창조해내는 행위이다. 디지털 시대를 맞이해 패러디가 전성기를 맞고 있다. 디지털 복제로 어떤 작품을 뒤틀기와 비꼬기가 아주 쉬워졌다. 하지만 통찰적인 비판을 담은 생산적인 패러디만큼이나 재미만을 좇는 엽기적인 패러디도 넘쳐난다. 디지털 시대, 패러디 문화를 어떻게 봐야 할지 숙고해보자.

키워드로 읽는 논쟁

1. 패러디, 패러디의 요건

패러디parody는 다른 노래에 병행하는 노래란 뜻의 그리스어 파로데이아에서 유래했다. 패러디는 단순히 다른 작품을 모방하는 것이 아니라 작품을 정밀하게 분석해 그 작품의 문제점을 폭로하는 것으로, 현재는 원작이나 대상을 변형하거나 과장해 원본의 허구성을 폭로하거나 원작을 비판적인 시각으로 새롭게 보도록 유도하는 표현형식을 말한다.

일반적으로 패러디의 성립요건은 다섯 가지다. 1. 패러디화된 원저작물이 존재해야 한다. 2. 특정한 원저작물을 '이용'해야 한다. 3. 그 이용방법이 원저작물을 비꼬아서 익살스럽게 또는 우습게 바꾸는 것이어야 한다. 이 경우 패러디의 목표는 풍자적 비판이다. 4. 대상이 되는 원저작물이 공표되어 있고, 가급적 널리 알려져 있어야 한다. 5. 원저작물에 의거하고 있기는 하지만 원저작물이 갖는 창작성과는 다른 창작성을 갖춰야 한다.

2. 패러디의 역사

패러디는 오래된 예술 양식이다. 기원전 4세기까지는 서사시 작품에 대한 코믹한 모방과 변형을 지칭하는 용어로 사용되다가 아리스토텔레스와 스콜라학파 학자들이 문학에서 코믹한 인용이나 모방의 여러 형태를 지칭하는 말로 확대해서 사용하기에 이른 것. 패러디가 성행한 것은 18세기 이후 영국, 프랑스 등 유럽에서였고 이후 음악, 미술, 연극 등 다양한 예술영역으로 확산되었다. 현대에 와서 영화, 드라마 같은 대중예술에 널리 활용되어왔으며, 디지털 시대에 접어들면서 그야말로 패러디 전성시대가 도래했다. 디지털 복제를 통해 원본의 형식을 가져다 뒤틀어 비꼬기가 한결 쉬워진 탓이다. 따라서 지금은 누구나 디지털 콘텐츠를 쉽게 선택해서 다르게 배열함으로써 특정한 대상을 조롱하거나 비판할 수 있게 되었다. 하지만 누구나 손쉽게 패러디를 생산할 수 있게 되자 한편으로는 생산적인 패러디의 창의성을 잃은, 극단적으로 재미만을 추구하는 엽기적 성향의 패러디가 출몰, 오히려 허무주의 혹은 허위의식을 조장하기도 한다.

3. 샤반과 로트레크의 <신성한 숲>

예술사에서 패러디의 성격을 보여주는 유명한 일화가 있는데 샤반(1824~1898)의 원본에 대한 로트레크의 패러디다. 당시 주류 화가로 맹활약 중이던 샤반은 1884년 살롱 전에 〈신성한 숲〉을 출품해 주목을 끌었다. 하지만 로트레크는 샤반의 작품이 주목받는 것이 영 마땅치 않았고, 즉시 아틀리에로 들어가 이틀 만에 〈퓌비 드 샤반의 '신성한 숲'에 대한 패러디〉라는 직설적인 제목의 그림을 완성했다. 샤반의 작품과 달리 로트레크의 작품에는 여신들과 함께 온갖 사람들이 더불어 노닐고 있다. 압권은 그들 무리의 맨 앞, 뒤돌아서 있는 작은 키의 한 사내다. 그는 절름발이 난장이였던 로트레크였다. 로트레크의 패러디는 오늘날 다른 사람의 작품을 적당히 모방하거나 왜곡해 패러디했다고 주장하는 일들이 얼마나 허무맹랑한 일인지 일깨워주며, 진정으로 창조적인 패러디란 무엇인지 보여주는 재미있는 사례다.

4. 패러디와 패스티쉬, 그리고 표절, 오마주, 리메이크

패러디는 원작의 일부를 단순 인용, 모방하는 것과 달리, 원작을 비틀고 원본이 지닌 권위를 허무는 등의 목적이 있고, 그 표현 양상 역시 목적에 따라 원본을 변형시키거나 훼손하는 방식으로 이루어진다. 따라서 타인의 저작물을 마치 자신의 것인 양 표현하는 표절과는 차이가 있다. 한편 패스티쉬란 원작을 거의 변형이 없이 그대로 차용하는 것으로, 패러디가 상이성을 모방하는 것과 달리 유사성을 모방하여 전략적인 담론효과를 얻으려 하는 것을 말한다. 우리나라에서는 이재수란 가수가 서태지와 아이들의 '컴백홈'을 패러디해서 '컴배콤'이란 곡을 발표해서 화제가 된 적이 있는데, 법적 공방에서 이재수가 패소했다. 이재수는 서태지를 패러디도 모르는 문화대통령이라고 했지만, 이는 패러디와 패스티쉬를 구별하지 못해 일어난 사건이라고 볼 수 있다.

또한 패러디와 유사한 것으로는 오마주와 리메이크가 있는데, 오마주는 영화에서 존경의 표시로 다른 감독의 작품 중 일부 장면이나 대사를 인용하는 것이고, 리메이크는 예전에 있던 영화, 음악, 드라마 등을 현대적인 감각으로 재해석하는 것으로, 패러디와는 다르다.

"패러디는 새로운 창조"

1 패러디는 원본을 재창조하는 긍정적인 활동이다

패러디는 분명 원본을 참조하지만 그대로 모방하지는 않는다. 그대로 모방하는 작업은 가치 없는 행위일 뿐이며, 표절이나 원본의 권위에 기댄 패스티쉬에 불과하다. 패러디에 대한 정의에서 보듯, 패러디는 단순히 원본의 모방이 아닌, 원본을 정밀하게 분석해 그 작품의 문제점을 폭로하는 것으로, 비판적인 시각으로 대상을 새롭게 보도록 유도하는 표현형식을 말한다. 다시 말해 패러디는 근본적으로 가치에 대한 탐구이다. 원본의 허위와 위선을 폭로하고 비판하면서 새로운 가치를 만들어 내기 때문이다. 서구 중심의 문명의 위대함을 다룬 《로빈슨 크루소》를 미셸 투르니에는 《방드르디, 태평양의 끝》*이라는 작품으로 패러디해 근대적 합리성을 비판했다. 이것이 바로 패러디의 힘이다. 패러디의 역사가 그토록 오래된 이유이기도 하다. 더구나 본래 하나의 작품이란 독자적으로 존재하는 것이 아니다. 그것들은 세계 속에서 상호 연결되어 있으며 끊임없이 해석되고 창조되고, 창조한다.

뿐만 아니라 독자가 느끼는 예술적 감흥이란 아름다움, 슬픔 등에만 국한되는 것이 아니다. 폭로와 풍자, 해학, 익살, 날카로운 비판 속에서 느낄 수 있는 통쾌함 등도 모두 예술적 감흥의 영역이다. 인용과 모방의 한계를 뛰어넘는 패러디는 보는 이로 하여금 예술적 감흥을 불러일으키기에 충분하다. 다른 작품에서 얻은 심미적 체험을 통해 성공적인 패러디 작품을 만들어 내는 것은 창조적이고 생산적인 예술 활동이라 볼 수 있다.

2 디지털 시대의 패러디는 예술장르의 패러디와 근본적으로 다르지 않다

디지털 복제는 분명 원본을 차용해 뒤틀고 비꼬아 알기 쉽게 일상에 대한 구체적인 통찰력을 일깨워준다. 누구나 패러디를 간단하게 제작하고 인터넷을 통해 널리 퍼뜨릴 수 있다. 일각에서는 현재 인터넷상을 달구는 패러디물이 예술장르의 패러디와 달리 오락적이고 의미 없는 것이라고 단정한다. 하지만 지금 창작된 이러한 패러디물 역시 패러디의 근본적인 가치나 역할에서 크게 벗어나 있지 않다. 일례로 첨예한 쟁점이 나타날 때마다 등장하는 영화 포스터 패러디물을 살펴보자. 네티즌들은 영화 포스터를 변형해 새로운 의미의 작품을 만들어낸다. 어떤 영화 포스터를 선정하고, 어떻게 문구를 바꾸느냐에 따라 그 패러디물의 의미는 확연히 달라진다. 이처럼 원작을 이용해 전혀 다른 메시지를 전달하고 나아가 정치, 사회 문제를 적나라하게 풍자하는 패러디물은 분명히 창작행위로 볼 수 있다.

다빈치의 〈모나리자〉 복제품에 수염 몇 개를 그려 놓은 뒤샹의 작품에 대해

---

*《방드르디, 태평양의 끝》**

"순전히 철학적인 나의 화제는 (대니얼 디포와는) 전혀 다른 방향이었다. 내가 관심을 가진 것은 어떤 발전 단계에 있어서 두 가지 문명(로빈슨으로 대표되는 유럽의 기독교/방드르디로 대표되는 제3세계)의 만남이라기보다는 비인간적인 고독으로 인하여 한 인간의 존재와 삶이 마모되고 바탕으로부터 발가벗겨짐으로써 그가 지녔던 일체의 문명적 요소가 깎여나가는 과정과 그 근원적 싹쓸이 위에서 창조되는 전혀 새로운 세계를 그렸다."
투르니에가 말한 작품의 주제다. 《방드르디, 태평양의 끝》은 프랑스 작가 미셸 투르니에가 20세기에 다시 쓴 '로빈슨 크루소'다. 영국 작가 대니얼 디포는 《로빈슨 크루소》에서 근대적 이성을 갖춘 백인 선원 로빈슨이 야만의 세계 무인도에 기독교 정신을 토대로 한 산업사회를 얼마나 훌륭하게 창조했는지 리얼하게 그려나갔다. 하지만 디포의 로빈슨이 만든 사회는 식민제국주의라는 불행한 결과로 나아갈 수밖에 없는 치명적 약점을 안고 있다. 투르니에는 디포의 《로빈슨 크루소》를 패러디한 이 소설에서 근대 '문명'을 전복한 자유로운 신인류 방드르디(프라이데이)를 창조, 새롭고 창의적인 탈근대적 가치와 세계가 무엇인지 보여준다.

누구도 유치하고 조악하다고 비난하지 않는다. 디지털 시대의 인터넷 패러디물도 마찬가지다. 엽기적인 놀이행위나 가벼운 웃음거리로 전락하는 경우가 어느 정도 있다고 해서 패러디 자체의 신랄한 비판능력, 신선함을 갖춘 디지털 패러디를 가치 없다고 판단할 수는 없다. 패러디는 당대 사회에 대한 비판을 통해 시대의 현실과 자신의 처지를 새롭게 각성시키는 힘이 있다.

3 패러디에 대한 규제는 사라져야 한다

패러디는 문화적 다양성을 확장하고 원저작물에 대한 새로운 시각을 일깨우며 궁극적으로 문화의 발전에 이바지한다. 게다가 지금처럼 누구나 쉽게 패러디를 접할 수 있는 환경에서는 다양한 문화를 만들어내는 힘이 될 수 있다. 패러디가 이처럼 창조적 비판정신을 담고 있으므로 우리는 패러디의 긍정적 힘을 키우기 위해서라도 표현의 자유를 적극 보장해야 한다.

2011년 '주요 20개국 수뇌들의 홍보용 포스터'의 청사초롱 손잡이에 쥐 그림을 그려 넣었던 사람이 200만원 벌금형을 선고받은 적이 있다. 이러한 규제가 과연 타당한가. 패러디물에 대해 인격모독이나 명예훼손 같은 법적 책임을 묻는 일이 급격히 늘고 있다.

1988년 미국의 허슬러 사건은 우리에게 많은 시사점을 던져준다. 미국 대법원은 공인에 대한 패러디가 아무리 혐오스럽다 해도 공인을 패러디할 수 있는 권리는 보호되어야 한다고 만장일치로 판결했다. 패러디의 문화·예술적 속성을 인정하고, 패러디 표현 방식에 어떤 성역이나 금기사항도 없음을 확인한 것이다. 물론 패러디 기법이 일부 몰지각한 사람들에 의해 악용될 가능성이 없지 않다. 하지만 진정한 비판정신과 풍자를 보여주지 못하는, 패러디물로서의 자격을 갖추지 못한 작품들은 대중의 외면을 받고 결국 자연 도태될 것이다. 그러므로 패러디물에 대한 과도한 규제는 필요 없다.

"모방을 통한 조롱과 모독"

1 패러디는 엽기와 허위의식을 드러낼 뿐 비창조적인 활동이다

패러디는 아무리 원본에 변형을 가했다 해도 다른 창작품을 모방했다는 한계에서 벗어날 수 없다. 오스카 와일드는 "예술은 모방이 끝나는 곳에서 시작된다"고 말한 바 있다. 물론 모방과 체험이 예술 활동에 자극을 주는 것은 사실이지만, 자체가 창조활동은 아니다. 예술에서 창의성은 매우 큰 비중을 차지한다는 것은 누구나 아는 사실이다. 샤반의 그림을 패러디한 로트레크, 《로빈슨 크루소》를 패러디한 《방드르디》 같은 작품은 창조적 행위라고 할 수 있다. 하지만 과거의 패러디 영역이 확대되어 오늘날에 오면서 비판적 통찰의 힘은 사라지고 얄팍한 유희만 남아 있는 경우가 많다.

더군다나 원본의 권위를 훼손하고자 하는 악의적 의도는 패러디를 긍정적 창작활동이라 부르기 힘들게 하는 또 다른 요인이다. 실제로 대다수 패러디물은 대상의 이면을 통찰하고 비판적 시각으로 뒤집어본다는 애초의 패러디 목적을 상실한 채 방법만 차용해 조롱 및 모독을 하거나 엽기적인 장난에 그치는 경우가 많다. 이와 같은 상황을 보면 유희와 오락의 영역에 안주하게 되는 것이 패러디의 속성으로 보인다. 따라서 패러디는 원본에 대한 조롱과 야유를 통해 순간적인 쾌감을 추구하는 비창조적 행위이다.

2 디지털 시대의 인터넷 패러디물은 예술작품의 패러디와는 근본적으로 다르다

현재 인터넷이나 대중매체를 통해 퍼지고 있는 패러디물의 현실을 보면 도저히 이를 창조적인 행위로 간주하기 어렵다. 일례로 인터넷 정치 패러디를 보자. 인터넷에 만연한 패러디의 대부분은 즉각적이고 유희적인 것으로 넘쳐난다. 비판적인 패러디는 공적인 대상의 꽁무니만을 좇는 게 아니다. 생산적인 통찰이 뒤따라야 한다. 하지만 네티즌을 비롯한 대중들은 패러디를 유행에 따라 손쉽게 만들어 퍼뜨리고 있다. 한편 패러디는 마약처럼 중독성이 강해서 점점 더 자극적으로 패러디를 만들어 극단적이고 엽기적인 패러디 형식이 나타나고 있다. 이런 패러디물에서는 예술이나 창조에 가까운 어떠한 진정성이나 열정도 찾아볼 수 없다. 또한 이 조악한 패러디물은 기존 작품을 약간만 수정해서 만들기 때문에 새로운 것을 창조했다고 보기 힘들 정도다.

뿐만 아니라 현대의 패러디는 상업성과 손을 잡으면서 더 큰 문제를 낳고 있다. 특히 유명한 영화 제목을 패러디한 에로 영화나, 광고물 등은 상업적인 동기만이 앙상하게 드러나는 대표적인 사례이다. 따라서 이러한 패러디물은 예술작품의 패러디와 구분하여 그 기법만을 차용한 저급한 문화행위라고 보는 것이 적절하다. 게다가 인터넷 패러디물은 타인을 비방하는 것을 주된 목적으로 삼고 있는 경우가 많아 진정성을 의심할 수밖에 없다.

3 사회에 대한 혐오, 극단적인 조롱을 담은 패러디는 규제해야 한다

십분 양보해서 질 낮은 패러디의 양산에도 불구하고 패러디가 지닌 본래의 긍정성이나 예술적 속성을 인정한다고 하자. 그렇다고 해도 패러디에 대한 일정한 규제는 불가피하다. 무엇보다 패러디를 무분별하게 양산하고 무차별적으로 확산한다면 원저작자에 피해를 줄 수 있을 뿐만 아니라 정치적 행위로 변질해 특정인에 대한 조롱과 모독으로 이어질 수 있기 때문이다.

2011년 G20 홍보용 포스터의 패러디에 대해 검찰이 벌금형을 선고한 이유는 분명하다. 표현의 자유는 헌법상 기본권이지만 무제한적으로 허용될 수 없으며, 공공물인 G20 포스터에 낙서한 것은 창작과 표현의 자유를 넘어 형법에서 금지하는 행위이기 때문이다. 또한 인터넷 패러디물의 경우 정치인 누드 패러디 사건처럼 표현의 자유를 빌미로 악의적으로 누군가의 명예를 훼손할 수 있으며, 이는 일종의 폭력으로 작용해 한 사람을 마녀사냥할 수도 있다. 표현의 자유도 중요하지만 그것이 다른 사람의 기본권을 침해한다면 당연히 규제가 필요하다. 특히 범죄를 조장하거나 인종적, 경멸적 언사로 뒤범벅된 패러디물은 제한되어야 한다.

플러스 상식 [+]

현대 패러디 열풍의 또 다른 문제

패러디는 필연적으로 원저작물을 변형하게 된다. 따라서 원저작자는 자신의 창작물이 마구 비틀어지는 것에 대해 저작권법상의 권리를 내세워 방어할 수 있다. 이런 이유로 패러디 작가와 원저작자 사이에 분쟁이 생길 수 있다. 이외에도 패러디는 명예훼손 문제를 낳는다. 인터넷 정치 패러디의 경우 특정 정치인을 희화화하는데 조롱이나 멸시를 목적으로 할 경우 명예훼손으로 고발당하기도 한다. 한편 선거기간에 정치 패러디물을 만들어 인터넷에 올리는 행위는 선거법 위반이라는 판결에 따라 패러디 작가와 운영자가 법적인 제재를 받는 일도 있었다. 이에 대해 패러디물이 선거에 영향을 미치는 의도가 분명하므로 처벌이 당연하다는 시각과 지나친 판결이라는 비판이 맞서기도 했다.

토론해 봅시다

1. 패러디를 원본을 토대로 하는 새로운 창작활동으로 보아야 할까요, 아니면 원본을 모방해 조롱하고 모독하는 표절행위로 봐야 할까요? 서로 다른 입장에 서서 토론해봅시다.

2. 네티즌 사이에서 디지털 작품 제작이 확산되면서 동영상 패러디물도 확산되고 있습니다. 대중이 생산하는 동영상 패러디의 경우 예술작품의 패러디와 어떤 차이가 있는지 생각하고 말해봅시다.

실전 gogo

선거기간이 오면 각종 패러디물에 대한 규제가 논란이 됩니다. 또한 명예훼손 등의 이유로 패러디를 규제해야 한다는 목소리가 높습니다. 이런 정치적 패러디의 규제에 대해 찬성하는지 반대하는지 자신의 입장을 세워 논술해봅시다. (500자)

다중이용시설의 음원 사용, 저작권료 내야 하나

레스토랑, 헬스클럽에 가면 음악이 흘러나온다. 음원을 사서 재생 목록을 만들어 틀어놓는 경우가 대부분이다. 결제는 개인이 하고, 음원은 매장에서 상업용으로 재생하는 것. 이 경우 과연 저작권법에 저촉될까? 물론이다. 법적으로 카페, 호프집, 헬스클럽 등 점포에서 음악을 틀 경우 반드시 저작권료를 지불해야 한다.
2017년 '저작권법 시행령' 개정안이 국무회의를 통과, 2018년 시행을 앞두고 있다. 개정안 내용과 저작권법에 대해 살펴보고 소형매장에서 음악을 트는 것이 저작권 침해행위인지 고민해보자.

키워드로 읽는 논쟁

1. 저작권법과 2017 저작권 시행령 개정안

저작권이란 '영화·음악·사진·그림·서적 등 창작물을 만든 사람(저작자)이 자신의 저작물에 대해 가지는 법적 권리로, 저작권의 목적은 저작자의 권리를 보호하여 문화를 발전시키기 위한 것이다. 현재 시행되고 있는 국내 저작권법은 2006년 12월 전문 개정된 후 2009년 4월 일부 개정을 통해 완성되었다.

현행 저작권법은 과거에 비해 규제를 강화하는 방향으로 개정되었는데, 그 이유는 인터넷과 디지털 기술의 발달과 관련이 있다. 이전까지는 저작권에 대한 관심이 미미했고, 원본과 복제본의 질적 차이가 확연했다. 하지만 디지털화가 진행되며 둘의 차이가 없어지고, 인터넷을 통해 일순간에 전 세계에 배포하는 것이 가능해지면서 저작권에 대한 인식이 높아졌다. 또한 음악, 영상을 비롯한 국내 문화 콘텐츠 분야에서 불법저작물로 인한 피해액이 커 저작권 침해 논란이 갈수록 첨예해지고 있다.

이를 반영해 2017년 8월 16일 '저작권법 시행령' 개정안이 국무회의를 통과했다. 이번에 '저작권법 시행령' 개정안에 통과됨에 따라 앞으로 커피 전문점, 생맥주 전문점, 체력단련장 등에서 배경음악으로 사용하기 위해 상업용 음반을 재생하는 경우, 음악 저작재산권자가 공연권 행사를 통해 정당한 보상을 받는 것이 가능해진다. 이 시행령 개정안은 공포 1년 후부터 시행될 예정이다. 그동안에는 단란·유흥주점, 대형마트·백화점 등에서의 공연에만 저작재산권자의 이용을 허락했는데, 이 규정이 공연권을 원칙적으로 인정하고 있는 해외 입법례에 비추어 한국 저작재산권자의 공연권 범위를 지나치게 제한하고 있다는 지적이 있었다. 이에 따라 음악 사용률이 높고 영업에서 음악 중요도가 높은 커피 전문점, 생맥주 전문점, 체력단련장 등을 추가로 공연권 행사 범위로 포함하고, 대규모점포(면적 3000㎡ 이상) 중 기존 대상에서 제외되었던 '복합쇼핑몰' 및 '그 밖의 대규모점포'를 추가 포함했다. 전통시장은 제외한다.

2. 복잡한 음악저작권

음악저작권이란 일정 기간 동안 음악 저작자가 자신이 창작한 음악을 독점적으로 사용할 수 있게 하는 권리다. 그런데 음악과 관련한 저작권 해석은 매우 복잡하다. 가사를 쓴 작사가, 곡을 만든 작곡가, 노래를 부른 가수, 악기를 연주한 연주가, CD나 MP3형식으로 음악 저장물을 제작한 프로듀서가 각각 독립된 저작권을 갖는다. 또한 2차적 저작권이라 불리는 복제권, 공연권, 전송권, 방송권, 전시권, 배포권, 대여권 같은 권리도 존재하는데 저작권자의 허가 없이 음악을 다운로드 해 저장매체에 담는 행위는 복제권, 스트리밍 음악을 허가 없이 사용하는 것은 전송권, 음악을 매장에서 임의로 재생하는 것은 공연권을 위반하는 행위다.

자신이 구입한 음악 CD 또는 인터넷에서 합법적으로 지불하고 다운로드 한 MP3 형태의 음악도 저작권자의 허가 없이 공공 장소에서 재생하는 것은 저작권법 위반이다. 그 이유는 저작권자의 권리에 '공중실연public performance' 또는 '공중통신public communication'* 행위가 포함되기 때문이다.

---

* **공중실연과 공중통신**

공중실연의 범위는 라이브로 해당 음악을 공연하는 것 외에도 상업적인 장소에서 음악을 트는 행위, 예를 들어, 사무실, 호텔, 클럽, 레스토랑, 카페, 가게, 병원, 미용실 등에서 배경음악으로 사용하는 행위를 모두 포함한다.

공중통신은 저작권의 보호를 받는 음악이 전자적인 방법으로 사용되는 행위를 가리키는 데, 주로 인터넷으로 해당 음악을 업로드하거나 이메일로 전송, 스트리밍(streaming), 웹사이트의 배경음악으로 사용하거나 전화 대기음에 사용하는 행위 등을 포함한다. 이런 경우 모두 저작권자의 허가없이 무단으로 음악을 사용하면 저작권법 위반에 해당한다.

3. 스타벅스의 매장 배경음악에 대한 저작권 논란

한국음악저작권협회**는 2008년 스타벅스가 'Bring it on home to me'나 'My girl' 등을 한국 내 공연권자인 협회의 허락 없이 매장에 튼 것이 저작권을 침해하는 행위라며 소송을 냈다. 이에 1심은 스타벅스측의 손을 들어줬지만, 2심에서는 저작권 협회측의 손을 들어줬다. 2012년 최종적으로 대법원에서 원고 일부 승소 판결이 내려졌다. 재판부는 저작권법은 '판매용 음반'의 경우 저작권자의 공연권을 제한해 공중을 대상으로 재생할 수 있게 되어 있지만, 스타벅스측의 매장 배경 음악용 CD는 '판매용 음반'이 아니어서 저작권을 침해한다고 밝혔다. 문제의 CD는 스타벅스 본사의 주문에 따라 세계 각국의 스타벅스 지사에 공급하기 위해 제작된 것으로 '판매용 음반'에 해당하지 않는다는 것이다. 이 판결의 영향으로 현재 음악저작권단체에서는 소형 매장의 배경음악에 대해서도 저작권료를 요구해 논란이 되었다.

4. 소형 매장의 배경 음악에 저작권료, 어떻게 되었나?

현행 저작권법에 따르면, 소형 매장의 영업장에서 배경음악을 틀어도 저작권료는 지급되지 않는다. 저작권법 제29조 제2항에 따르면 상업용 음반·영상저작물을 반대급부(입장료 등)를 받지 않고 공연할 경우에는 저작권을 행사하지 못하도록 제한하고 있고, 시행령 제11조(단란·유흥주점, 마트·백화점 등)에서 규정한 시설에 한해서만 권리를 행사할 수 있도록 허용하고 있다. 하지만 이러한 조항이 저작권자의 권리를 제한한다는 비판에 따라 2017년 개정안을 발표했고 관계부처와

＊＊한국음악저작권협회(음저협)

작곡자와 작사자, 편곡자의 권리를 관리하는 비영리단체. 방송에서 조용필의 '바운스'가 쓰이고, 벅스나 소리바다에서 유료 다운로드나 스트리밍 서비스를 제공하면 그 수익을 저작권자에게 돌려주는 게 음저협 역할 중 하나이다. 음저협은 이 일을 1988년부터 해왔다. 현재 소속 회원은 1만명이 넘고, 한 해 거두는 저작권료는 1100억원으로, 최근 문체부는 음저협과 같은 일을 하는 단체를 하나 더 두겠다고 밝혔다.

이해 관계자 논의와 관련 심사를 거쳐 최종 확정될 예정이다. 개정안에 따르면 커피숍, 헬스클럽 등 음악 사용량이 많은 시설들에서는 저작권료를 내게 된다. 단, 소규모 영업장의 부담이 커질 것을 우려해 △소규모 영업장 면제 △최저 수준 저작권료(월 4000원~) 책정 △저작권료 통합 징수 등의 방안을 추진할 것으로 보인다. 이 개정안은 2018년 하반기에 시행될 것으로 예상되고 있다.

"저작권료 내야"

1 소형 매장이더라도 마음대로 음악을 재생하는 건 저작권법 위배 행위다

소형 매장의 음악 재생과 관련 있는 저작권법은 제92조 2항이다. 이 법규에 따르면 "청중에게 반대급부를 받지 않는 경우에는 '판매용 음반'을 재생해 공연할 수 있다"고 돼 있다. 그런데 이 조항은 시대착오적이고 저작권자의 공연권을 제한하는 내용이라 문제가 많았다. 더구나 저작권법이 제정될 당시에는 존재하지 않았던 스트리밍, MP3 다운로드 음원 등 디지털 음악이 대세로 떠오르면서 '판매용 음반'을 어떻게 정의할 것인지 논의가 충분하지 않아 문제가 있었다.

2012년 스타벅스 매장 배경음악에 대한 대법원의 판결은 이 조항이 현실적으로 어떻게 적용되어야 하는지에 대한 하나의 방향을 제시한 것이나 다름없다. 즉, 음원을 사서 자체 제작한 CD는 '판매용 음반'이 아니라는 판결이었다. 따라서 멜론이나 벅스 등 국내 20여 곳의 음악서비스사의 스트리밍, 다운로드 음원을 구입해 매장에서 사용하는 것은 당연히 '판매용 음반'이 아니므로 공연권 위반에 해당한다. 더불어 음원으로 CD를 제작하거나, MP3 파일을 USB에 담아서 사용하거나, 불법 음악 제공업체의 서비스를 받거나, 불법 배경음악 제공 기기를 사용하는 것은 모두 저작권법에 위배된다. 따라서 이제 식당, 커피숍, 쇼핑 등 매장에서 상업용으로 '판매용 음반'이 아닌 것을 사용해 음악을 재생할 경우 저작권법에 위반되므로 저작권료를 제대로 지급해야 한다.

한편 일부에서는 배경음악 서비스가 상업용이 아니라고 주장한다. 음악을 재생하지만 그에 대한 대가로 돈을 받는 것은 아니므로 부대 서비스일 뿐이라는 것이다. 그러나 매장 배경음악서비스가 음악을 활용해 고객의 감성을 자극하는 음악마케팅 역할을 한 지 오래고, 심지어 이를 대행하는 업체가 생길 정도다. 고객들에게 매장에서 편안히 이야기를 나누고 쉴 수 있게 맞춤음악을 제공해 매출이 급격히 신장한 사례가 부지기수다. 장소나 시간, 날짜 등에 맞는 음악을 제공하는 것이 고객의 구매 심리에 영향을 미치기 때문이다. 따라서 매장 배경음악 재생이 상업적이지 않다는 주장 역시 타당하지 않다.

2 음악 저작권자의 권리 보호와 음악 산업 발달을 위해 소형 매장에서의 음악 재생은 제한되어야 한다

음악저작권은 음악을 만드는 사람들에게 정신적, 물질적 동기를 부여해준다. 공리주의적인 입장에서 보자면, 저작권을 제대로 보장해줄 때 좋은 음악이 만들어지고, 좋은 음악을 여러 사람들이 듣고 행복해지니 의미가 있는 일이다. 또 자유주의 입장에서 보아도 창작물에 대한 권리는 그 창작물을 만든 사람에게 귀속되는 것이 너무나 당연하다. 저작권을 보호하는 것은 이처럼 창작의 선순환 구조를 유지하는 일이다. 만일 지적 재산권을 제대로 보호하지 않으면 개발·창작의 토대가 무너지기 때문이다.

현재 소형 매장의 음악 재생에 대한 저작권 요구를 두고 과도하다고 말하는데, 이러한 비판에 동의할 수 없다. 스트리밍, MP3 파일 등 음원을 구매했다고 권리를 준다면, 그 결과 창작자의 땀과 결실을 다른 사람이 거두는 결과를 초래할 것이다. 매장 배경 음악서비스를 대행하는 회사들이 우후죽순 생겨나고 있다. 이들이 음원을 사서 소형 매장에 공급하고 그 대가를 받는 게 바로 창작자의 노력을 가로채는 행위가 되는 것이다.

저작권의 규제는 강화되는 것이 옳다. 만일 규제가 약해져 유명무실해진다면 누가 힘들여 창작에 매진하겠는가. 창작에 뜻을 둔 다수의 잠재적 창작자들도 쉽게 창작의 대열에 합류할 생각을 못할 것이다. 따라서 현재 음악단체의 요구는 너무나 정당한 것이다. 물론 음악저작권이 요즘 들어 강화되는 추세인 것은 인정한다. 그리고 음악을 향유하는 사람들로서는 조금 불편한 측면도 있을 것이다. 하지만 개인의 불편함을 넘어 전체 문화예술의 선순환 구조에 대해 생각해야만 한다. 음악저작권법은 음악 발달을 위축시키는 것이 아니라 발달의 걸림돌이 되는 행위를 근절하는 일이다. 정당한 저작료를 지불하고 콘텐츠를 이용하는 풍토가 자리잡을 때 문화산업에 대한 투자가 활성화되고, 이에 따라 대중들은 더 풍족한 문화생활을 누릴 수 있게 될 것이다.

다중이용시설의 음원 사용, 저작권료 내야 하나

"저작권료 과도하다"

1 소형 매장에서 음악을 트는 것은 위법이 아니다

최근 음저협을 비롯한 음악저작권 단체(한국음악저자권협회, 한국음원제작자협회, 한국음악실연자연합회)들은 자영업자들이 개인용으로 구매한 스트리밍 음악, MP3 음악 등을 커피숍, 레스토랑, 일반 음식점에서 틀려면 저작권료를 내야 한다고 요구하고 있다. 하지만 이들의 요구는 저작권법을 자의적으로 해석한 결과다. 왜냐하면 현재의 저작권법은 소형 매장의 배경음악 서비스에 대해서 허용하고 있기 때문이다. 저작권법에 따르면, 공연에 대한 반대급부를 사람들에게 받지 않으면 누구나 '판매용 음반'을 틀 수 있다. 매장면적이 3천 제곱미터를 넘는 대형 매장은 저작권료를 내야 하지만 소형 매장은 그럴 필요가 없다. 대형 체인점이나 프랜차이즈 가맹점도 마찬가지다.

여기서 말하는 판매용 음반은 시판용 CD는 물론, 음악사이트에서 다운로드 받은 음악이나 스트리밍으로 서비스되는 음악까지 포함한다. 저작권법에서 말하는 '음반'은 유형물이 아니라 유형물에 고정된 '음 그 자체'(저작권법 제2조 제5호)를 뜻하는 것이기 때문이다. 더구나 저작권법은 반대급부 없는 음반의 공연은 음반을 번역, 편곡 또는 개작하여 이용할 수 있도록 하고 있다.(제36조 제1항) 그런데도 스타벅스 대법원 판결을 근거로 소형 매장 일반에 권리를 요구하는 것은 과도하다. 스타벅스는 특별 케이스로 자체 주문 제작한 음반이 '판매용'이 아니라는 판결이 난 것으로, 그 이상도 그 이하도 아니다. 따라서 이 판결 이후 매장에서 트는 음악의 저작권 침해 여부가 달라졌다는 주장은 잘못이다.

또한 음저협 등이 카페나 일반 매장에서 저작권료를 받는 행위는 오히려 그들이 정한 규정에도 위반되는 것이다. 음저협의 저작권료 징수 규정 가운데 '레스토랑·커피숍·카페·뷔페 등에 대한 징수 규정'을 보면, 생음악을 공연할 경우에만 징수할 수 있도록 돼 있다. 따라서 CD나 다운로드한 음원 등을 커피숍이나 레스토랑에서 재생하는 할 때 저작권료를 요구하는 것은 규정에 맞지 않다. 또한 이들 단체들이 저작권료를 받으려면 요율에 대해 문화부 장관의 사전 승인을 받아야 한다. 따라서 지금이라도 문화부는 실태 조사에 나서서, 저작권단체의 부당한 권리 행사를 규제해야 한다.

2 음악단체의 권리 요구는 과도하며 이는 문화 소비를 위축시킨다

현재 저작권법에서 말하는 '판매용 음반'에 대한 정의는 제각각이다. 음악단체는 단체대로 사용자들은 사용자대로 각자의 처지에 따라 이 정의를 유리하게 해석하고 있는 현실이다. 당연히 이 부분에 대한 기준이 정립돼야 한다.

이것과 별개로, 지금 음저협을 비롯한 음악단체의 주장은 법에 대한 유권해석을 앞세워 과도하게 권리를 요구하고 있는 상황이다. 오로지 물질로서의 CD만 판매용으로 보는 것은 시대착오적인데, 이를 근거로 저작권 침해로 몰아가는 사례가 너무 많다. 한 벤처 회사에서 직원들의 복지를 위해 로비와 휴게실을 만들어두고, 그곳에서 MP3 파일을 다운로드 받아 음악을 재생했다. 그런데 이 경우까지 저작권 위반으로 적발된 사례가 있다. 또한 라마다호텔은 저작권료가 미확인, 미해결된 음원을 모르고 공급받아 틀었다가 단속대상에 오르기도 했다. 최근에는 영화를 만들 때 저작권을 지불한 영화 음악에 대해서도 극장에서 공연권을 물어야 한다고 요구하고 있다. 음악단체들의 저작권 요구는 너무 과도하다.

한편 스트리밍, MP3 음원 등은 판매용이 아니라는 주장 역시 시대에 뒤처진 낡은 해석이다. 요즘의 음악 소비형태를 보라. 물질로서의 CD를 사는 경우는 소수고, 음원을 사는 것이 일반적이다. 이미 구매한 음원에 대해 소규모 사업장에서 공연권까지 받겠다는 것은 참으로 과도한 요구가 아닐 수 없다. 물론 음저협측도 영세 사업장인 경우 예외 조항을 두는 새로운 징수 규정을 마련하겠다고 하지만, 영세업자에 대한 정의는 또 얼마나 자의적이겠는가.

또한 음악단체들은 소형 매장에 음악을 재생하는 것이 바로 마케팅 수단이라는 사실은 애써 무시하고 있다. 우리는 흔히, 라디오나 텔레비전, 혹은 자주 이용하는 카페나 식당 등의 매장에서 흘러나오는 음악을 듣고 음악을 선택한다. 창작활동을 활성화시키고 문화발전에 기여하기 위해 만들어진 저작권법이 과도한 규제로 인해 오히려 정반대의 결과를 낳고 있다는 사실을 깨달아야 한다.

토론해 봅시다

1. 스타벅스 매장 배경음악에 대한 대법원의 판결을 앞세워 소형 매장의 음악 재생 서비스에 대해서 저작권료를 요구하는 음악저작권단체의 요구는 정당한 것일까요? 찬반으로 나누어 토론해봅시다.

2. 현재 음악단체들의 저작권 요구가 과도하고, 오히려 문화소비를 위축시키는지, 그렇지 않은지 자신의 생각을 말해봅시다.

실전 gogo

'판매용 음반'을 어디까지 볼 것인가에 대해 음악단체들과 소형 매장 혹은 일반 소비자들의 생각이 각각 다릅니다. 두 입장 중에 하나를 정해 자신의 주장을 적어봅시다. (300자)

예술의 자유에도 한계는 있는가

정부와 예술계는 늘 검열을 놓고 줄다리기를 한다. 예술이냐 외설이냐, 풍자냐 선동이냐를 둘러싸고 한쪽에서는 위법이라며 가위를 들이대고 다른 한쪽에서는 표현의 자유라며 맞선다. 이 해묵은 논쟁은 점차 시간이 지나면서 표현의 자유를 확보하는 방향으로 발전했지만 여전히 양측의 대립 논리는 첨예하다. 예술에 있어서 표현의 자유는 과연 어디까지 허용되어야 하는 것일까?

키워드로 읽는 논쟁

1. 영화 사전검열제도 부활하나?

현재 우리나라는 기본적으로 음악이든 영화든 사전검열제도가 없다. 음악의 경우 1996년에, 영화는 1999년에 사전심의제가 폐지되거나 위헌 판정을 받았다. 그런데 최근 사전검열제가 다시 부활하는 것 아니냐는 우려가 영화인들 간에 팽배하다. 2015년 영화진흥위원회(영진위)가 '영화상영등급분류 면제추천'규정을 개정하려는 움직임을 보였기 때문이다. 영화상영등급 면제추천이란 영진위나 정부, 지자체 등이 주최하거나 주관, 후원하는 영화제 등에서 상영하는 영화들의 등급분류를 면제해주는 제도다. 규정이 바뀌면 영진위의 심의를 통과해야 상영이 가능하다는 말이라서, 이는 사실상 '사회 비판적인' 영화들은 상영을 못하게 하는 사전검열제의 부활이라며 영화인들이 반발하고 나섰다.

특히 영진위의 이런 움직임은 2014년 부산국제영화제에서 정부가 상영을 못하도록 압력을 행사한 〈다이빙 벨〉의 상영 강행에 대한 보복이라는 시각도 있다. 또한 같은 이유로 이듬해 부산국제영화제의 정부 지원금이 반으로 줄어들면서 영화계 길들이기 아니냐는 의구심과 분노를 불러일으켰다. 영화인들의 저항에 영화진흥공사는 일단 규정 개정을 보류하기로 한발 양보했지만, 불씨는 여전히 남아 있다.

2. 금지곡부터 방송 불가까지

1960~1970년대에는 금지곡이란 게 있었다. 금지곡이란 이러저러한 이유로 부를 수도 없고 들을 수도 없는 노래를 말한다. 왜색倭色이 짙다고 해서 금지된 이

미자의 '동백아가씨'부터 김추자의 '거짓말이야', 신중현의 '미인', 조영남의 '불 꺼진 창', 송창식의 '고래사냥'과 '왜 불러', 이장희의 '그건 너'나 '한잔의 추억', 한대수의 '물 좀 주소'와 '행복의 나라로' 같은 노래는 가사가 부정적·퇴폐적·선정적이라는 이유로 금지곡이 되었다. 김민기는 '아침이슬'이나 '늙은 군인의 노래'를 만들고 불렀는데 그의 이름이 붙은 모든 곡이 금지곡이었다. 대학가요제 대상곡인 정오차의 '바윗돌'은 80년 광주민주화운동으로 숨진 영령들을 위로했다고 해서 금지곡이 되었고, 심지어 정광태의 '독도는 우리 땅'도 금지곡으로 묶였다. 일본의 역사 왜곡에 항의하는 의미가 담긴 노래지만 한일각료회담을 앞두고 반일감정을 우려한 정부의 조치였다.

1994년 서태지와 아이들의 '시대유감' 등 일부 노래의 가사가 심의에 걸리자 가사를 수정하는 대신 통째로 들어내 MR 버전으로 발매한 사건은 심의제 폐지에 불을 당겼다. 이후 심의제가 폐지됐지만 관련 법률을 통한 규제는 여전하다. 가사나 뮤직비디오를 문제 삼아 방송 불가 판정을 내리는 게 요즘의 방식인데, KBS가 달샤벳의 신곡에 등장하는 '조커'라는 단어가 욕설을 연상시키고 가사가 음란하다는 이유로 방송 불가 판정을 내린 것도 그런 규제의 일환이다.

3. 판매금지서적 목록은 필독도서 목록?

"어떤 이상주의자가 세상사를 비평하여 금수(짐승)회의록이라는 책을 냈는데 경시청에서 각 지서에 알려서 서점마다 다니며 금수회의록을 몰수해 갔다. 서적을 압수하기는 처음 있는 일이라더라." 1908년 8월 19일에 '압수서적'이라는 제목으로 〈공립신보〉에 실린 신문기사로, 안국선의 《금수회의록》에 관한 내용이다. 물론 그 전에도 금서(판매금지서적)는 있었다. 고려시대에는 최치원의 《예언서》와 김부식의 《삼국사기》 등이 그랬고, 조선시대에는 주자의 《소학》을 읽지 못하게 하던 시절이 있었다. 사림파가 권장했다고 해서 사대부들이 기피한 것이다. 우리나라 최초의 한문소설로 알려진 김시습의 《금오신화》도 금서 목록에 올랐고, 사화에 휘말려 희생당한 김종직의 《김종직문집》도 들어 있었다.

남북 분단 이후에는 월북하거나 납북된 작가의 작품은 일절 볼 수 없었고, 1965년 남정현의 소설 《분지糞地》는 반미 용공을 부추긴다 해서 작가가 구속되었다. 1970~1980년대는 가히 금서의 홍수시대라 할 만했다. 김지하는 시집 《오적》으로 사형선고까지 받아 복역했고, 체제를 비판하거나 그럴 여지가 있다고 판단돼 금서로 지정된 책들은 거의 700여종에 달했다. 1987년에 제주 4·3항쟁을 다룬 《한라산》의 시인 이산하도 국가보안법으로 구속되는 일이 벌어졌고, 1990년대에는 마광수와 장정일이 소설 《즐거운 사라》와 《내게 거짓말을 해봐》로 구속되었다. 2000년대 들어서 국방부가 23권의 불온서적을 지정하자, 오히려 판매고가 껑충 뛰는 기현상이 벌어지기도 했다. 독자의 호기심을 되려 부추긴 것이다.

4. 공산주의자 피카소는 안 돼!

화가 피카소는 그 이름만으로도 현대미술을 상징하는 거장이다. 스페인에서 태어났지만 프랑스에서 주로 활동한 대표적인 입체파 화가다. 스페인 내전 당시 프랑코 독재정권을 지원하는 나치에 의해 1500명의 민간인이 학살당한 비극을 그린 '게르니카'는 반전反戰을 주제로 한 명작으로 통한다. 그의 또 다른 반전 작품으로는 '한국에서의 학살Massacre en Coree'이 있다. 세계적인 거장이 한국전쟁을 소재로 그린 작품이지만, 아주 오랫동안 우리나라에는 소개조차 되지 않았다. 전쟁 당시 미군이 우리 민간인을 학살하는 것이라고 알려져 왔기 때문이다. 다른 한편에서는 미군이 아니라 좌우익 민간인들의 보복과 충돌로 해석하기도 있지만, 어찌됐든 이 작품이 완성된 1951년부터 1980년대까지는 이적표현물로 분류되어 우리나라에서 전시를 할 수 없었을 뿐더러 언론을 통해서도 소개된 적이 없다. 거기에는 피카소가 프랑스 공산당원이라는 이유도 한 몫 했다.

더 기막힌 일은 상표에 피카소라는 이름을 사용했다고 해서 지금의 국가보안법과 유사한 반공법으로 처벌한 사건도 있었다는 사실이다. 1969년 6월 9일 중앙

일보에는 이런 기사가 실렸다. "서울지검 공안부 김종건 검사는 피카소 크레파스, 피카소 수채화 물감 등의 이름으로 상품을 만들어온 삼중화학공업 대표 박정원 씨를 반공법 위반 혐의로 입건하고 그 회사 제품의 광고를 중지시켰다." 가히 이데올로기의 광풍이 빚어낸 촌극이 아닐 수 없다.

5. 샤를리 에브도와 표현의 자유

프랑스 시사 주간지 〈샤를리 에브도〉는 공격적인 논조의 반종교적 성향의 언론으로 극우, 종교인(천주교, 이슬람, 유대교), 정치인 등에 대해 비판적인 기사가 많았다. 2015년 1월 7일 이슬람 원리주의 성향의 두 명의 테러리스트가 이 신문사에 급습해 총기를 난사, 12명이 사망하고 10명이 부상한 사건이 발생했다. 〈샤를리 에브도〉가 프랑스 내 소수민족인 무슬림에 대한 혐오를 드러내는 만화를 많이 게재한 것이 공격의 이유였다. 특히 이슬람교에서는 무함마드의 모습을 그리는 행위가 엄격하게 금지돼 있지만 샤를리 에브도는 무함마드를 종종 풍자 대상으로 삼아 극단주의자들의 표적이 됐던 것.

일각에서는 〈샤를리 에브도〉의 무하마드 풍자 만평이 불필요할 정도로 자극적이라고 평한다. 무하마드가 자신의 엉덩이를 까고 "내 엉덩이가 마음에 드니?"라고 묻는 만평은 좀 심하지 않느냐는 지적이다. 종교나 종교의 권위자를 풍자하고 조롱하더라도 굳이 이렇게까지 선정적일 필요가 있을까, 라고 묻는다.

〈샤를리 에브도〉 테러를 두고 만평 내용이 어떤지 비평의 수준이 어떤지가 중요한 것이 아닌데도, 내용과 형식을 따지며 무슬림을 자극해서 테러를 도발한 것이다, 아니다가 논란의 핵심이어서는 곤란하다. 어떠한 내용이든 풍자가 자극적이든 아니든 표현의 자유는 최대한 보장받아야 하지 않을까?

"표현의 자유, 한계 없다"

1 표현의 자유는 예술가의 권리이다

2014년 광주비엔날레는 창설 20주년을 맞아 '오월정신'을 주제로 각종 프로젝트를 준비했다. 그 중 화가 홍성담은 대형 걸개그림 '세월오월'을 통해 시민과 지역작가가 함께 5·18광주민주화운동 정신을 구현하는 작품을 출품하여 주목을 받았다. 그러나 그의 전시에는 제동이 걸렸다. 광주시와 비엔날레재단이 대통령을 허수아비로 풍자한 부분을 문제 삼아 수정을 요구한 것이다. 홍 씨는 지적된 부분을 닭으로 수정했지만 전시유보 통보를 받았다. 그의 그림은 결국 전시장에 내걸리지 못했다.

홍 씨의 그림은 올해도 황당한 일을 당했다. 독일 베를린에서 열리는 독일신사회미술협회 전시회에 참여하기로 했으나, 전시를 코앞에 두고 국내의 운송회사가 뚜렷한 이유 없이 작품 운송을 거부하는 일이 벌어졌다. 2년 전부터 기획된 전시였다. 물론 운송해야 할 작품 중에는 대통령을 풍자하는 그림이 포함되어 있었지만 석연찮은 일이다. 그림만 보내면 안 가도 될 베를린으로 홍 씨는 날아갔다. 그리고 전시장 벽면에 나흘 동안 그림을 그렸다. 그리고 미완성인 채로 전시를 시작했다.

독일 관객들의 반응은 어땠을까? "유교 문화권인 한국의 상황과 단순 비교하기는 어려운 측면이 있을 것"이라는 단서를 달았지만, 조선일보의 표현을 그대로 옮기면 이렇다. "독일 관객들은 일제히 '표현의 자유'가 중요하다고 말했습니다. 작품이 얼마나 멋지거나 사람들에게 교훈을 주는 내용인지보다는, 누구나 자신의 작품을 그리고 전시할 권리가 있다는 사실이 더 중요한 것이었습니다. 그래서 앙겔라 메르켈 총리를 나치에 견주거나, 신체부위를 노골적으로 묘사한 풍자물이 등장해도 보고 넘길 뿐 일일이 대응하거나 규제할 가치를 두지 않는다고 말했습니다."

예술이란 작품이 의미하고자 하는 바에 귀를 기울여야지 표현 따위를 문제 삼는 것은 달을 가리키는데 손가락을 바라보는 꼴이다.

2 예술은 인류의 삶과 자유로운 상상력의 조합이다

예술의 역사가 곧 인류의 역사다. 사냥과 채집으로 식량을 해결하던 시절에 차마 노동하러 나갈 수 없는 병약한 사람, 나이 든 사람, 장애를 가진 사람들이 더 많은 수확과 동료들의 무사귀환을 바라며 기원한 것이 예술의 시작이다. 선사시대 유적에서 발견되는 동굴벽화의 짐승이나 물고기를 잡는 그림, 열매를 따는 그림 등은 그렇게 그려졌다. 노동력 확보를 위한 다산多産의 기원도 빠지지 않았다. 동료들이 모두 풍성한 수확물을 들고 무사히 돌아올 때까지 무수한 상상의 나래를 펼친 산물이 벽화로 남았고, 이것이 발전해서 제천의식이 됐다. 우리는 그것을 원시종합예술이라고 부른다. 시가 있고 노래가 있고 춤이 있고 장식이 있고 그림이 한 데 어우러진 예술이라는 말이다.

우리는 여기서 두 가지 사실을 확인할 수 있다. 예술은 철저히 삶과 생활의 유지 및 향상을 위해 시작되었다는 것이 하나요, 자유로운 상상력의 발휘로 완성된다는 점이 둘이다. 따라서 삶이나 생활의 범위는 어떤 규제로도 제한할 수 없고, 상상력 역시 마찬가지다. 소재나 주제, 표현방법을 제한하고 또 그 제한된 범위 안에서 예술 활동을 해야 한다면 그것은 원칙적으로 온전한 예술이라 부를 수 없을뿐더러 발전을 기대하기도 힘들다. 그 예술이 주류가 아니라고 해서 핍박해서도 안 된다. "인류사는 언제나 변방이 중심이 돼왔다. 변방은 변화의 공간이고 창조의 공간이다." 신영복 교수의 《변방을 찾아서》에 적힌 글이다.

3 삐딱한 표현은 삐뚤어진 세상에 대한 경고요 호소다

2015년, '학원가기 싫은 날'이라는 한 초등학생이 썼다는 시가 화제가 됐다. 잔혹동시라고도 불리는 이 아이의 시에 대한 감상으로 인터넷이 뜨거웠다. 출판사는 사과문을 올려 당장 해당 시가 실린 시집 판매를 중지하고, 서점에 깔려 있는 시집들도 전량 수거하겠다며 수습에 나섰다. 그러나 재미있는 사실은 이 책이 이미 한 달 이상 서점에서 판매되었고, 모 어린이신문은 꽤 커다란 지면을 할애해 책을 소개했다는 점이다. 또 적잖은 블로그에 자기 아이에게도 읽혔다면서 "생각을 거침없이 얘기하는 작가의 모습에서 자유분방함을 느낄 수 있었다"는 평을 달아 추천도서로 소개했다.

생각해보자. 잔혹한 것은 과연 아이의 동시일까? 아이로 하여금 그런 생각을 품고 표현을 하게 만든 가정이나 사회는 아닐까? 아이는 시집 곳곳에서 엄마를 등장시킨다. '학원에 가라는 엄마를 해코지하고(학원 가기 싫은 날), 칼을 든 식인인형이 엄마를 먹어버렸다(식인인형). 세상에서 가장 무서운 것은 엄마고(세상에서 가장 무서운 것), 나는 죽기 위해 태어나는 존재(폰)다. 이쯤 되면 엄마와 세상에 대한 이 아이의 솔직한 생각을 누구나 눈치 챌 수 있다. 이 아이는 지금 아프다.

그렇다면 누가 왜 어떤 이유로 아이를 이렇게 아프게 했는지 밝히고 치료하는 게 순서지 규제라는 메스를 들이대면 안 된다. 아이가 다시 밝고 맑은 생활로 돌아올 수 있도록 세상이 나서야 한다. 삐딱한 땅에서는 똑바로 서라는 게 폭력이다.

예술에 국한된 토론이긴 하지만 표현의 자유를 얘기하는 마당에 언론자유의 정도를 말하지 않을 수 없다. 국경 없는 기자회가 얼마 전 발표한 '2015 세계언론자유지수' 순위에서 우리나라는 180개 국가 중에서 60위를 차지했다. 프리덤하우스가 공개한 언론자유지수는 197개국 중에서 68위다. 이는 우리나라가 OECD 국가 중에서 꼴찌 수준이며, 부분적으로만 언론자유가 있는 국가란 의미다. 표현의 자유를 완화해도 모자랄 판에 규제를 말하는 건 시대착오적이다.

"표현의 자유, 한계 있어야"

1 외설과 선동을 예술이라고 부를 수 없다

예술을 사전에서 찾아보면 "아름다움을 표현하고 창조하는 일에 목적을 두고 작품을 제작하는 모든 인간 활동과 그 산물을 통틀어 이르는 말"이라고 정의하고 있다. '아름다움'과 '창조'가 전제되어야 비로소 예술의 자격을 갖추는 것이다. 대부분의 예술은 이 원칙에서 벗어나지 않는다. 그래서 예술은 수준 높은 작품으로 태어나고 그것을 감상하는 사람들에게 마음의 평화와 풍요로움을 준다. 문제는 비주류 예술을 하는 사람들, 그 중에서도 예술의 자유와 표현의 자유라는 헌법적 가치를 앞세워 음란물이나 잔혹물, 폭력물, 풍자라는 이름의 선동물을 예술이라고 주장하는 사람들이다.

예술은 기본적으로 공유되는 속성을 가지고 있다. 혼자 창작하고 혼자 두고 본다면 하등 문제될 일이 없다. 그러나 그것이 세상에 나와 다른 대중들과 접촉하는 순간 공유물이 된다. 소유권이 없다 하더라도 불특정 다수가 감상을 통해 작가의 감정이나 작품의 의미를 직간접적으로 전달받기 때문이다. 그럴진대 한동안 떠들썩했던 대학로의 알몸연극을 예술이라고 할 수 있는가? 그것은 인간의 말초 신경을 자극시켜 잇속을 챙기려는 얄팍한 상술에 불과하다. 청소년들에게 영향울 크게 미치는 아이돌 가수가 부르는, 욕설이 난무하는 노래를 예술이라고 할 수 있는가? 그것은 음악이 아니라 인기에 편승해 우쭐거리며 내뱉는 배설행위에 불과하다. 한 나라의 대통령을 가축에 비유하고 차마 입에 올리기 힘들 만큼 음란한 모습으로 묘사한 그림을 예술이라고 할 수 있는가? 그것은 조롱이요 정치적 목적을 달성하기 위한 선동이며 법적 책임을 물을 수 있는 명예훼손 행위이다. 이들이 내놓는 작품에는 역겨움과 거부감만 있을 뿐 아름다움이란 도무지 찾아볼 수가 없다. 아름다움이라는 대전제를 망각한 예술은 없다.

2 예술이 사회 규범과 상식에서 벗어나면 안 된다

우리 헌법은 국민의 기본권으로 예술의 자유와 표현의 자유를 인정하고 보장한다. 그러나 헌법에 보장된 기본권이 이뿐이 아니어서 서로 충돌할 경우는 얼마든지 생긴다. 그래서 국가안전보장, 질서유지 또는 공공복리를 위해서 필요하다고 판단되는 경우에는 자유를 제한할 수 있는 단서조항 역시 포함되어 있다. 어느 나라도 국민의 기본권을 무제한으로 보장하는 나라는 없다. 자유의 폭이 크다면 그만큼 책임의 폭 역시 크다는 것을 잊어서는 안 된다. 예술에서의 표현의 자유 역시 예외는 아니다. 어떤 경우에도 타인의 권리와 명예 또는 공중도덕이나 사회윤리를 침해해서는 안 된다.

가령 건축의 예술성을 빙자해 건축법을 어겨서는 안 된다. 그림을 그리거나 영화를 찍는다는 이유로 혼잡한 차도 한가운데서 작업을 하면 안 된다. 마찬가지로 허락도 받지 않고 다른 사람이 영업하는 점포 앞에서 시끄러운 공연을 해서도 안 된다. 또 예술이라고 해서 벌거벗은 채로 길거리를 활보해서도 안 된다. 이것이 정상적인 사회의 규범이며 상식이다. 사람을 사회적 동물이라고 일컫는 것은 서로가 암묵적으로나 또는 법률적으로 정해놓은 이런 규칙에 따라 살아가기 때문이다.

예술과 사회는 동떨어져 존재하는 것이 아니기 때문에 최소한의 규제는 불가피하다. 예술가도 사회 구성원의 한 사람이므로 이러한 요구를 따라야 한다. 또 아무리 자유로운 상상력이 예술을 발전시킨다고는 하지만, 지나치게 적나라한 음란물이나 폭력물로 인해 사회적인 혼란과 모방범죄가 늘고 있는 요즘 추세를 보면 규제 이전에 예술가들 스스로도 수위를 조절할 필요가 있다. 그것이 사회적 책임을 나누어서 지는 현명한 방법이다.

3 삐뚤어진 예술은 사람에게 상처를 입힌다

표현의 자유에 한계가 없어야 한다는 측에서 요즘 입에 오르내리는 초등학생의 시를 예로 들었다. 솔직히 묻고 싶다. 그것을 제대로 된 시이자 예술이라고 여기는지. 서슴없이 그렇다고 말하지는 못할 테다. 그것은 시도 아니고 어린 아이가 쓴 동시는 더욱 아니다. 부모에 대한 불만을 거칠고 신경질적으로 털어놓은 글일 뿐. 시집을 추천했다는 많은 블로그들의 포스팅은 마치 출판사에서 언론기관에 보내는 책 소개를 베낀 듯이 천편일률적이다. 모 어린이신문에 실렸다는 기사는, 작가인 아이가 지난 해 그 신문사 문예상 장원을 받은 인연 때문인지 모르겠다는 생각을 하게 된 것도 바로 블로그에 실린 글들 때문이다. 추천도서라는 포스팅에 걸맞지 않게 댓글들은 매우 부정적이었다.

"초등학생이 읽기에는 좀 위험하지 않나요? 인터넷 검색하다가 깜짝 놀라서…", "생각만 해도 몸서리 쳐지는데 그걸 사라고 책으로까지 만든 모든 사람들의 정신세계가 더 의심스럽습니다", "저 책 보고 토 나올 거 같았어요. 항의전화라도 해야겠네요. 열 살 아이를 앞세워 자기들 표현의 자유, 인권놀이 하는 거 아닙니까?"

이것이 정상적인 사고를 지닌 사람의 반응이다. 가령 실제로 잔혹한 생각이 들었다고 하더라도, 그것은 시라는 이름으로 발표하고 시집까지 묶어 서점에 낼

게 아니라 조용히 일기장에나 써둘 일이다. 혼자만 보는 아이의 일기라면 애초 이런 파장은 일지 않았다. 일기에나 적혀 있어야 할 내용이 출판까지 되고 사람들과 공유되면서 아이도 부모도 상처를 입지 않을 수 없게 되었다. 독자들 역시 그 피해에서 자유롭지 않다. 건강하지 않은 예술은 이처럼 모든 사람에게 상처를 입힌다. 예술에도 적절한 규제가 필요한 이유다.

플러스 상식 [+]

예술에서 표현의 자유 관련 주요 사건

1965년 남정현 소설 <분지> 반공법 위반 구속
1974년 김지하 시 <오적> 필화사건으로 사형선고
1987년 이산하 장시 <한라산> 국가보안법 구속
1992년 마광수 소설 <즐거운 사라> 구속
1994년 서태지 노래 <시대유감> 가사 삭제
1996년 음반 사전심의제 폐지
1996년 장정일 소설 <내게 거짓말을 해봐> 구속
1997년 이현세 만화 <천국의 신화> 기소
1997년 청소년보호법 제정
1999년 장선우 영화 <거짓말> 등급보류
1999년 영화법 사전심의 조항 위헌
2001년 등급보류 위헌 판정
2010년 대학강사 박정수 <G-20 정상회담 쥐 포스터> 벌금형
2011년 이정렬 부장판사 <가카새끼짬뽕> 페이스북 게제로 법원장으로부터 경고, 퇴직 후 변호사 등록 거부
2011년 서기호 판사 <가카의 빅엿> 페이스북 게제로 법관 재임용 탈락
2014년 부산국제영화제 <다이빙 벨 상영> 외압행사 논란
2014년 홍성담 광주비엔날레 전시 유보
2015년 이하 <박근혜 대통령 풍자 팝아트 전단 살포> 체포

토론해 봅시다

1. 여러분이 알고 있는 방송 불가 판정 노래나 뮤직비디오가 있나요? 그 중 하나를 골라서 듣거나 보고 방송 불가 판정이 적절한지 그렇지 않은지 편을 나누어서 토론해봅시다.

2. 예술에서 표현의 자유를 완전히 보장했을 때 어떤 장점이 있을까요? 혹시 단점은 없을까요? 각각 세 가지씩 장단점을 생각한 후 그 이유를 적어봅시다.

실전 gogo

글쓰기 대회나 그림 그리기 대회에 나갔다고 가정해봅시다. 여러분은 정말 최선을 다해서 글을 썼고 그림을 그렸습니다. 이대로도 충분히 입상할 것 같은데, 선배나 선생님이 와서 이렇게 저렇게 고치라고 합니다.
여러분은 어떻게 하겠습니까? 그 이유를 300자 내외로 정리해봅시다.)

과학과 윤리

DISH

맞춤아기 출산, 허용해야 하나

2000년 난치병을 앓는 누나 몰리를 치료하기 위해 최초로 맞춤아기 아담이 태어났다. 그후 2016년 멕시코에서는 아이에게 유전적 비극을 물려주지 않으려 세계 최초로 두 명의 엄마, 한 명의 아빠인 '세부모 아이'가 태어났다. 맞춤아기 시대가 코앞에 온 것이다.

의료계에서는 난치 질환을 앓는 아동의 치료에 희망이 생긴 것이라고 긍정적으로 평가한 반면 맞춤아기는 인간의 존엄성과 인간윤리에 위배된다며 강하게 비판하는 의견도 나왔다. 치료를 위한 맞춤아기 출산이 아기 성별은 물론 눈 색깔까지 마음대로 결정할 수 있는 일종의 우생학으로 변질될 가능성이 있다는 주장이다. 맞춤아기 출산, 허용해야 할까?

키워드로 읽는 논쟁

1. 맞춤아기란?

맞춤아기 또는 맞춤형 아기란 희귀한 질병을 앓고 있는 형제나 자매를 치료할 목적으로 출산한 아기를 뜻한다. 희귀 질환을 앓는 자녀를 치료하는 데 필요한 줄기세포를 얻기 위한 치료용아기인 셈이다.

치료용 아기는 인공 수정을 한 뒤 세포를 추출해 병을 앓고 있는 자녀의 세포 조직과의 적합성을 검사하여, 알맞은 배아를 골라 자궁에 착상시킨 뒤 출산한다. 이 말은, 여러 개의 배아 중에서 적합하지 않거나 정상적이지 않은 것들은 폐기된다는 뜻이다.

맞춤아기 출산에 반대하는 사람들은 이러한 문제점을 들어 맞춤아기를 '스페어 아기Spare Baby', '디자이너 아기Designer Baby' 라고 부르며 비판하고 있다. 맞춤아기는 정식 학술용어는 아니고, 대중과학 및 생명윤리 관련 문건에서 주로 사용하는 용어다. 최초의 맞춤아기는 2000년 누나 몰리를 위해 태어난 동생 '아담'이다.

2. 최초의 맞춤아기 아담은 어떻게 태어났나?

아담은 2000년 8월 29일 미국에서 태어났다. 아담은 판코니 빈혈이라는 유전질환을 앓고 있는 여섯 살짜리 누나 몰리에게 조직이 일치하는 골수를 제공할 목적으로 시험관 수정을 통해 출생했다. 몰리의 어머니는 몰리의 조직과 일치하는 골수를 가진 아기를 낳기 위해 12개의 난자를 시험관에서 수정시켰다. 수정란은 3일 정도 지나면 6~10개의 세포로 분열한다. 이중 한두 개의 세포를 떼어내 유전자 검사를 한 후, 목적에 맞는 수정란을 골라 임신하여 태어난 아이가 바로 아담이다.

아담이 태어난 후 아담의 탯줄 혈액은 누나 몰리의 골수에 이식됐고, 3주 만에 골수의 기능을 떠맡아 혈소판과 백혈구를 만들어 냄으로써 몰리는 정상적인 생활을 할 수 있게 되었다. 맞춤아기 출산 이후 난치병 아동을 살릴 수 있는 희망이 생겼다는 긍정론과 인간 생명의 존엄성이 무너질 수 있다는 비판론이 충돌하면서 지금까지도 논란이 계속되고 있다.

3. 맞춤아기 시대가 온다

2016년 멕시코에서 세계 최초로 엄마가 둘, 아빠가 한 명인 '세 부모 아이'가 태어났다. 미국의 한 의료진은 두 엄마의 난자를 하나로 합쳐 새로운 난자를 만들고 여기에 아빠의 정자를 수정해서 만든 맞춤아기 출산에 성공했다. 아이의 친모에게 '리 증후군'(미토콘드리아 유전자 서열에 돌연변이가 생겨 발생하는 중추신경계 질환) 인자가 있어서 이 병이 아이에게 유전되지 않도록 질환이 없는 다른 여성의 건강한 난자에 친모의 핵을 이식, 새로운 난자를 만들어 아빠의 정자를 수정했다.

같은 해 2월에는 영국에서 세계 최초로 이러한 '세 부모 아이' 시술을 승인했다. 영국 인간수정·배아관리국HFEA은 미토콘트리아 질환을 자녀에게 물려주지 않기 위해 '세 부모 체외수정'을 허용했다고 밝혔다. 만일 영국과 같은 결정이 세계적으로 늘어난다면 세계적으로 '세 부모 아이'가 기하급수적으로 늘어날 수 있을 것이라고 말한다. 〈가디언〉는 이러한 방식으로 배아 생산이 가능할 경우 부모들이 건강한 아이를 원할 경우 마치 물건을 사고팔듯 배아를 사고파는 시대가 올 수 있다고 경고한다. 중국에서도 유사한 연구가 진행 중이라는 소식도 들린다.

맞춤아기 시대가 코앞에 오고 있다. 그리고 유전자변형 인간이든 복제 인간이든 혹은 맞춤아기든 이미 필요한 기술은 과학자의 손 안에 있다. 이 시대를 맞이하기 위해 우리가 무엇을 준비해야 하는지 깊이 고민해야 한다.

4. 맞춤아기 출산은 어떤 점에서 논란이 되고 있나?

맞춤아기 출산은 생명윤리와 관련해서 다양한 논란거리를 제공한다. 일반적으로 논란이 되는 부분은 '착상 전 유전자 진단법PGD'*에서 비롯된다. PGD는 정자와 난자를 체외 수정시켜 얻은 수정란을 자궁에 착상시키기 전에 유전자 정보를 검사하는 기술인데, 맞춤아기 출산 과정에서 PGD를 통해 적합한 배아를 골라내고 나면 나머지 배아들은 폐기처분된다. 따라서 종교계를 비롯해 일각에서는 배아를 폐기처분하는 것은 명백히 생명 윤리에 위배되는 행위라고 비판한다.

또한 인위적 목적에 의거한 인간의 출산은 인류의 존엄성을 해치며, 맞춤아기 출산을 허용하게 되면 '착상 전 유전자 진단법'을 허용하는 범위도 확대되므로 자칫 일종의 우생학**으로 변질될 수 있다고 주장한다. 그러나 이에 대해 의학계에서는 진보된 기술을 질병 치료를 목적으로 사용되는 것은 의학 기술 발전을 이끌고 생명을 연장시키는 등 긍정적인 효과를 낼 수 있다고 반박하고 있다.

5. 맞춤아기 출산이 일종의 우생학으로 변질될 수 있다고 말하는 이유는 무엇일까?

맞춤아기 출산의 핵심기술은 PGD(착상 전 유전자 진단법)이다. 이 기술은 부모

*** 착상전 유전자 진단법(PGD)**

PGD는 1990년대 초반 미국 세인트존스 대학 출신의 생물학자이자 화학자인 마크 휴즈 박사가 낭포성 섬유증, 뒤센 근위축증, 선종성 폴립증 등의 난치성 유전질 전이를 막기 위해 개발한 기술이다. PGD는 난자 생산을 늘린 후 난자를 정자와 결합해 수정시키고 사흘에서 닷새가 지난 시점에서 배아로부터 세포를 제거(이 시점을 배반포라고 함)하여 적합 여부를 검사한다. 주로 유전질환을 앓는 부모가 건강한 아이를 낳기 위해 PGD을 사용하는데, 허용범위는 제한적이다.

**** 우생학**

인간을 유전적으로 개량하는 것을 목표로 과학 연구를 진행하는 학문. 1883년 영국의 F. 골턴이 창시했다. 다윈의 진화론과 그 시대의 유전이론을 인간집단에 적용하여 이른바 '우수한 품질'의 인간을 육종하는 것을 목표로 하였다. 우생학은 좋은 형질로 인정되는 사람간의 결혼을 권장하는 '적극적 우생학'과 병적 유전자의 증대를 억제하기 위한 결혼제한이나 단종 등의 '소극적 우생학'으로 나뉜다. 나치의 인종정책에 큰 영향을 미친 학문이다. 한편 우생학에 기반한 강제 단종이 미국과 일본, 독일을 비롯해 여러 나라에서 시행된 바 있다.

가 염색체 이상이 있거나 가계에 유전질환이 있는 경우 수정란 착상 전에 유전자 검사를 통해 건강한 배아만 자궁에 착상하게끔 하는 방식으로 이용되고 있다. 그런데 문제는 이 과정에서 부모가 자녀의 성별을 고를 수 있어 성비불균형이 심화될 수 있다는 것. 게다가 우수 유전자만을 지닌 일명 '슈퍼 베이비'를 조작할 가능성 또한 존재한다. 이렇게 되면 건강에 문제가 없는 부부들도 PGD를 통해 최상급 아이를 갖고자 할 수 있다는 문제가 생긴다. 그래서 맞춤아기 출산이 허용될 경우 PGD 검사 적용 범위가 확대될 수 있고, 이것이 결국에는 일종의 우생학으로 변질될 수 있다는 비판이 나오는 상황이다.

"맞춤아기 출산 허용해야"

1 생명을 살리기 위한 맞춤아기 출산 허용해야 한다

내시 부부의 딸 몰리는 판코니 빈혈이라는 유전질환을 앓았고 골수 이식만이 유일한 치료방법이었다. 치료받지 못하면 8~9세라는 어린 나이에 사망한다. 하지만 부부의 골수는 맞지 않았고, 일반적인 출산으로 동생을 낳으면 같은 질병을 가진 아이가 나올 확률이 25%나 되었기 때문에 맞춤아기 아담을 출산했다. 당연히 아담을 낳을 때는 몰리와 달리 아기에게 유전질환이 없음을 확신할 수 있었고, 누나 몰리의 생명도 구할 수 있었다. 내시 가족에게 PGD(착상전 유전자 검사법)에 의한 맞춤아기 출산은 두 아이의 건강과 행복을 지켜줄 수 있는 유일한 방법이었다.

진보된 의료기술을 이용해 질병을 치료하는 것은 생명을 연장하는 등 긍정적인 효과가 있다. 미국과 영국을 중심으로 맞춤아기가 실용화 단계에 있는 것도 바로 이런 이유들 때문이다. 그런데 이를 두고 생명윤리에 어긋난다거나 우생학으로 변질될 것이라는 비판은 지나친 우려다. 맞춤아기란 '난치병을 앓고 있는 형제나 자매를 치료하기 위한 것'이다. 탯줄 혈액 생산을 위해 아기를 임신한 뒤 유산시킨다거나 필요한 것을 얻은 뒤 태어난 아이를 다른 가정에 입양시키는 일은 엄격히 금지된다. 아담의 출산의 경우에도 의사와 윤리학자 등 15명으로 이루어진 위원회가 구성되어 엄격한 도덕적 토론을 거쳐 허용된 것이다.

지금도 세계에는 제때 치료를 받지 못한 수많은 난치병 아동들이 어린 나이에 죽음을 맞거나 큰 고통에 시달린다. 이를 해결할 명백한 기술이 있는데도 생명공학에 대한 막연한 불안이나 무지로 치료를 포기할 수는 없다. 물론 생명윤리에 관한 논의는 계속되어야 하지만 무엇보다 중요한 것은 꺼져가는 생명을 살리는 일임을 잊지 말아야 한다.

2 맞춤아기 출산이 우생학으로? 지나친 우려다

맞춤아기 출산을 두고 종교계와 생명운동단체에서는 배아 폐기에 따른 생명윤리 문제와 함께, 맞춤아기 출산이 PGD 확대를 불러와 앞으로 태어날 아기의 성별, 피부, 눈의 색깔까지 미리 결정하는 일종의 우생학으로 변질될 것이라며 비판하고 있다. 그러나 이와 같은 비판은 억측이다. 난치병 치료를 위한 맞춤아기 시술은 철저한 통제 아래서, 일부 유전질환에 국한해 매우 제한적으로 시행되고 있으며 아직 아기의 피부나 눈의 색을 선택, 결정하는 일은 엄격히 금지하고 있다.

또한 PGD 기술은 유전병이나 염색체 이상이 있는 부모에게 건강한 아이를 낳을 수 있도록 해주는 매우 유용한 생명과학 기술이다. 휴먼다큐에 출연한 엄지공주 윤선아 씨도 이 기술에 힘입어 건강한 아이를 얻었다. 그래서 의료계에서는 유전병을 가진 아이가 출생해서 치료에 드는 비용보다 PGD 기술이 훨씬 경제적이며, 개개인의 가정에도 도움을 주고, 사회적으로도 유전질환을 예방할 수 있기 때문에 유용하다는 평을 내리고 있다.

그런데도 맞춤아기 출산에 관한 논의가 우생학으로 번져가는 것은 생명과학 기술을 둘러싼 논의들이 지나치게 앞서가는 데서 생겨난 문제이다. 물론 미래에 발생할 일을 미리 생각해보는 것은 해로운 일이 아니라 오히려 현명한 일이다. 하지만 현재보다 미래에 초점을 맞추게 되면 지나친 걱정 때문에 정작 중요한 것을 놓칠 수 있다. 즉 우생학 운운하는 비판은 현재의 필요를 과도하게 규제하고, 생명공학 관련 기술을 거꾸로 위축시키는 결과를 낳는다. 맞춤아기 용어를 필요 이상으로 확대해석하며 이를 비판하는 태도가 인류 전체에게 무슨 도움이 될지 냉철하게 돌아보아야 한다.

난치병 치료 위한 맞춤아기 출산, 허용해야 하나

"생명윤리에 어긋난다"

1 맞춤아기 출산은 인간 생명의 존엄성을 해친다

맞춤아기란 말을 사전에서 찾아보면, 영문표기로는 'designer baby'라고 한다. 즉, 디자인된 아기란 얘기다. 인간은 모두 그 존재 자체로 특별한 의미를 지닌다. 그런데 세상에 태어난 이유가 '누군가를 위해서'라면 어떨까? 인간의 출생에 목적이 있다는 것 자체가 인간의 도구화다.

맞춤아기 출산을 위한 PGD 검사는 인공수정을 시작한 후 3일 동안 이뤄진다. 이 기간에 배아는 8~14세포기에 도달하는데, 여기서 1~2개 세포를 분리해 적합 여부를 검사받는다. 이 검사에서 적합지 않은 배아는 폐기된다. 그러나 이 시기의 배아는 독립된 하나의 인간 개체로 성장할 수 있는 존재이기에 배아 폐기는 초기 인간 생명을 죽이는 것과 동일하다. 배아의 지위는 임신 여부와 무관하게 정의해야 한다. 황우석 박사의 줄기세포 연구가 사회적 파장을 일으키면서 우리나라에서도 생명윤리기본법이 발표됐다. 이에 따르면 '배아는 인간과 동일한 지위를 갖지는 않지만 생명체로서 마땅히 존중받아야 한다'고 명시된다.

뿐만 아니라 배아에서 세포 한두 개를 떼어낸다고 해도 태어날 아이에게 아무런 해가 없다고 하는데 의학적 안정성을 과연 보장할 수 있는 말일까. 현재 세계적으로 인간의 존엄성을 중시하는 측과 생명공학 기술의 발전을 중시하는 측의 두 입장이 맞서며 계속 논란 중이고, 앞으로도 계속될 것이다. 왜냐하면 그만큼 인류 전체에 큰 영향을 미치는 문제이므로 신중하게 논의되어야 한다.

2 우생학과 맞춤아기 출산은 같은 맥락 하에 있다

맞춤아기 출산의 핵심 기술은 착상 전 유전자 진단법[PGD]인데, 현재 PGD 기술은 염색체 이상이 있거나 유전질환이 있는 부모가 건강한 자녀를 출산하도록 돕는 데 광범위하게 이용된다. 체외수정을 통해 수정된 배아에서 한두 개의 세포를 골라내 유전적 결함이 있는지 검사해서 건강한 배아를 산모에게 착상시킨다. 건강하지 않은 배아는 폐기되는 데 이 과정에서 성별을 포함한 유전적 특질들이 밝혀진다.

아담의 출산 이후 미국의 스타인버그 박사는 아이의 성별은 물론 피부와 눈 색깔도 미리 결정할 수 있다고 말해 논란이 되었다. 엄청난 항의를 받고 자신의 클리닉에서는 유전질환을 가진 가족에게만 맞춤아기 시술을 하겠다고 말을 바꾸었다. 하지만 더 나은 유전형질을 가진 아기를 낳고자 하는 인간의 욕망을 과연 제어할 수 있을까? 또한 중대한 유전적 결함을 지닌 배아의 선별적 도태를 허용한다면, 이러한 결함을 지닌 채 살아가는 사람들은 자신의 삶의 가치에 관해 부정적으로 생각하게 된다. 그들은 자신과 같은 사람은 살아서는 안 된다는 것이 공공의 의견이라고 받아들일 수 있다.

인간생명은 절대로 유전적 결함 때문에 살만한 가치가 없는 것으로 격하돼서는 안 된다. 아담의 출산 이후 세계적으로 맞춤아기 출산의 허용이 늘고 있고, PGD 검사 허용 범위 역시 63종에서 139종으로 늘어났다. PGD 진단의 실제적인 목적은 아이의 건강을 위한 게 아니라 질병이 있는 아이 자체를 거부하는 것이다. 이것이 바로 우생학적 도태와 무엇이 다른지 생각해봐야 한다.

토론해 봅시다

1. 착상전 유전자 진단법(PGD)에 관해 찬반이 맞서고 있습니다. 한편에서는 유전병이나 염색체 이상이 있는 부모에게 건강한 아이를 낳을 수 있도록 해주는 매우 유용한 생명과학 기술로 평가되는 반면에, 종교계와 생명운동단체에서는 이를 생명윤리에 어긋난다고 비판합니다. 이에 대한 자신의 생각을 말해봅시다.

2. 맞춤아기 출산 허용이 우생학으로 변질될 것이라는 주장에 대해 어떻게 생각하는지 자유롭게 토론해봅시다.

실전 gogo

맞춤아기 출산에 대한 찬성과 반대의 입장을 정한 다음 자신의 주장을 정리해봅시다. (500자)

동물 실험을 금지해야 할까

오래전부터 인간은 의약품, 화장품, 생활용품의 안정성을 위해 수많은 동물을 희생해왔다. 비참한 상황에 내몰린 동물의 권리를 위해 동물실험을 금지해야 한다는 의견이 점차 커지고 있다. 오랜 역사를 가진 동물실험은 목적과 행태가 다양해 전면적인 금지는 어려운 상황이다. 동물실험의 윤리적 정당성에 대해 고민해보자.

키워드로 읽는 논쟁

1. 동물실험이란?

동물실험이란 교육, 시험, 연구 및 과학적 목적을 위해서 동물을 대상으로 실시하는 실험을 말한다. 동물실험은 다양한 형태로 이뤄지는데, 의학이나 생물학 분야에서는 해부 등을 통해 동물의 생체를 관찰하거나 유전적 특징 등을 연구하고, 의약품의 원료가 되는 재료를 얻는다. 일반적으로 우리가 생각하는 동물실험은 새로운 제품이나 치료법의 효능 및 안정성을 확인하기 위해 인간과 비슷한 생리 조건을 갖춘 동물에게, 인간에게는 직접 할 수 없는 실험을 하는 것을 가리킨다. 의약품 말고도 다양한 생활용품, 화장품 등이 인체에 어떤 영향을 미치는지 예측하는 데에도 실험동물*이 활용된다.

2. 동물실험은 언제부터 이뤄졌나?

동물에 대한 해부나 실험은 고대 그리스 시대에도 존재했다. 히포크라테스는 동물 해부를 통해 생식과 유전을 설명했고, 2세기 경의 로마 의사는 원숭이 등을 해부해 의학적 사실을 밝힌 것으로 유명하다. 하지만 동물실험이 본격적으로 활

* **실험동물**

동물실험이 성행하면서 실험동물이라는 새로운 생명체가 생겨났다. 실험결과가 인정을 받으려면 누가, 언제, 어떤 장치로 실험해도 동일한 결과가 나와야 한다. 그런데 살아 있는 생명체를 이용하는 동물실험의 경우, 각 동물의 유전적 차이나 질병 여부에 따라 다른 결과가 나올 수 있다. 그래서 실험의 신뢰도를 높이기 위해 특정 조건에서 같은 반응을 보일 수 있도록 유전적으로 균일한 상태의 동물을 번식, 육성할 수 있는 여러 방법들이 개발되면서 실험동물들이 대량으로 생산되고 있다. 대표적인 동물로는 실험용생쥐, 실험용집쥐, 기니피그, 햄스터, 실험용 토끼 및 특정 종류의 개나 고양이가 있다.

용되기 시작한 건 19세기 들어 유럽을 중심으로 독성학이나 생리학을 연구하는 과정에서다.

현재 전 세계적으로 1년에 최소 5억 마리의 동물이 실험에 이용되고 있다. 이들 동물은 세균실험과 독성실험, 극저온 초고온 실험, 전기충격 실험, 스트레스 실험, 종양 배양 끝에 폐사될 운명이다. 우리나라에서도 연간 280만 마리의 동물들이 실험에 의해 죽어가고 있는 것으로 추정된다. 동물실험이 의학과 생물학을 발전시키는 데 큰 역할을 한 것은 사실이지만, 생활용품과 화장품 등을 위해서까지 동물실험이 확산되자 이에 반대하는 사람이 증가하는 추세다. 다윈 역시 끔찍한 동물실험이 정당화될 수 없다고 보았다고 한다.

3. 동물실험에 대한 논란은 언제부터 있었을까?

19세기 동물실험의 확산 이후 동물실험의 윤리성에 대한 문제가 제기되었었지만, 본격적으로 동물의 권리를 주장하는 목소리가 대두된 것은 1970년대부터였다. 특히 실천윤리학자로 유명한 피터싱어가 동물의 권리에 대해 역설한 《동물해방》* 이라는 책이 1975년 출간, 세계적인 베스트셀러가 되면서 동물에 대한 인간의 태도가 제고돼야 한다는 목소리가 높아졌다. 이는 인간만이 합리적이고 이성적인 존재이며, 따라서 인간을 위한 모든 행위는 정당하다는 류의 사고가 지구

＊피터 싱어의 <동물해방>

싱어의 이론적 논지는 단순하면서 분명하다. 동물은 모두 기초가 되는 이해관심을 갖고 있는데, 그것은 고통을 당하지 않으면서 쾌락을 추구하는 데 있다. 그런데 인간은 도덕적으로 분별하여 행위할 수 있는 이성을 가지고 있다. 따라서 인간은 동물에게 고통을 주는 모든 행위를 중지함으로써 동물을 해방해야 한다. 이런 싱어의 주장은 애완용 동물이나 멸종 위기에 처한 동물에게만 향하는 것이 아니라는 점에서 초기의 감상적 동물보호주의와 궤를 달리한다. 이는 그야말로 모든 동물을 향한 메시지다. 이에 부응하는 인간의 책임 있는 실천은 최종적으로 채식주의로 이행하는 것이다. 결국 그는 동물에게 가하는 잔인한 행위 종식은 물론 동물을 피험대상으로 삼는 실험 중지, 동물원 폐쇄, 가축의 야생성 회복을 통한 자연방출, 최종적으로는 인간의 육식 행위 종료로 이어져야 한다고 보았다.

(출전_<스무 살을 위한 철학 청바지 3>)

의 위기를 불러왔다는 인간중심주의에 대한 반성이기도 하다. 더구나 생명공학, 의학, 미용 등 동물실험이 필요한 분야의 시장이 커지고 수요가 많아져서 동물실험이 급격히 늘어난 것도 논란을 증폭시킨 하나의 원인이라고 볼 수 있다.

4. 동물의 권리

동물도 하나의 생명체로 존중받아야 할 권리가 있다는 의견이 대두되고 있다. 물론 인간이 가지고 있는 다양한 기본권을 모두 포괄할 수는 없겠지만, 적어도 고통받지 않고 생명체의 주체로서 살아갈 권리가 있다는 의미다. 동물이 비록 우리에게 불평하거나 항의할 수는 없지만, 어린아이나 정신지체자들의 윤리적 권리를 빼앗을 수 없는 것과 마찬가지로 동물도 부당하게 고통이나 비참한 대우를 받아서는 안 된다는 것이다.

물론 동물의 권리를 부정하는 사람들은 동물들이 권리를 알고, 이를 행사할 주체의 의지가 없으므로 권리 자체가 존재할 수 없다고 말한다. 하지만 분명한 것은 동물 역시 고통을 느낀다는 것이다. 이에 동물권, 즉 동물 역시 인권에 비견되는 생명권이 있으며 고통을 피할 권리가 있다는 견해가 점차 늘고 있다. 한편 2000년대를 전후해 유럽 각지에서는 화장품 개발에 동물실험을 금지하는 법안이 발효되었고, 동물실험에 반대하는 NGO단체를 중심으로 불필요한 동물실험을 줄여나가는 운동이 확산되고 있다. 한편 우리나라에서도 화장품 업계에서 동물실험 반대바람이 불고 있는 상황이다.

5. 동물실험에 대한 윤리지침

동물실험에 대한 반발이 거세지자 '3R원칙'이라는 윤리적 지침이 생겨났다. '3R원칙'은 동물실험이 아닌 다른 방법을 찾고Replacement, 실험동물의 고통을 최소화하며Refinement, 실험 횟수를 줄이는 것Reduction. 이 3R원칙을 지키기 위해 노력해야 한다는 뜻이다. 하지만 이 윤리지침은 강제성이 없어서 여전히 인간의 편의대로 동물실험이 마음껏 시행될 수 있는 실정이다. 몇몇 국가들은 3R의 법적 규제를 마련하기 위해 노력 중이다. 영국의 경우, 1876년에 동물학대법을 제정했다. 1986년에는 동물(과학적 처치)법을 새롭게 제정하여 이를 대체했다. 영국에서 동물실험을 하려면 시설인정서, 프로젝트 허가증, 개인면허증 등 3종의 면허와 허가가 필요하다. 또한 프로젝트 면허를 얻기 위해서는 3R을 실시하기 위한 구체안을 제시해야 한다.

"동물실험, 금지해야"

1 인간의 이익을 위해 동물실험을 행하는 것은 잘못이다

영국의 한 제약회사의 동물실험 영상이 공개되었다. 실험 대상 토끼들은 플라스틱 기계장치에 갇혀 목만 내놓은 채 고정돼 있어 통증을 느껴도 몸부림조차 칠 수 없었다. 더구나 이 토끼들은 30시간 넘게 사료는 물론 물도 공급받지 못했고, 죽기 전에 이상행동을 보이는 경우도 있었다. 이 토끼들은 성형 시술에 쓰이는 보톡스 실험 때문에 이토록 비참하게 죽어갔다.

존엄한 생명을 가진 동물이 인간을 위해 이렇게 한낱 수단으로 쓰여도 괜찮은 것일까? 오로지 인간의 이익을 위해 죄 없는 동물의 고통을 외면해도 좋은 것일까? 이것은 고문이나 다름없다. 과연 인간이 지구상에 있는 모든 생명을 인간을 위한 수단으로 써도 좋다는 권리를 누구에게 부여받았단 말인가? 인간의 행복만을 우선시하는 인간 중심주의는 폐기되어야 한다. 지금의 지구 현실을 보라. 인간 중심적 사고가 결국은 자연을 파괴하고 그 폐해가 고스란히 인간에게 되돌아오고 있지 않은가.

2 동물도 지능과 감정을 가진 생명이다

동물실험이 윤리적으로 문제가 없다고 주장하는 사람들은 인간의 이성과 언어 능력, 도구 사용 능력의 특별함을 내세우며, 동물을 다르게 대우할 권리가 있다고 말한다. 하지만 최근의 동물행동학은 새로운 사실들을 밝혀내고 있다. 동물들에게도 지능과 감정과 문화가 있다는 것. 이런 동물들에게 도덕적인 배려를 하는 것은 당연하다. 또한 인간과 동물이 이성이나 언어능력 등에서 차이가 있다고 해도, 이것이 동물실험을 해도 된다는 결론으로 이어질 수는 없다.

이성이 있고 없음을 떠나서 동물 또한 살아 있는 생명체라는 점에서 그 자체로 존중받아야 한다. 동물들 역시 고통과 기쁨을 느낀다. 이 점에서는 인간과 결코 다를 게 없다. 또한 동물들 역시 스스로를 희생하는 도덕적 판단을 내리기도 한다. 흡혈박쥐는 매일 몸무게의 반 이상 정도의 피를 먹어야 하는데, 40시간가량 피를 공급받지 못하면 죽는다. 그래서 흡혈박쥐는 주위에 위급한 동료가 있으면 자신의 위에서 피를 토해 나눠준다. 이런 사례는 일일이 열거할 수 없을 정도로 많다. 인간에게 인권이 있다면 동물에게도 생명체로서의 '동물권'이 있다. 인간이 동물보다 우월하다는 근거는 어디에도 없다.

3 동물실험은 실익이 적다

대부분의 사람들은 동물실험이 현대 의학의 발전에 크게 기여했다고 믿는다. 하지만 의학의 발전에는 동물실험보다 시체해부, 시험관 연구, 임상관찰 등 훨씬 안전한 다른 연구방식이 더 유용하다. 그런데도 동물실험을 하는 이유는, 대중들이 과장된 선전에 더 많은 신뢰를 보이기 때문이다. 동물에게 투약했더니 이런 반응을 보이더라는 말에 사람들이 현혹되는 것이다. 동물실험은 동물의 고통과 죽음을 상쇄할 만큼 유용하지 않다. 동물실험에 사용되는 방법과 복용량은 인간의 조건과는 차이가 크다. 더군다나 인간의 질병 3만 가지 가운데 동물이 공유하는 질병은 1.16%에 불과하다. 따라서 동물실험 결과가 인간을 이해하는 데 별 도움이 되지 않는다.

게다가 훨씬 인간적이고 효율적인 대안이 있다. 환자 관찰이나 사체 연구, 인간 세포와 조직을 이용한 실험, 컴퓨터 시뮬레이션을 통한 연구 등을 적절히 활용한다면 동물실험을 통해 얻는 것 이상의 정보를 충분히 얻을 수 있다. 최근에는 살아 있는 동물 대신 인간 세포나 인공 피부를 사용하거나 동물의 반응을 본뜬 컴퓨터 모델링을 활용하는 방법 등 다양한 대체실험법이 개발되고 있다. 그러니 효용성이 떨어지는 동물실험으로 더 이상 동물의 생명을 빼앗아서는 안 된다. 동물실험을 전면 금지하고 대체 가능한 연구방법을 찾아야 한다.

"동물실험, 필요해"

1 인간을 위해 동물을 수단으로 사용하는 것은 정당하다

동물실험을 반대하는 사람들은 늘 서두에 실험동물의 참상을 앞세운다. 하지만 이것은 지나치게 감상주의적인 태도이다. 동물은 사람이 아니므로 권리가 없다. 동물을 의인화해서 감정에 호소하는 행위는 논리적인 판단을 흐리게 한다. 인간의 역사를 돌아보면, 인간은 자신들의 이익을 위해 자연환경을 연구하고, 이용하고, 개발해왔다. 이것은 너무나 자연스러운 행동이다. 그리고 우리 인간은 이 과정에서 번성해왔고, 발전을 이룩해왔다.

자연은 약육강식의 세계다. 강자에게 약자는 도구일 수밖에 없다. 먹이를 확보해야 할 사자에게 사슴은 도구이고, 사슴에게는 숲의 풀이 도구이다. 마찬가지로 강자인 인간에게 동물은 삶의 수단으로서 경제적 도구적 가치를 지닌 존재다. 따라서 동물의 권리를 승인해야 할 이유는 없으며, 동물을 고통에서 전면적으로 해방할 필요도 존재하지 않는다. 따라서 우리는 식물 자원뿐만 아니라 동물 자원 역시 지속적인 실험을 통해 계속 연구, 개발해야 한다.

2 인간에게는 이성이 있으므로 인간과 동물을 다르게 대우하는 것은 당연하다

인간은 동물과 달리 이성이 있고, 언어와 도구를 사용하며 자의식을 갖고 있다. 특히 이성은 인간만의 고유한 활동을 가능하게 해주는 핵심적인 요소이다. 물론 동물도 고통과 기쁨을 느낄 수 있다. 하지만 이러한 감각적인 감수성을 갖고 있다는 것과, 스스로의 존재에 대해 의식하고, 자율적으로 사고하는 이성을 가졌다는 것은 근본적으로 다른 것이다. 따라서 본능에 따라 살아가는 동물보다 당연히 인간은 더 가치 있고, 도덕적으로도 더 중요한 존재인 것이다. 그러므로 이성이 있는 유일한 존재인 인간이 다른 생명의 생사여탈권을 갖는 것은 너무나 당연하다. 한 명의 인간과 한 마리의 동물을 동등하게 취급할 수는 없다.

설혹 동물에게 인간과 동등한 권리를 준다고 해도 권리란 것은 권리를 가진 주체가 적극적으로 이를 활용하지 않으면 아무런 의미가 없다. 인간은 이것이 가능하지만 동물은 이런 능력이 없다. 동물행동학은 동물들이 자신의 동료를 위해 스스로를 희생하는 사례를 들면서 도덕적 행위라고 말하지만, 이것 역시 종의 생존 본능에 불과할 수 있다. 따라서 이런 행위를 두고 동물이 도덕적인 행위자라고 말할 수는 없다. 동물의 권리를 인간의 권리와 동등하다고 받아들이라는 것은 추상적이며 원론적인 주장에 지나지 않는다.

3 동물실험은 의학 발전에 큰 도움을 주고 있으며 이를 대체할 대안이 없다

현대의학은 생체 실험, 즉 인체실험이나 동물실험이 없었다면 발전할 수 없었을 것이다. 자연과학은 일정한 조건 하에 관찰과 분석을 통한 실험으로 과학적인 가설을 도출한다. 가령 의학은 학문의 성격상 실험에 크게 의존할 수밖에 없다. 이때 새로운 생물학적인 사실을 밝혀내기 위해 해부 등 동물실험은 필수다. 그리고 실험 결과가 인체에 미치는 영향 등을 판별해야 하는데 이때 동물실험을 하게 되는 것이다. 동물실험은 다른 방법으로는 도저히 해낼 수없는 수많은 의학적, 과학적 돌파구를 만들어왔다. '소' 실험은 전세계로 확산되는 천연두를 없애는 데 크게 기여했고, 1920년대에 행해진 '개' 실험을 통해서 당뇨병 치료를 위한 인슐린을 발견해냈다. 그리고 현재 쥐와 영장류의 유전적 실험은 방광섬유증의 유전적 치료개발에 도움을 주고 있다.

그런데도 한편에서는 동물실험을 대체할 다른 대안이 있다고 말한다. 복잡한 면역감시기구, 신경학상, 유전학상의 질병에 대한 연구에 동물실험 외엔 대안이 없다. 컴퓨터 시뮬레이션 역시 우리가 모두 이해하고 있는 단순한 조건에서만 적용이 가능하다. 보다 복잡한 경우, 즉 에이즈나 암, 근육영양 장애처럼 질병에 대한 깊은 이해가 필요한 경우에는 동물이나 인간을 대상으로 실험할 수밖에 없다.

플러스 상식 [+]

데카르트의 동물관

근대철학의 아버지 데카르트는 인간과 동물의 몸은 자동기계라고 여겼다. 그는 인간과 달리 동물은 정신 또는 영혼이 없기 때문에 쾌락이나 고통을 경험할 수 없다고 보았다. 데카르트는 마취도 없이 살아있는 동물을 해부하는 실험을 한 것으로 악명이 높은데, 당시에는 마취술이 없었을 뿐더러, 그에게는 동물이 아파하는 모습도 진정한 통증을 반영한 것이 아니었기 때문에 동물실험이 양심의 가책을 느끼게 하지는 않았을 것이다. 칸트(Immanuel Kant, 1724~1804) 역시, 이성과 도덕을 갖는 인간의 이익이 그렇지 못한 동물의 이익보다 우선적으로 고려되어야 한다고 보았다. 칸트는 동물을 잔혹하게 대하는 것에는 반대했는데, 이는 동물 자체를 위해서라기보다는 인간의 품위를 손상시키고 다른 사람과의 교제에도 문제가 생길 수 있음을 우려한 것이었다.

(출전_네이버캐스트 '동물실험')

토론해 봅시다

1. 동물 역시 하나의 생명체로 보호받을 권리가 있다는 주장과 인간은 유일하게 이성을 지닌 존재이므로 인간을 위해 동물을 도구로 이용하는 것은 당연하다는 주장이 팽팽히 맞서고 있습니다. 찬반의 입장을 각각 정리해봅시다.

2. 동물실험이 동물의 고통과 죽음을 상쇄할 만큼 유용하다고 생각하는지, 아니라고 생각하는지 토론해봅시다.

실전 gogo

동물실험을 전면 금지해야 할지, 아니면 지금과 같이 계속 진행해야 할지 자신의 주장을 펼쳐봅시다. (500자)

인공지능, 인류를 위협할까

상상과 공상 세계에 존재하던 인공지능이 컴퓨터 기술 발전으로 현실세계에 모습을 드러내고 있다. 이 기계 지능이 2045년쯤 되면 인간의 두뇌를 넘어서게 될 것이라는 예측도 있다. 하지만 한편에서는 경고의 목소리가 높다. 테슬라 CEO 머스크는 "인공지능 개발은 악마를 부르는 격"이라고 잘라 말한다. 인공지능에 대한 인류의 기대감과 두려움은 수차례 영화로 만들어질 만큼 복잡하게 얽혀 있다. 인공지능에 대한 상식을 더하고, 인공지능의 현주소를 살핀 다음, 인공지능의 위협에 대한 논쟁을 통해 인공지능이 나아갈 방향은 무엇인지 고민해보자.

키워드로 읽는 논쟁

1. 인공지능이란?

인공지능이란 지성을 갖추고 사고활동을 할 수 있게 인공적으로 만든 장치를 말한다. 여기서 '인공적으로'라는 의미는 '기계'를 뜻하는데 오늘날에 와서는 인간의 지능적인 사고나 행동을 모방한 컴퓨터 프로그램을 말하는 경우가 많다. 인공지능에 대한 실제 연구자들과 일반인의 인식 차이는 꽤 큰 편이다. 사람들은 인공지능이라고 하면 사람처럼 생각하고 행동하는 로봇을 떠올린다. 그리고 이들 인공지능 로봇이 인간의 곁에서 우리를 주인처럼 떠받드는 모습을 상상하는데, 물론 이는 연구자들이 꿈꾸는 인공지능의 미래이긴 하지만, 영화나 소설에서 윤색潤色한 미래의 인공지능이다.

현재의 인공지능은 사람이 하는 일을 조금이라도 도와줄 수 있는, 인간처럼 지능적 사고를 하고 인간의 행동을 모방하는 컴퓨터 프로그램이 대다수다. 예를 들면 자율주행 자동차나, 인공지능 컴퓨터인 IBM의 왓슨Watson, 개인비서 서비스인 애플의 시리Siri나 구글의 나우Google Now, 마이크로소프트의 코타나* 등이 이에 해당한다.

하지만 앞으로 몇십 년 후에는 인공지능이 인간의 두뇌를 추월하여 영화 〈아이언맨〉의 집사 프로그램인 '자비스' 수준에 이를 것으로 전망된다. 자비스는 확률적 계산을 통해 가장 나은 판단을 내리고 주인공인 토니에게 조언을 한다. 인간

* **마이크로소프트의 코타나**
코타나는 중요한 일을 컴퓨터 속에서 찾아내 사용자에게 전달할 만큼 성능이 뛰어나다. 사용하면 할수록 정보를 많이 모으기 때문에 더 똑똑해져 개인에게 맞춰진 검색, 안내 등의 서비스를 제공할 수 있다.

체온 변화를 통해 감정도 분석하며, 적과 싸울 때 복잡한 기계장치를 제어해 공격과 방어를 수행한다.

2. 인공지능이 걸어온 길

'생각하는 기계'에 대해 인류가 현실적인 전망을 갖기 시작한 건 1940년대였다. 이 무렵 수리 논리학, 연산과 관련된 새 아이디어들, 인공두뇌학, 정보이론 등 인간의 사고과정과 관련된 이론들이 나타나기 시작했기 때문이다. 초기 인공지능 혹은 컴퓨터 역사에서 주목해야할 인물은 수학자 앨런 튜닝으로, 그는 소년시절 뇌가 신경섬유로 형성된 조직이고, 인간의 마음은 이런 네트워크 결합에 의해 태어난 것이라는 사실에 주목했다. 나중에 케임브리지대학 킹스 칼리지에 입학해 수학을 전공한 튜닝은 〈계산 가능한 수와 결정문제의 응용에 관하여〉(1936년)라는 논문에서 인간의 논리적 사고를 기계에 비유한 구상을 밝힌다. 이후 인공지능에 대한 연구는 20여 년 동안 황금기를 맞다가 컴퓨터가 실용화된 20세기 중반부터 구체적이고 현실적으로 발전하게 된다.

인공지능 연구 방법은 계산주의, 연결주의, 로봇공학 세 갈래로 나뉜다. 계산주의는, 지능이란 결국 복잡한 계산이므로 계산 능력을 이용해 논리적 추론방법을 가르치면 기계가 '사고'할 수 있다고 보았다. 사람의 뇌를 모사하지 않고도 인공지능을 달성할 수 있다고 본 것. 계산주의는 자연어**라는 비형식적인 상징들을 형식적 상징으로 다룬다. 문제는 인간이 사용하는 단어가 상황에 따라 다르게 쓰이기 때문에, 문장의 구문론적 구조를 결정해서 문장의 의미를 다룬다는 계산주의적인 방식은 한계를 가질 수박에 없었다는 점이다.

* **자연어**
사람들이 일상적으로 쓰는 언어. 한국어, 러시아어처럼 국가나 민족별로 쓰이는 다양한 언어로 인공어와 구분된다. 인공어는 에스페란토어처럼 특정 개인이나 단체가 인위적으로 만든 말이다.

연결주의는 지능을 담은 두뇌의 물리적 구조에 주목한다. 인간 두뇌는 뉴런들이 시냅스를 통해 연결된 신경망으로, 연결주의는 이 구조를 컴퓨터 프로그램을 통해 복제하는 데에서 시작하는데 이렇게 탄생한 것이 인공신경망이다. 실제로 좋은 성능을 보이기는 했지만 활용 분야와 성능에서 한계에 부딪힌 상황이다. 로봇공학은 자율적이고 지능적인 행동을 할 수 있는 기계를 만들고자 연구하는 분야이다. 대중적인 이미지와 현실 간의 괴리가 특히 두드러진 분야이다.

3. 현재 주목받는 인공지능 기술, 딥러닝Deep Learning

21세기를 맞아 IT 기술 발전으로 데이터가 폭발적으로 증가하고, 컴퓨터 계산 능력이 향상되면서 새롭게 주목받는 인공지능 기술이 등장했다. 딥러닝이 그것. 딥러닝은 사물이나 데이터를 무리지어 묶거나(군집화) 분류하는 데 사용하는 기술이다. 딥러닝의 핵심은 분류를 통한 예측이다. 인간이 수많은 데이터에서 패턴을 발견해 사물을 구분하듯 컴퓨터가 데이터를 분류하는 것. 가장 단순한 특징으로 사진을 분류하고, 그 다음 단계에선 더 복잡한 특성을 찾아내서 다시 분류한다.

컴퓨터는 사진만으로는 개와 고양이를 구분하지 못해서 과거에는 사진 아래에 일일이 태그를 달아줘야 검색이 되었다. 그런데 2012년 무렵 구글이 "동영상 속에서 고양이를 인식할 수 있게 됐다"는 발표를 해 화제가 된 적이 있다. 구글이 유튜브를 인수하면서 수많은 동영상 이미지를 확보하게 되었고, 이 데이터로 물체 인식을 시도한 것. 구글은 딥러닝을 이용, 동영상에 있는 고양이를 구별해내는 데 성공했다. 이 기술을 이용해서 구글 포토는 사진 속 동작이나 물체 같은 특성에 따라 이미지를 분류해주는 서비스를 제공한다. 딥러닝은 특히 사진과 동영상, 음성 정보를 분류하는 쪽에서 활용도가 높다. 예컨대 리얼라이프애널리틱스RealLifeAnalytics라는 기업은 웹카메라로 사람의 얼굴을 찍어 인식한 후 나이나 직업에 맞는 맞춤형 광고를 제공하고, 하이퍼버지HyperVerge는 사용자가 선택한 쇼핑몰 제품 이미지를 인식해 색상이나 모양이 비슷한 제품을 보여준다. 현재 선두적인 IT 분야 글로벌 기업들이 딥러닝에 주목하고 있다. 페이스북은 '딥페이스'라는 얼굴 인식 알고리즘을 2014년 개발했고, 트위터는 딥러닝 기술을 사진 분석에 활용하는 업체인 매드비츠를 인수했다. 국내의 경우 네이버가 딥러닝 연구의 중심에 있다.

4. 머신러닝Machine Learning, 기계가 스스로 학습하다

머신러닝, 혹은 기계학습은 인공지능의 한 분야로, 기계(컴퓨터)가 학습할 수 있도록 하는 알고리즘과 기술을 개발하는 분야를 말한다. 쉽게 말해서 컴퓨터가 데이터를 통해 학습하고 사람처럼 어떤 대상 혹은 상황을 이해할 수 있는 기술이다. 미국 리씽크 로보틱스Rethink Robotics가 개발한 지능형 로봇 백스터Baxter가 대표적인데, 학습능력이 있는 백스터는 유튜브에 올라온 요리 프로그램을 보고 조리법을 익힐 수 있는 지능을 가지고 있다. 특정 작업을 위해 프로그래밍하지 않아도 스스로 학습능력을 발휘해서 그 작업을 해낼 수 있다는 의미이다.

IT 시장의 격전지로 급부상 중인 머신러닝은 사람의 두뇌 작동 방식을 모방한 인공신경망 구조를 기반으로 한 알고리즘을 딥러닝 기능과 결합시켜서 기계 스스로 학습하게 하는 방식이다. 마치 뇌가 감각기관을 통해 들어온 정보를 패턴화해서 인식하고 이해하듯, 컴퓨터 역시 수많은 데이터에서 패턴을 찾아내 인식한다. 이 패턴은 미래에 대한 예측을 가능하게 하는가 하면, 어떤 데이터가 들어왔을 때 특정 패턴과 유사한지 비교해 볼 수 있게 해준다. 구글이 2014년 4억 달러(4800억 원)에 인수한 영국 인공지능 기업 딥마인드가 개발한 DQN 프로그램은 사람이 전혀 알려주지 않은 내용을 컴퓨터 스스로 학습해서 사람보다 뛰어난 결과를 만들어내는 기능을 이미 시현했다. 2015년 1월 딥마인드 연구진은 이를 이용해 컴퓨터가 한 번도 해보지 않은 49가지 비디오 게임의 기술을 스스로 터득했다는 논문을 〈네이처〉에 실음으로써 인공지능의 새로운 장이 열렸음을 알렸다.

5. '2045년 특이점이 온다', 레이 커즈와일의 미래예측

특이점은 기술이 인간을 뛰어넘어 새로운 문명을 만들어낼 시점을 의미하는 용어. 버너 빈지라는 미래학자가 1993년에 "초지능을 만들어낼 수 있다면, 인간은 더 이상 미래의 발전 속도를 예견하지 못할 것"이라고 주장하면서 이 말이 쓰이게 되었다. 이 말을 대중에게 널리 알린 사람은 구글 엔지니어링 이사이며 세계적인 미래학자인 레이 커즈와일이다. 그는 일반적으로 인공지능이 인간의 지능을 넘어서는 시점을 특이점이라고 부른다. 레이 커즈와일은 미래예측서 〈특이점이 온다〉에서 기술이 선도하는 미래의 유토피아를 그렸는데, 이 책은 출간 후 논쟁의 불씨가 되었다.

레이 커즈와일은 2029년 인공지능이 인간 수준으로 진화할 것을 예측했다. 이후 2030년대 말쯤에는 인간두뇌를 기계에 업로딩하는 게 가능해지고, 그후 이 인공지능이 스스로 '지능 폭동'을 일으켜 인간을 능가하는 새로운 지능을 만들어낼 것이며 이때가 '특이점'으로 2045년에 특이점이 도래할 것이라고 보았다. 커즈와일은 이 책에 자신의 이론을 입증할 수십 종의 지수함수와 그래프 등을 제시하면서 과학적으로 정밀한 분석이라고 말했지만, 아직 검증을 거치지 않았기 때문에 진위는 알기 어렵다. 그는 인공지능이 인간의 두뇌를 대체하고 인류를 행복하게 해줄 것이라는 유토피아적인 관점에 서 있다.

한편 물리학자 스티븐 호킹과 전기자동차 테슬라의 CEO 일런 머스크는 '반反 AI' 입장이다. 스티븐 호킹과 일런 머스크는 공식석상에서 인간의 무분별한 기술 개발로 AI가 인간을 넘어서게 될 것이고, 결국에는 인간이 AI로 대체되거나 AI에 의해 멸종할 것이라고 경고하고 있다. 최근 IT 기술의 급격한 발전에 힘입어 인공지능 분야의 발전이 두드러지면서 논쟁이 한층 격화되고 있다.

6. 인공지능 '유진 구스트먼', 튜링테스트를 통과하다

러시아 과학자들이 개발한 인공지능 '유진 구스트먼'이 2014년 6월 7일 영국

런던의 왕립학회에서 열린 튜링테스트를 세계 최초로 통과했다. 튜링테스트는 상대가 컴퓨터인지 사람인지 모르는 상태에서 심사위원들이 자유 주제로 일정 시간 채팅한 다음 상대가 사람인지 컴퓨터인지를 판정하는 시험. 컴퓨터를 진짜 사람으로 오인하는 심사위원의 비율이 30% 이상이면 이 테스트를 통과하는데, 자신을 '우크라이나에 사는 13세 소년'으로 소개한 유진 구스트먼은 심사위원들과 5분간 채팅을 했고, 그 결과 심사단의 33%는 유진이 컴퓨터가 아닌 진짜 인간이라고 판단했다.

컴퓨터 프로그램이 인공지능 판정 테스트를 통과한 것은 이번이 처음으로 64년 전, 튜링 테스트를 고안한 앨런 튜링이 설정한 30%의 벽을 사상 최초로 뛰어넘은 사례다. 유진 구스트먼이 대화할 수 있었던 것은 컴퓨터가 인간의 대화처럼 수많은 '경우의 수'를 따져 프로그램을 구성한 데 있다. 즉 인간의 질문에 대한 문장 구조나 문맥을 전체적으로 파악할 수 있도록, 인간의 대화를 모은 방대한 데이터베이스 때문이다. 하지만 한편에서는 '튜링테스트'로 인공지능을 판정할 수 없다고 반론을 편다. 사람의 행동은 뇌와 관련이 깊은데 유진은 진짜 '생각'을 한 게 아니라 컴퓨터로 정교하게 짜여진 알고리즘의 결과물을 내놓았을 뿐이라는 것. 사람의 생각을 흉내내 대답했지만, 정작 유진은 이 대화를 아무것도 이해하지 못하기 때문이다. 레이 커즈와일도 유진이 꼼수를 부렸다고 비판했다. '영어가 모국어가 아닌 13세 소년'이라는 설정부터 잘못됐다고 꼬집었다.

"인류에게 해악을 남길 것"

1 인류는 인공지능을 통제할 수 없다

인공지능을 가진 로봇이 인간을 공격한다! 과거 이런 장면은 단지 영화 속 이야기에 불과했다. 수십 년 전 당시 사람들에게 인류를 향한 로봇의 위협은 먼 미래의 이야기일 뿐이었다. 그러나 기술 발달에 힘입어 인공지능은 엄청난 속도로 발전하고 있다. 인공지능이 주식관련 기사를 통째로 쓰고, 투자 심의회에 이사로 참여해 투자분석을 하는 등 사람의 일자리를 대체하는 중이다. 또한 스스로 학습하는 인공지능과 전쟁에 참여하는 전투로봇도 곧 출현할 전망이다.

최근 들어 빌 게이츠, 일런 머스크, 스티브 워즈니악 등 세계적인 과학자와 IT 분야의 최고경영자들이 인공지능에 대한 우려를 쏟아내고 있다. 기술의 속성상 인간과 유사한 지능을 가진 인공지능은 필연적으로 인간을 능가하는 수준에 이를 것이고, 이 인공지능을 인간이 통제할 수 없을 것이라 예측했기 때문이다.

기계가 스스로 학습하기 시작했다는 건 중요한 의미를 갖는다. 사람과 다르게 학습 내용을 망각하지 않고, 학습 피로도 느끼지 않으며, 학습 시간에도 한계가 없다. 인공지능은 인류 최후의 발명품이 될 것이라는 예견이 많다. 스티븐 호킹은 생물학적 진화 속도보다 과학기술의 진보가 더 빠르기 때문에 의식을 갖게 된 인공지능이 인간의 자리를 대체할 것이라고 말한 바 있다.

한스 모라벡은 2050년 이후에는 로봇이 사람 대신 지구의 지배자가 될 것이라고 주장한다. 지능형 기계가 인간보다 환경에 훨씬 더 적합한 거주자이며, 우주의 자원을 놓고 인간과 지능형 기계가 경쟁한다면 진화론적으로 기계가 더 효율적이기 때문. 인공지능에 대한 이들의 경고를 가볍게 넘길 수 없는 이유는 이들이 첨단 과학기술 분야의 CEO이자 인공지능 전문가로, 기술의 현실에 대해 누구보다 잘 아는 사람들이기 때문이다. 인류를 위협하는 인공지능의 현실에 대해 하루 빨리 자각해야 한다.

2 인공지능 윤리는 법적, 기술적으로 제어할 수 없다

인공지능을 다룬 영화들이 대체로 미래를 디스토피아로 그리는 이유는 무엇 때문일까? 인공지능이 인간의 명령에 복종하지 않고 인간을 공격할 수 있는 가능성을 가지고 있기 때문일 것이다. SF 고전 영화 〈2001 스페이스 오디세이〉에 나오는 할HAL처럼. 우주비행사들이 인공지능 컴퓨터로 컴퓨터를 정지시키려고 하자 할은 그들을 우주 공간에 내동댕이쳐 버린다. 이후 수많은 SF 영화에서 인공지능은 인간에게 위협적인 존재로 묘사됐고, 경우에 따라 인류를 파멸시킬 가능성을 지닌 존재로 그려졌다.

아시모프의 로봇 3원칙*은 로봇이 인간에게, 나아가 인류에게 해를 입혀서는 안 된다는 것이 핵심이다. 하지만 이 원칙은 이미 깨지기 시작했다. 전투로봇의 경

*** 아시모프의 로봇 3원칙**

미국의 작가 아이작 아시모프가 로봇에 관한 소설에서 제안한 로봇의 작동원리이다.

제 1원칙: 로봇은 인간에 해를 입혀서는 안 된다. 그리고 위험에 처한 인간을 모른 척 해서는 안 된다.

제 2원칙: 제 1원칙에 위배되지 않는 한, 로봇은 인간의 명령에 복종해야 한다.

제 3원칙: 제 1원칙과 제 2 원칙에 위배되지 않는 한, 로봇은 로봇 자신을 지켜야 한다.

우를 보자. 지금 전 세계는 무인 로봇 개발 경쟁이 한창이다. 물론 이 로봇이 현재는 인간의 지휘 아래 있지만 곧 자율적으로 판단하는 군사로봇이 10년 안에 나올 것으로 진단한다. 미 국방성은 2020년까지 5세대 로봇 군대로 완전 대치한다는 계획을 가지고 있다. 로봇 군인은 아군의 인명피해를 줄일 수 있고, 극한 상황에서도 끝까지 싸울 수 있으며, 대량생산으로 방위비를 절감할 수 있다. 군사로봇은 이미 아시모프의 로봇윤리를 위배한다. 적군인 인간에게 무차별 사살을 가함으로써 인간에게 해를 입힐 수밖에 없기 때문이다.

더 큰 문제는 로봇이 나중에는 '살인 결정권'까지 가질 수 있다는 점이다. 현재의 기술력으로는 로봇이 장난감 총을 가지고 노는 아이와 진짜 총을 든 적군을 식별할 수 없다. 이에 유엔은 2013년 살인로봇의 개발을 금지하는 보고서를 발행했다. 스티븐 호킹과 촘스키 등은 인공지능 기술을 활용한 '스톱 킬러 로봇' 캠페인에 앞장서고 있다. 스티븐 호킹은 "자동화 무기의 발전은 화약과 핵무기를 잇는 '제3의 전쟁혁명'으로, 개발이 완료되면 암시장을 통해 테러리스트, 독재자, 군벌의 손에 들어가는 것은 시간문제"라고 말한다.

뿐만 아니라 지능화된 로봇이 인간에게 해를 입힐 때 책임 소재 또한 불분명한 상태다. 자율주행 자동차의 경우 기술적으로 완성단계에 있지만 시판을 앞두고 윤리적 딜레마에 직면해 있다. 만일 이 자동차가 급박한 상황에서 무단횡단하는 행인 10명을 맞닥뜨렸을 때 차량에 탄 운전자를 보호해야 할까, 아니면 군중 10명을 살려야 할까? 이에 대한 대비를 위해 인간은 어떤 알고리즘을 짜야 할까? 군중 10명을 살리게 프로그래밍할 경우 아무도 이 차를 사지 않을 것이고, 운전자를 먼저 살리게 프로그래밍할 경우에는 도덕적 비판을 받을 수밖에 없다. 인공지능 윤리가 법적, 기술적으로 제어될 수 있다는 생각은 순진하고 무책임한 발상이다.

3 의식을 가진 인공지능은 인류에 위험을 초래할 수 있다

우리는 기계가 설령 지능을 갖는다고 해도 마음이나 감정 같은 의식을 가질 수 없을 것이라고 생각해왔다. 하지만 뇌과학이 발달하면서 많은 과학자들이 의식을 가진 기계의 출현이 가능하다고 말한다. 인간의 의식은 감각기관이 준 정보에 대한 해석이다. 우리가 어떤 동물을 개나 고양이라고 분별하는 것은 반복되고 예측된 신호들의 패턴을 분석해서 자신이 지각한 것들을 정의내리는 것이다.

이러한 이미지 분석을 위해서는 단순한 단계부터 복잡한 단계까지 계층이 존재하는데, 인간의 뇌는 다른 동물이 한두 개 계층을 가진 것에 비해 10개의 계층을 가졌고 그만큼 고차원적으로 패턴들을 예측할 수 있다. 그러나 기술 수준, 나아가 앞으로의 발전을 감안하면 이러한 뇌작용을 기계가 충분히 대신 수행할 수 있을 뿐만 아니라 오히려 인간의 두뇌보다 더 고차원의 층위를 갖도록 설계될 수 있다.

반도체 기술의 발달이 가속화되고, 머신러닝과 딥러닝 기술이 발전해나가고, 모바일 기기와 사물인터넷이 결합한 유비쿼터스 컴퓨팅, 소셜미디어와 빅데이터, 기계공학 분야의 기술 발달이 합쳐져 인공지능은 약한 인공지능에서 강한 인공지능으로 이동하고 있다. 페이스북의 2014년 감정 조작 실험*에서 드러나듯 소셜미디어에서 사람들이 감정과 느낌을 기록하면서 기계가 도달할 수 없다고 여겨졌던 영역마저 컴퓨터가 따라할 수 있는 환경이 되었다. 나아가 단순한 연산능력이나 지능만이 아니라 감정까지 지닌 초지능의 탄생이 이미 가시화되고 있다. 인간의 능력을 넘어선 지능이 의식과 감정까지 갖게 된다면 인공지능은 인간에게 어

*** 페이스북의 2014년 감정 조작 실험**

페이스북이 이용자의 감정을 좌지우지할 수도 있다는 연구 결과가 나왔다. 페이스북 데이터과학연구팀은 뉴스피드(페이스북에서 받아보는 사람 및 페이지에 관한 소식 목록)의 내용에 따라 사용자들이 어떤 감정 변화를 겪는지 연구해 최근 미국 국립과학원회보에 게재했다. 연구팀은 이 알고리즘을 조작해 긍정적이거나 부정적인 내용을 담은 게시물 비율을 조정했다. 그 결과 뉴스피드에서 긍정적 게시물을 많이 접한 이용자들이 긍정적인 게시물을 더 많이 페이스북에 올리는 것으로 나타났다. 반대로 부정적 게시물을 많이 접하면 부정적 게시물을 더 많이 올렸다. 이 연구를 위해 페이스북이 이용자 69만 여명의 뉴스피드를 조작했다는 사실이 밝혀져 연구윤리 위반 논란이 일어났다. 페이스북이 정치·상업적 목적으로 뉴스피드를 조작할 수 있다는 우려도 나온다.

떤 의미로 다가올까? 금융시장보다 한 수 앞선 계산 능력이 있고, 인간 연구진보다 더 뛰어난 발명을 하고, 인간 지도자보다 능숙한 조정능력을 갖추고, 심지어 인간이 이해하기조차 어려운 무기를 만들어낼 수 있는 인공지능이 등장할 것이라는 얘기다. 인간과 인공지능의 관계가 재정립되는 그때, 인공지능은 인간에게 무언가를 요구하기 시작할지 모른다.

이런 상황이 오면 과연 인류는 인간을 초월하는 인공지능을 통제할 수 있을까? 아무리 인간이 이 인공지능을 아주 조심스럽게 디자인한다 해도 인공지능의 의지와 인간 의지의 충돌은 불가피하다. 이 싸움에서 인간이 승리하리라 장담하기는 어렵다. 그런데도 특이점을 앞세우며 인공지능을 낙관하는 사람들은 인공지능이 인간과 소통하고 타협할 것이라고 주장하는데, 이는 너무 순진한 생각이다.

플러스 상식 [+]

한스 모라백의 《마음의 아이들》

로봇전문가 한스 모라벡은 자신의 책 <로봇>(국내에서는 '마음의 아이들'이라는 제목으로 출간)에서 로봇 기술의 발달과정을 생물진화에 비유하여 설명하면서 2050년 이후의 로봇을 '마음의 아이들' 이라고 불렀다. 한스 모라벡은 2010년까지를 로봇 1세대로 구분하고 20세기의 로봇보다 30배 정도 똑똑하고 도마뱀 정도의 지능 수준이며, 2020년까지의 로봇 2세대는 1세대보다 성능이 30배 정도 뛰어나며, 생쥐만큼 영리하며, 2030년까지의 로봇 3세대는 원숭이만큼 영리하며, 2040년까지의 로봇 4세대는 20세기의 로봇보다 성능이 100만배 이상 뛰어나고 로봇 3세대의 원숭이보다 30배 정도 뛰어날 것이라고 예견하였다. 4세대 로봇이 출현하면 놀라운 속도로 인간을 추월하여 2050년 이후에는 지구의 주인이 인류에서 로봇으로 바뀌고, 로봇은 소프트웨어로 만든 인류의 정신적 유산인 지식·문화·가치관 등을 물려받아 다음 세대로 넘겨주게 된다는 것이다.

출전_ 매일경제용어사전

“인류에게 이롭다”

1 인공지능, 위협이 아니라 엄청난 기회다

생명체의 진화과정을 거스를 수 없는 것과 같이 기술의 진보 역시 그 걸음을 늦추거나 막을 수 없다. 인공지능의 발달도 마찬가지다. 인공지능은 그동안 인류가 해결하지 못했던 수많은 과제들을 해결해 우리의 삶을 개선시킬 것이다. 질의응답시스템인 IBM의 왓슨은 퀴즈쇼에서 인간을 꺾었다. 지금은 병원에서 환자의 상태를 모니터한 생채기록 정보와 최신 의료정보, 치유 사례 등 거대한 정보를 순식간에 찾아내어 정확한 처방을 내리는 일까지 하고 있다. 그 결과는 매우 긍정적이라고 한다. 현재 뉴욕 메모리얼 암센터 등에 채용돼 있다. 방대한 정보를 찾아서 적합한 결론에 도달하는 왓슨의 능력은 인간의 지능으로는 불가능한 것이다.

인공지능에 대한 비관론을 펼치고 있는 머스크와 정반대 입장에 있는 구글의 에릭 슈미트는 인공지능에 대한 인류의 두려움을 일축(단호하게 거절하거나 물리침)하며 다음과 같이 말했다. “자유로운 정보 공유가 문맹을 없애고 부정부패를 청산해서 민주주의를 굳건히 해줄 것이며, 번역 프로그램 덕분에 의사소통의 불편이 사라지면서 서로에 대한 편견이나 오해, 심지어 전쟁도 피할 수 있다”며 낙관론을 펼친다. 인류의 문명은 모두 인간지능의 산물이다. 그리고 인공지능이 발달을 거듭해 고도의 능력을 얻는다면 지금은 상상할 수 없는 이로움을 인류에게 선사할 것이다. 우리는 역사 이래 전쟁과 질병, 기아가 사라지기를 염원했는데, 인공지능은 이와 같은 인류의 염원을 해결해 줄 수 있다.

하지만 사람들은 이 새로운 '인공지능'을 두려워한다. 처음 사람이 하는 일을 기계가 대신하던 산업혁명 시대를 떠올려보라. 당시도 새로운 문명이 가져올 디스토피아적인 미래에 대한 경고의 목소리가 높았다. 노동자들은 러다이트 운동(기계 파괴 운동)을 벌이기까지 했다. 생물학 무기나 유전자 재조합 기술이 등장했을 때도 이 기술이 인류를 절멸시킬 것처럼 호들갑을 떨었지만 국제적 조약 등으로 위험을 관리할 수 있었다. 인류는 이처럼 언제나 새 기술에 과민한 반응을 보였고, 새 문명 앞에서 혼란스러워했다. 하지만 결과적으로 진보된 기술은 늘 인류를 더 나은 미래로 이끌어갔다.

따라서 우리에게 필요한 것은 두려움이 아니라 '교육'이다. 인공지능을 두려워할 것이 아니라 보다 새로운 세계에 대응할 수 있도록 현재의 교육제도를 개선해야 한다. 역사를 바꿀 새로운 기술은 인류를 번영으로 이끌 것이다. 지금 우리는 번영의 시기를 맞이하고 있다. 인류 역사상 가장 엄청난 사건으로 기록될 인공지능의 출현에 대한 불필요한 공포에서 벗어나 새로운 시대를 맞이할 준비를 하는 게 맞다.

2 인공지능의 도덕적 기준을 만들 수 있다

인공지능의 발전이 인간의 삶을 훨씬 편리하게 해줄 것이며, 인류가 풀지 못한 수많은 문제를 해결할 것이라고 전망한다. 하지만 한편에서는 인간이 과연 인공지능을 통제할 수 있는지 두려워한다. 물론 인공지능이 발전을 거듭할수록 해결해나가야 할 문제가 더 많이 제기될 것이다. 하지만 중요한 사실은 결코 풀 수 없는 문제는 아니며, 되려 괜한 우려로 문제를 과장하고 있다는 사실이다. 새로운 기술은 언제나 전에 없던 문제를 야기했다.

유전자 기술이 발달하자 사람들은 당장 인조인간을 만들어낼 것처럼 호들갑을 떨었지만 이 기술의 발전에 힘입어 수많은 질병을 고치고, 윤리적으로 잘 통제해오고 있다는 사실을 알아야 한다. 새 기술은 과제를 안겨주지만 한편으로는 새로운 해결방법도 마련한다.

인공지능의 윤리문제 또한 아시모프의 로봇 3원칙을 기본으로 더 정교하게 다듬어지고 있다. 다임러벤츠재단은 자율주행 자동차가 사회에 끼칠 영향을 연구하는 프로젝트를 진행 중이고, 구글은 실제 운전상황에서 한 번도 만나지 못한 0.001% 경우까지 대비하고 있으며, 인공지능의 안정성을 위한 연구에 수많은 기업들이 투자를 아끼지 않고 있다. 자율주행 자동차가 교통사고를 현저히 줄일 것이라는 게 전문가들의 일치된 견해다. 또한 윤리문제를 해결하기 위해 많은 기업들이 연구에 집중하고 있다.

당연히 인류는 인공지능이 지켜야 할 도덕적 기준을 만들 것이며, 살인로봇을 막는 국제규약을 제정할 것이다. 또한 인공지능이 직면할 다양한 상황에 대해 사회적 합의를 담은 알고리즘을 만들어 사회적 규약을 벗어나지 않는 범위에서 작동하게 하는 방법도 모색할 것이다, 나아가 애초에 인공지능을 설계할 의도를 배반하지 못하도록 자폭 스위치를 넣는 것도 가능하다. 즉, 인공지능 로봇이 사람의 통제를 벗어나지 못하도록 과학자들은 다양한 기술적 방법을 만들어낼 것이고, 입법가들은 강력한 법률과 사회적 합의를 적용할 것이다.

인류의 삶을 풍요롭게 해준 새로운 과학기술은 실패를 두려워하지 않는 모험심에서 출발했다. 《평행우주》를 집필한 일본계 미국인 물리학자 카쿠 미치오는 인공지능이 위험한가에 대한 물음에 다음과 같이 답했다. "그래서 나는 인공지능이 위험한 생각을 하면 꺼질 수 있도록 그들의 뇌에 칩을 이식하는 걸 제안한다"고. 기술은 나아갈 것이고, 기술이 일으키는 문제는 인간의 기술로 극복할 수 있다는 믿음이 필요하다.

3 인공지능, 자비, 관용, 공감 등의 능력도 가질 수 있어

인공지능이 인간 수준으로 진화하게 되면, 단기간에 인간의 지능을 넘어서는 특이점을 지날 것이다. 인간의 능력을 초월한 인공지능의 탄생을 예견하는 말이다. 우리는 흔히 기계가 지능을 가질 수는 있지만 마음을 가질 수는 없다고 말한다. 그러나 뇌과학자들은 다음과 같은 반론을 편다. 위스콘신 대학의 신경과학자 줄리오 교수는 마음을 "신경회로망 계층들을 지나 가장 '높은 층' 전두엽으로 모이는 정보들의 형태"라고 말한다. 사람의 전두엽이 망가지면 그 사람의 특징이라고 알려져 왔던 성격, 취향 등 마음을 잃게 된다. 인간의 지능과 마음은 계층적으로 반복된 패턴의 교집합을 찾는 과정에서 만들어지고, 인간의 신경망은 다른 동물보다 10개 정도의 층계를 가지고 있는데, 인공두뇌는 인간보다 더 많은 층계를 갖도록 설계할 수 있다. '기술의 발전에 힘입어 앞으로 인공지능은 인간보다 1000만 배 더 고차원적인 패턴을 이해하고, 1000만 배 더 큰 아픔과 기쁨을 느끼고, 1000만 배 더 깊은 마음을 가지게 될 것이다.'(《김대식의 빅퀘스천》)

인간보다 더 고차원적인 패턴을 이해하고, 더 큰 아픔과 기쁨을 가진 인공지능. 이 인공지능을 상상해보자. 인간보다 더 뛰어나다고 해서 인간을 공격하고 억압할 것이라는 주장은 그야말로 '인간적인' 식견이다. 자신보다 열등한 존재를 이용가치로만 삼아 왔던 인간을 초월한다고 해서 이 존재가 인류를 통제할 것이라는 주장은 단견短見이다.

레이 커즈와일은 인공지능을 두려워할 필요가 없다고 단언한다. 문제는 인공지능 기술에 있는 것이 아니라 범죄와 폭력을 부르는 인간 사회에 있다고. 따라서 인공지능의 위험을 제거할 수 있는 근본적인 처방은 인간 사회가 이상적 사회로 한 발 더 나아가는 것이라고 주장한다. 사회적 악이 존재하지 않는 속세, 그것이 인공지능의 위험을 덜 수 있는 진정한 처방이라는 것이다. 현재의 인공지능에 관한 담론은 기술이나 과학의 차원을 넘어서고 있다. 인공지능은 어쩌면 인간 자신의 윤리와 도덕을 한층 고양시킬 수 있는 기회가 될 수 있다. 우리는 인공지능을 더 인간답게 만들려고 노력해야 하고, 이를 위해서 우리 인류는 더욱 인간적이어야 한다. 아이들이 부모를 더 나은 사람으로 만들듯이 인공지능 개발도 우리를 한 단계 진전시킬 수 있다.

인공지능의 발달은 누구도 거스를 수 없다. 그렇다면 우리는 뇌과학자 김대식의 지적처럼 "무한으로 깊은 마음을 가질 기계에게 역시 무한으로 큰 자비심을 심는 법을 찾아야 할 것이다." 인류의 성숙이 인공지능의 성숙의 발판이 되어 인공지능이 자비심과 관용, 공감능력을 가질 수 있도록 만들어 더 풍요로운 세상으로 나아가야 한다는 얘기다.

토론해 봅시다

1. 인공지능의 발전이 과연 인류에게 이로울지, 아니면 인류를 위협할지 찬반으로 나누어 토론해봅시다.

2. 인간의 의식과 마음을 가진 로봇이 등장하는 미래 세계에 대해 상상해봅시다. 인간의 마음을 가진 로봇을 우리는 어떻게 대해야 할까요? 자유롭게 말해봅시다.

실전 gogo

강한 인공지능의 출현이 가능할지 불가능할지는 논외로 치더라도 현재 인공지능의 발전 속도는 놀라울 만큼 빠르고 획기적입니다. 특히 자율주행 자동차는 기술적으로 거의 완성단계지만 몇 가지 윤리적 문제에 부딪혀 운행을 미루고 있는 상태입니다. 자율주행 자동차가 등장하면 어떤 점이 좋을지, 어떤 점이 문제가 될지 말해봅시다. (300자)

나노기술이 여는 인류의 미래는 밝은가

흔히 20세기를 마이크로micro시대라고 한다면 21세기는 나노nano시대가 될 것이라고 말한다. 더불어 나노기술Nano Technology을 정보통신기술IT, 생명공학기술BT과 더불어 21세기를 책임질 3대 첨단기술로 꼽는다. 최근 나노기술을 이용한 연구개발 성과가 활기를 띠면서 이러한 주장은 탄력을 받고 있다. 하지만 한편에서는 인류를 파멸로 몰고 갈 10대 재앙 중 하나로 지목하기도 한다. 나노기술은 과연 인류의 장밋빛 미래일까, 재앙의 시작일까?

키워드로 읽는 논쟁

1. 나노기술이란 무엇인가?

나노란 '난쟁이'를 뜻하는 그리스어 '나노스nanos'에서 유래한 말로 10억분의 1m를 말한다. 이는 원자 서너 개가 배열된 정도의 크기로, 머리카락 굵기의 10만 분의 1에 해당할 만큼 미세한 크기다. 이런 크기의 원자나 분자를 자유자재로 조작해 새로운 물질을 만드는 기술이 나노기술이다. 예컨대 크기가 나노미터처럼 극단의 수준으로 작아지면 반응 속도가 빨라지고 간섭이 줄어드는 등 본래 가지고 있었던 물질의 특성이 달라지거나 새로운 특성이 나타난다. 이러한 성질을 이용해 새로운 소재material나 소자element(전기·전자기구나 회로에서 중요한 기능을 갖는 개개의 구성 요소, 진공관, 트랜지스터, 코일, 콘덴서 등을 말한다), 기계 등을 만드는 첨단기술이다.

'나노'의 기본 개념을 처음 제시한 사람은 1959년 노벨물리학상을 받은 리처드 파인만이다. 그는 미국의 물리학회 강연에서 바이러스 크기의 기계를 만들 수 있는 가능성에 대해 언급했다. 이 가능성이 현실화된다면 0.16mm 정도 되는 핀의 머리 부분만으로 브리태니커 사전을 모두 담을 수 있다고 주장했다. 또 1986년 미국의 에릭 드레슬러 박사는《창조의 엔진》에서 '나노기술'이란 용어를 처음으로 사용하면서, 이것이 인류의 모든 생활을 바꿀 것이라고 예측했다.

2. 나노기술은 어떤 분야에 적용되는가?

1981년 원자나 분자를 눈으로 볼 수 있는 주사터널링현미경Scanning Tunneling Microscope과 원자힘현미경Atomic Force Microscope이 개발되면서 인류는 본격적으로 나노 크기의 물질을 다룰 수 있게 되었다. 2014년에 노벨화학상을 수상한 초고해상도 형광현미경Super-resolved Fluorescence Microscope은 더 정밀한 나노 세계를 연구할 수 있게 도왔다.

나노기술은 특정한 대상이 아니라 크기로 정의된 분야라서 전자, 반도체, 화학, 생물, 기계, 의료, 건설, 재료, 환경 등 나노 단위의 물질을 개발하여 활용할 수 있는 모든 분야에 적용하고 사용할 수 있다. 1991년에 개발된 탄소나노튜브처럼 기존의 철강재보다 100배 뛰어난 강도를 지닌 최첨단 소재를 만들 수도 있고, 나노 물질이 첨가된 화장품처럼 생활용품에도 적용할 수 있다. 현재까지는 실험단계이지만 나노봇(나노기술과 로봇의 합성어. 원자나 적혈구만한 크기로 자기 복제도 가능한 미래 로봇)은 혈관을 타고 다니며 외과수술을 진행하고, 유전자를 재조합하거나 조직하기도 한다. 수면을 줄이거나 근력을 강화시키는 의약품, 인공 팔다리나 두뇌의 정보처리 속도를 빠르게 하거나 먼 거리의 사물을 볼 수 있게 하는 신경칩 등이 나노기술로 개발될 수 있다. 가히 공상과학영화에서나 봄직한 얘기들이다.

3. 우리나라의 나노기술 수준은 어디까지 왔나?

우리나라는 2001년 7월 '나노기술종합발전계획'을 수립하면서 나노기술 연구개발을 본격적으로 추진했다. 이는 일본(2001년 9월)이나 프랑스(2003년 11월)보다 한발 앞선 것이다. 테라급나노소자개발사업단, 나노소재기술개발사업단, 나노메카트로닉스사업단 등의 연구개발사업단을 구성하고, 나노종합팹센터(대전), 나노소자특화팹센터(수원), 나노기술집적센터(포항·전주·광주)등의 인프라를 구축해 운영해 오고 있다. 이와 같은 투자에 힘입어 현재 우리나라는 나노기술 강국으로 꼽히고 있다. 우리나라의 나노기술 연구 수준은 SCIScience Citation Index*(과학기술논문인용색인)급 논문 편수를 봐도 알 수 있는데, 2001년에 196편에 불과했던 것이, 2015년에는 5787편으로 중국, 미국, 인도에 이어 세계 4위를 차지했다. 나노 분야의 미국 특허건수도 2015년 기준 678건으로 미국과 일본에 이어 세계 3위를 기록했다.

4. 에릭 드레슬러의《창조의 엔진》은 어떤 책인가?

1986년에 발간되어 나노기술의 효시가 된 고전이다. 극초정밀 제조기술의 기반이 될 나노기술의 위대한 탄생을 알린 책으로, 신기술이 가져올 결과를 독창적으로 다루고 있다. 나노기술이 가져올 의학적, 환경적, 경제적 변화를 전망하는 한편 그 잠재적 위험과 정치적 반응까지 파헤친다.

당시에는 저자가 비웃음의 대상이 될 정도로 나노기술은 오랫동안 과학 기술자들의 주목을 끌지 못했다. 하지만 오늘날에는 21세기의 핵심 기술로 주목받고 있다. 현재 비록 걸음마 수준이긴 하지만 여러 분야의 과학자들이 다양한 방법으로 접근해 많은 연구 성과를 내는 중이다.

저자는 이 책에서 적절한 프로그래밍을 통해 흙, 공기, 물로부터 무엇이든 만들어낼 수 있고, 무엇이든 그 구성요소인 원자로 분해할 수 있다고 주장한다. 더 나아가 나노 기계로 상처를 치료하고, 암세포를 파괴하고, 인체의 동맥에서 콜레스테롤을 제거할 수 있다고 주장한다. 또한 나노기술의 발전이 사회의 모든 부분에서 혁명적인 변화를 초래할 것이라고 말한다. 이와 함께 자기복제가 가능한 로봇에 대해 예측하면서, 자칫 이 로봇이 인간의 통제를 벗어나 꽃가루처럼 바람을 타고 이동하며 주위의 모든 것을 먹어치워 지구생태계를 '화색 곤죽'으로 바꿔버릴지도 모른다고 경고한다.

저자는 전 세계 과학의 향방을 뒤바꾼 이 작품으로 일약 과학계의 스타로 떠올랐으며, 그의 주장이 기술적으로 가능하다는 사실이 점차 입증되면서 25년이 지난 지금까지도 '나노기술의 아버지'라 불리고 있다.

"나노기술, 장밋빛 미래 열어줄 것"

1 나노기술은 '제2의 산업혁명'이다

나노기술의 효용은 무엇보다 신소재를 개발해 부가가치를 창출하는 데 있지만, 여기서 그치는 것은 아니다. 1970년 앨빈 토플러는 《제3의 물결》에서 기술의 급변이 일으킬 미래의 충격에 대해 얘기했다. 물론 대부분의 사람들에게 현실의 변화가 그 예측만큼 강렬하게 다가오지 않았지만, '나노 공장'이 현실화된다면 우리가 경험할 변화의 충격은 토플러의 예상을 뛰어넘을 수도 있다.

나노기술이 구현된 의류나 화장품 같은 일상용품에서부터 인체의 혈관을 타고 다니며 진단하고 수술하는 로봇, 모래알보다 더 작은 슈퍼 컴퓨터, 모기보다 더 작은 무기, 싱크대에 올려놓을 만큼 작으면서도 일체가 완비된 나노 공장을 만드는 일은 이제 꿈이 아니다. 또한 나노기술이 식용수와 폐수, 천연가스 파이프라인, 공장에서 나오는 불순물의 초미세 입자까지 걸러내 환경보호에도 기여할 것으로 예상하고 있다. 그 범위는 소재에서부터 환경, 바이오, 의료, 전자, 화학, 생물, 기계, 건설 등 가히 전방위적이다. 나아가 나노기술은 모든 분야의 설계와 제조 방식을 바꿀 수 있는 잠재력이 있기 때문에 산업 분야에 새로운 도구를 제공해 주는 기반기술의 성격도 띠고 있다. 이러한 이유로 나노기술은 '제2의 산업혁명'이라고 할 만하다.

《창조의 엔진》으로 대중의 주목을 받았고, 일약 나노기술의 아버지로 불리게 된 에릭 드렉슬러는 이렇게 말한다.

"이제 공장과 유사한 뭔가를, 그러나 백만 배 더 작고, 백만 배나 더 빠르게 가동하며, 분자 크기의 부품들과 제품들을 갖고 있는 뭔가를 상상해 보라."

그것이 바로 머지않은 미래에 현실로 구현될 나노의 세계다.

2 나노기술의 위험성은 과장된 측면이 많다

나노기술 연구가 활발해지고 가시적인 결과가 속속 나오는 것만큼 우려의 목소리도 들린다. 위험성에 관한 우려다. 적당한 우려는 받아들여 연구과정에서 풀어내면 된다. 당장에라도 지구 종말을 몰고 올 것처럼 호들갑을 떠는 것은 지나치다. 나노기술의 전망은 대개 충분한 과학적 근거를 가지고 있는데 반해, 나노기술의 위험성을 경고하는 사람들은 공상과학 소설이나 영화 수준의 문제제기에서 크게 벗어나지 못하고 있다. 근거 없이 위험을 과장하고 있는 것이다.

물론 대부분의 기술이 그렇듯 나노기술도 악용의 소지가 있고 위험성이 없다고 단정할 수는 없다. 그러나 새로운 기술의 수용에는 언제나 저항과 현실적 어려움이 따르기 마련이다. 기술개발의 문제점과 우려사항으로 지적되는 것들은 관련 법규의 제정이나 안전 거버넌스Risk Governance(좀 더 효율적인 위험관리를 위해 정부나 민간이 함께 상호 네트워크를 통해 기술적 위험에 대처하는 것), 나노제품 표시제 등을 통해 현 단계에서도 얼마든지 보완이 가능하다. 게다가 아직 초보 연구단계에 있는 만큼 과학기술자들의 자율규제와 양심에 맡겨도 충분할 것이다. 과장된 우려는 기술발전의 발목을 잡을 뿐이다.

나노 물질에 갖가지 의문을 제기할 수는 있지만 그것이 나노기술의 발전과 지원의 위축으로 이어져서는 안 된다. 드러나지 않은 문제점을 근거로 발전이 더뎌진다면 보다 나은 인류의 미래를 보장하기 어렵기 때문이다. 아직까지 나노물질의 유해성, 나노기술이 낳을 피해가 과학적으로 입증된 적이 없음을 알아야 한다.

3 적극적 투자로 나노기술 시장을 선점해야 한다

나노기술이 국가 기간산업으로 발전하면 자연스레 국가경쟁력이 높아지고 국민 개개인의 삶이 풍요로워질 것이다. 하지만 나노기술에 반대하는 이들은 현재의 지극히 초보적인 연구 수준에 빗대, 나노기술 개발은 성공 여부도 불투명하고, 천문학적인 투자가 이루어져야 하며, 투자금의 회수 여부도 불확실하다고 비판한다.

물론 나노기술의 실현이 아직 먼 미래의 일이기는 하지만, 당장 신소재나 신약을 개발하는 등 해결해야 할 과제는 산적해 있다. 기술의 근간이 되는 기초연구 분야에서도 개척해야 할 일이 한둘이 아니다. 나노기술의 성공 여부가 불투명해 보이겠지만 꼭 그런 것도 아니다. 과학은 이미 인류가 불가능하다고 믿어온 일들을 하나씩 이뤄낸 역사를 가지고 있지 않던가. 오늘날 과학 발전을 거듭해 우주를 다루는 거대과학을 이뤄냈듯, 앞으로는 미세과학의 세계를 정복하게 될 것이다. 그리고 이 나노기술은 우주 개발을 통해 얻는 것보다 더 큰 과학적 진보를 안겨줄 것이 분명하다. 이는 인류의 풍요로움과도 직결된다.

미래의 나노기술은 국가경쟁력을 가늠하는 중요한 척도가 될 것이다. 나노기술은 의료나 신소재뿐 아니라 IT산업과도 결합하여 고부가가치를 창출하는 다재다능한 기술이기 때문이다. 선진국들이 90년대 후반부터 앞다투어 대규모 자금을 투입하면서 나노기술 연구에 적극적인 이유이기도 하다.

부존자원이 없는 우리나라의 경우 나노기술은 포기할 수 없는 분야이다. 다행히 2001년부터 정부의 적극적인 지원과 투자에 힘입어 우리나라의 나노기술은 이미 세계적인 성과를 내고 있다. 불필요한 논쟁으로 힘을 뺄 게 아니라 수 조 달러에 달하는 거대시장을 위해 투자를 아끼지 말아야 한다.

"나노기술, 재앙의 시작"

1 나노기술의 위험성은 무시할 수준 아니다

나노기술이 환경을 비롯해 각종 분야에서 혜택을 가져다 줄 수 있다는 사실은 부인하지 않는다. 나노물질에 나타나는 새로운 속성들은 더 깨끗한 에너지의 생산과 효율, 물 관리, 환경 복원, 경량화를 통해 환경을 개선할 가능성이 있다.

그러나 꾸준히 제기되고 있는 나노입자의 위험성에 대한 경고에 귀를 기울여야 한다. 나노입자는 너무 작아서 피부를 그냥 통과하고 심지어 세포막을 뚫고 세포로 들어갈 수도 있다. 따라서 몸에 해로운 물질은 나노 수준으로 만들어서는 안 된다. 실제로 환경기구 ETC그룹은 화장품이나 전자공학 분야에서 쓰이는 나노입자가 인체에 들어와 해를 끼칠 수 있음을 보여주는 연구결과를 발표했다. NASA연구팀은 탄소나노튜브를 용액 형태로 쥐의 허파에 주입했을 때 조직이 손상되는 것을 발견할 수 있었다고 보고했다.

물론 탄소나노튜브를 직접 호흡한 게 아니라는 점에서 섣부른 결론이라는 반론도 있지만, 이들 실험은 모두 마이크로미터 이상의 크기에서는 독성을 보이지 않던 물질이 나노미터 크기로 작아지면서 독성이 강해진다는 결과를 내놓아 충격을 준다.

석면, 프레온가스, DDT, 납 성분이 포함된 휘발유, 폴리염화비페닐 등의 물질에서 경험한 것처럼, 어떤 제품이 유용하다고 해서 그 제품이 건강이나 환경에 무해한 것은 아니다. 만일 나노 제품들이 널리 사용된 뒤에 위험성이 알려지게 된다면, 그것은 인간의 고통과 환경의 손상을 넘어서는 문제를 야기할 것이다. 각종 규제의 제정과 제거 노력, 값비싼 소송, 대외 이미지 타격 등 다각적인 재앙으로 나타날 게 분명하다. 다행히도 나노기술의 발전과 상업화는 아직 초기단계에 있다. 이 위험성을 제거하는 현명한 대책을 세우고 천천히 시작해도 늦지 않는다는 말이다.

2 나노기술의 윤리성 검토와 기술 통제가 필요하다

인류는 경제적인 이익과 호기심을 앞세워 언제나 자연을 함부로 이용하고 파괴해왔다. 과학기술이란 명목 하에 일어난 일이다. 무분별하게 자원을 소비했고, 유해한 폐기물과 오염물질을 배출했으며, 이를 해결할 대책에는 대체로 소극적이다. 한마디로 무관심했다. 이 무관심이 지구온난화 등 되돌리기 힘든 거대한 문제를 낳은 것이다.

나노기술 역시 예외일 수 없다. 개발론자들은 나노기술이 환경을 복원하고 인류의 진보를 가져올 것이라고 호언장담한다. 하지만 모든 기술은 개발 초기 미래의 모습을 과장해서 전망하는 패턴을 되풀이했다. 더구나 문제는 나노기술이 초래할 문제점이 과거의 기술 문제와는 차원을 달리한다는 데에 있다. 나노기술은 생태계 전체를 한순간에 붕괴시킬 수 있는 가공할 파괴력을 지녔기 때문이다. 따라서 기술 개발 초기부터 합리적인 규제와 윤리성 검토에 대해 논의해야 한다.

나노기술에 대한 우려가 지나치거나 과장되었다고 주장하는 사람들도 있지만 전혀 그렇지 않다. 독성이 있는 물질의 나노화나 로봇의 자기복제에 따른 환경파괴는 이미 개발론자들도 우려하는 것이다. 나노 생체 칩의 경우를 보자. 이 기술은 개인이나 집단에 대한 은밀한 감시기구로 활용돼 개인의 인권을 침해할 가능성이 농후하다. 또한 나노기술을 군대에서 사용할 경우 대량살상무기화될 소지가 많다는 점도 예상해볼 수 있다. 이는 결코 지나친 우려가 아니다.

3 인간의 능력 향상에 대한 과도한 욕망은 혼란과 파멸을 초래한다

나노기술의 장밋빛 환상 중 가장 위험한 것은 이 기술이 인간의 능력을 향상시켜줄지 모른다는 데 있다. 강력한 힘과 우월한 인지능력을 가진 슈퍼맨이나 나노기술이 집적된 장기로 영원히 죽지 않는 불사의 인간. 언뜻 보면 누구나 꿈꾸는 일일 테지만 정상적인 인간의 모습은 아니다. 따라서 나노기술로 인간 능력을 향상시킬 경우 결국 인류를 혼란에 빠트리고 파멸을 가져올 수 있다는 사실을 자각해야 한다.

우선 이와 같은 기술은 인류의 비극 중 하나였던 세계대전을 초래한 우생학의 재탄생을 예고한다. 비싼 비용을 지불할 능력이 있는 사람들은 이 기술을 이용해 능력이 향상된 인간으로 살게 될 것이고, 그렇지 못한 이들은 지금과 마찬가지로 평범한 인간으로 살 수밖에 없을 것이다. 이는 결국 분배의 불균형을 넘어 능력의 불균형, 새로운 계급과 그에 따른 억압을 초래할 소지가 많다. 생체적인 능력이 향상된 만큼 이를 이용한 폭력은 더욱 치명적인 양상으로 치달을 것이고, 힘으로 모든 것을 해결하려는 각종 테러가 난무할 가능성도 있다.

무엇보다 인간이라는 존재를 어떻게 규정할 수 있을지 의문이다. 정체성에 혼란이 올 것이고, 그것은 윤리의 붕괴로 나타날 것이다. 특히 극단적으로 인간의 능력이 향상될 경우, 인간의 존엄성이 계속 유지될지도 알 수 없다. 나아가 나노기술이 일정 수준 이상 발전하게 된다면 누군가의 기억을 지우거나 의식을 조작할 수 있게 될지도 모른다. 상상만으로도 끔찍한 일이다. 기술의 발달이 인류의 행복을 보장하지 않는다는 사실을 꼭 기억해야 한다.

토론해 봅시다

1. 나노기술의 발전이 궁극적으로 인류의 미래를 윤택하게 할지 피폐하게 할지 토론해봅시다.

2. 나노기술을 통해 인간의 신체 능력이 향상될 수 있다면 그 사회에는 어떤 변화가 일어날지 말해봅시다.

실전 gogo

현 단계에서 나노기술 연구에 대한 정책적 통제와 윤리성 검토가 필요할까요?
필요하다고 생각하는지, 그렇지 않은지 생각을 정한 후 근거를 들어 자신의 생각을 적어봅시다.(300자)

과학자가 연구결과에 책임을 져야 하나

오늘날 과학기술은 우리 삶을 전면적으로 변화시키고 있지만 한편으론 대량살상용 무기를 비롯해 생명공학, GMO 관련 연구 등 대재앙을 초래할지 모를 위험도 안고 있다. 고도로 전문화된 연구 분야에 종사하는 과학자들은 인류의 발전을 위해 연구에만 집중하면 될까? 아니면 자신의 연구가 갖는 사회적 의미는 물론, 연구 결과에 대해서도 책임을 져야 할까?

우리 사회에는 사회적 결과가 어떻게 나오든 과학 연구는 가치 배제적이고 정치적으로 중립적이라는 생각이 뿌리 깊게 박혀 있다. 과학은 정말로 가치 중립적이며, 과학자는 연구결과의 사회적 책임으로부터 자유로울지 논의해 보자.

키워드로 읽는 논쟁

1. 과학자의 사회적 책임 논란이 일어나게 된 배경

과학기술이 상대적으로 덜 발달했던 과거에는 과학자들의 사회적 책임 문제가 중요하지 않았다. 과거에는 자연현상의 메커니즘을 밝혀내고 진리를 알아가는 과정으로서 과학이 자리하고 있었기 때문에, 과학을 통해 사회에 기여하겠다는 의무와 책임감이 더 컸기 때문. 하지만 20세기에 들어오면서 과학의 결과물들이 인간 사회에 미치는 영향력이 커지면서 과학자의 사회적 책임이나 윤리와 관련된 문제가 제기되었다. 특히 2차 대전 당시 원자폭탄의 개발에 과학자들이 참여한 이후, 과학자의 사회적 책임에 대한 논의가 본격적으로 시작됐다.

오늘날 과학은 사회 전반에 광범위한 영향을 미치고 있다. 과학기술은 인간의 삶을 풍요롭게 해주는 반면, 기술 자체가 어마어마한 폐해를 낳는 경우도 많다. 특히 과학기술을 특정인이나 권력이 악용할 경우 인류 전체에 큰 재앙을 불러올 수도 있다. 또한 현대에 오면서 과학과 기술의 경계가 모호해졌고, 현대 과학은 실용화 가능성을 전제로 연구를 하기 때문에 그 결과에 대해 과학자가 사회적 책임을 어떻게 져야 할지가 중요한 논점이 된 것.

2. 과학과 기술의 차이점은?

과거에는 과학과 기술을 분명하게 구분했다. 과학은 보편적인 진리나 법칙을 발견하는 데 목적을 둔 체계적인 지식을 말하는데, 좁은 의미로는 자연과학을 지칭했다. 반면에 기술은 과학을 통해 인간생활에 유용한 도구나, 기계, 시스템 등을 만들어내는 데 목적을 두었다. 이와 같은 특성 때문에 과학과 기술을 흔히 발견과 발명에 비유하곤 한다. 즉, 과학이 세상에 알려지지 않은 진리나 원리를 발견하는 것이라면, 기술은 이를 응용하여 인간에게 유용한 무언가를 만들어내는 것이라는 뜻.

하지만 20세기 들어서면서 과학과 기술의 구분이 어려워졌다. 둘 사이의 상호작용이 본격화되면서 '과학기술'이라는 용어가 보편적으로 사용된 것이다. 극히 일부분의 순수과학을 제외하면 과학기술이란 용어는 과학과 기술 영역 모두를 포괄하게 되었다. 따라서 오늘날의 과학자는 전통적인 의미의 자연과학뿐만 아니라 자연과학적 지식을 이용해 현실의 문제를 다루는 과학기술까지 다룬다.

3. 과학자의 사회적 책임이 중요해진 계기는?

2차 대전 당시의 원폭 개발이 분기점이 되었다. 개발에 참여한 물리학자 오펜하이머는 원폭 투하 이후 자신의 연구 결과가 미친 사회적 문제에 통감했고, 이후 핵전쟁을 막기 위한 과학 정보 공유의 중요성을 강조했는데, 이 일로 매카시즘(1950년대 미국을 휩쓴 공산주의자 색출 열풍)의 광풍에 휩쓸리기도 했다. 또한 미군이 베트남전 당시 대량 살포한 고엽제는 피해 규모가 어마어마했을 뿐 아니라 후손들에게까지 막대한 피해를 일으키고 있다. 이처럼 인류에게 치명적인 해를 입히는 연구 결과에 과연 과학자의 사회적 책임은 없을까?

물론 한편에서는 과학자는 진리를 탐구할 뿐, 결과에 대한 책임은 연구를 악용한 정치인과 기업인에 있다고 주장한다. 또 판명나지 않은 결과에 대해서까지 지나치게 과학자의 책임을 강조할 경우 과학 발전을 저해할 거라는 비판도 존재한다. 특히, 현대과학은 연구비용이 막대해 정부나 기업, 대학의 지원에 의존하는 경우가 많아 과학자 개인에게 책임을 묻기 어려운 상황. 과학기술을 개발하는 사람과 이를 악용하는 사람 혹은 집단은 구분돼 있다는 주장이다.

하지만 최근 들어 생명공학과 관련한 생명복제의 윤리성을 놓고 과학자의 책임 논란이 확산되고 있다. 예를 들어 GMO 관련 기술을 개발하며 환경오염을 유발하는 물질이 발견되었는데, 과학자들이 의도한 바는 아니지만 사회에 영향을 주고 있으므로 이들의 책임을 무시할 수 없다는 목소리가 커진 것. 때문에 과학자들은 스스로 각종 윤리강령을 만들어 준수하려고 노력하고 있다.

4. 과학자의 책임을 규정한 윤리강령은 어떤 내용인가?

러셀·아인슈타인 선언(미국·소련의 수소폭탄 경쟁이 심화되던 1955년 영국의 철학자 버트런드 러셀과 미국의 물리학자 알베르트 아인슈타인이 중심이 되어 핵무기 폐기와 과학기술의 평화적 이용을 호소한 선언문 - 출처 위키) 이후 과학자의 책임을 명시한 윤리강령이 제정됐다. 내용에는 객관적인 연구를 유지해야 한다는 점, 논문 발표 시 저자를 표시하고 공로를 배분해야 한다는 등의 내용과 함께 과학기술자의 사회적 책임이 강조되어 있다. 이 항목에는 공공자금을 적절히 사용했는지 여부, 공공성에 반하는 연구인지에 대한 윤리적 판단, 사회 전체가 직면한 문제에 대한 책임 있는 발언 및 조언 등이 제시돼 있다.

이외에 생명 과학 기술의 윤리는 별도로 다루기도 한다. 인체실험과 동물실험에 대한 윤리, 피실험자의 동의 여부, 생명공학기술이 야기하는 다양한 윤리적 쟁점(생명복제, 유전자 치료와 관련한 우생학적 쟁점, 유전정보 등 프라이버시와 관련된 인권 문제)에 대한 과학자의 판단 등이 이에 포함된다. 우리나라의 경우 황우석 박사의 줄기세포 논문조작 사건 이후 과학기술자의 윤리의식을 제고할 필요성에 대한 공감이 확산되었고, 그 영향으로 '생명과학자 윤리강령'과 '과학기술인 윤리강령' 등 다양한 윤리강령이 마련돼 있다.

과학의 가치중립성

가치중립성이란 말은 옳고 그름을 따지는 윤리적 판단이나 가치판단의 영향을 받지 않는다는 뜻이다. 과학의 가치중립성이란 과학은 자연법칙의 진리를 탐구하는 것이므로 그 과정에 주관적인 가치판단이 개입할 수 없다는 의미다.

과학의 가치중립성은 두 가지 방향에서 해석할 수 있다. 하나는 과학 실험을 통해서 자연현상을 기술할 때 개인의 취향이나 가치관에 따라 결론을 취사선택할 수 없다는 것이다. 또 다른 하나는 과학으로부터 얻은 지식 그 자체가 가치에 관한 판단이나 결정을 좌우할 수 없다는 것이다. 예를 들어 어떤 개체에 특정 유전 특성이 있다는 연구결과를 두고 이를 통해 그 개체가 우월하다거나 열등하다고 가치판단할 수 없다는 뜻이다.

하지만 현대에 오면서 과학의 가치중립성 논란이 꾸준히 제기되고 있다.

과학기술 자체는 가치중립적일 수 있지만 이것을 이용하는 사람들에 의해 의미나 가치가 결정되기 때문이다. 다윈의 《종의 기원》은 창조론 중심의 기독교 사회에 치명적인 타격을 입혔고 다윈의 진화론은 사회적 다윈주의라는 이데올로기로 이어졌다. 이러한 예는 부지기수다.

또한 과학자도 인간이기 때문에 개인의 정치 사회 종교적 배경이 연구방향에 영향을 미칠 수 있다는 점도 간과할 수 없다.

"연구결과 책임져야"

1 과학 연구는 결코 가치중립적이지 않으며 과학자의 가치판단이 개입한다

과학자들은 과학이 가치중립적이라는 신화를 굳게 믿고 있다. 과학은 사회와 무관하게 이뤄지는 지적 작업으로, 과학 지식은 순수한 이성의 활동을 통해 발전한다는 것이다. 그러나 과학자는 사회와 동떨어진 존재가 아니다. 과학지식 역시 과학자의 머릿속에서 그냥 생겨난 게 아닌 사회적 생산물이다. 당연히 과학자는 시대의 요구 혹은 사회적 가치뿐만 아니라 연구비용을 부담하는 집단의 이익과 같은 외부의 영향을 받는다.

더구나 현대 과학 연구에 드는 비용은 천문학적이기 때문에 수많은 분야의 과학자들이 힘을 합쳐 연구를 진행하고 있다. 따라서 특정한 가치나 특정 집단의 영향, 연구의 목적 등으로부터 자유로울 수 없는 상황이다. 실제로 일부 제약회사들은 연구 주제를 선정하는 것에서부터 결과까지 자신들의 이해에 따라 과학 연구가 진행되기를 요구한다.

한편 외부의 영향력이 없다고 해도 가치판단이 개입하는 경우도 있다. 특정 질병에 맞설 백신을 연구하는 과학자가 있다고 가정해보자. 그가 백신 연구에 뛰어든 목적에는 사회적 가치판단이 녹아 있을 수밖에 없다. 즉, 더 많은 생명을 살리고 사람들을 질병의 고통에서 해방시키겠다는 가치판단이 개입해 있는 것이다. 이처럼 과학연구는 사회와 동떨어진, 가치중립적인 것이 아니다. 과학연구에는 과학자의 가치판단이 개입할 수밖에 없다.

2 과학이 사회에 미치는 영향력이 커졌으므로 과학자들도 책임을 져야 한다

과거와 달리 현대과학은 연구결과가 사회와 긴밀하게 연관돼 있고 영향력이 크다. 따라서 과학자들의 사회적 책임이 커질 수밖에 없다. 현대과학은 가치판단과 무관한 순수한 진리 탐구에 머물기 어려운 상황이다. 물론 질량에너지 등가 공식(이 공식이 원자력 핵 에너지의 근본 원리라고 한다.)을 발견한 아인슈타인에게 원폭의 책임을 물을 순 없다. 하지만 적어도 핵폭탄을 제작하는 데 가담한 과학자들의 경우 책임이 전혀 없다고 할 수는 없다. 대량살상무기 제작, 혹은 생체실험에 가담한 과학자들도 마찬가지다.

생명공학 분야에서 인간복제 문제는 논란이 거셀 뿐만 아니라 윤리적으로 판단하기 어려운데, 이를 모른 체하고 생명의 신비를 밝히겠다는 과학적 호기심 추구만을 앞세워 연구를 시도하는 과학자가 있다고 치자. 이를 두고 가치중립적인 과학 연구의 일면이며 사회적 책임을 질 필요가 없다고 말할 수 있을까?

물론 과학적 진리를 악용하는 직접적인 사용자에게 더 근본적인 책임이 있지만, 그렇다고 해도 과학자의 연구결과가 사회적 책임과 무관한 시대는 지났다. 따라서 과학자의 윤리강령을 제도화하는 등 과학자의 사회적 책임을 더욱 강화할 필요가 있다. 과학자의 호기심이나 그가 속한 집단이 추구하는 이익이 엄청난 사회 문제를 낳을 소지가 많아졌기 때문이다.

3 과학자는 연구 결과가 미치는 영향을 예측할 수 있으므로 양심에 따라 연구를 진행해야 한다

과학자는 해당 분야의 전문가이므로 당연히 연구결과가 낳을 사회적 영향을 예측할 수 있다. 베트남전 당시 미군이 사용한 고엽제는 치사량이 청산가리의 만 배에다가, 독소가 몸속에 머물러 있다가 각종 신경계 손상을 일으키며 기형을 유발하고 독성이 유전돼 2세에게도 피해를 끼쳐 오늘날까지도 논란이 되고 있다. 개발에 참여한 과학자들은 당연히 고엽제가 끼칠 사회적 문제를 알았을 것이다.

따라서 과학자는 연구 중에 양심에 따른 결정을 내려야 한다. 즉, 연구 결과가 사람이나 환경에 해악을 끼친다면 연구를 중단하거나 거부할 수 있어야 한다. 물론 과학자들은 대부분 정부, 기업, 대학 등 연구소에 소속돼 연구를 진행한다. 하지만 그렇다고 해서 양심과 윤리의식에 반하는 연구를 계속 하는 것을 합리화해서는 안 된다. 악영향이 예상돼도 고용주의 지시에 따를 수밖에 없다는 주장은 과학자이기에 앞서 윤리적 주체로서의 소명을 망각한 자세다. 원자폭탄을 개발하는데 참여했을 뿐 원자폭탄의 투하 결정에 참여하지 않았다고 해서 책임을 면할 수는 없다. 과학자는 자신의 연구결과가 악용되는 것에 대해 수수방관해선 안 된다. 적극적인 문제 제기를 통해 예상 가능한 사태를 미연에 방지할 수 있다.

"연구결과 책임질 필요 없어"

1 과학연구는 가치중립적이며, 윤리 및 사회적 가치판단과 무관하게 이뤄진다

과학의 영역에서 중요한 잣대는 어떠한 사실이 검증 가능한가의 여부다. 과학은 자연현상의 객관적인 원리나 법칙을 탐구하는 학문으로, 주관을 최대한 배제하고 객관성을 추구해야 한다. 따라서 윤리적 판단 혹은 사회적 가치판단이 개입할 여지가 없다. 어떤 과학자도 연구 결과가 인류에게 얼마만큼 유용할지 혹은 유해할지 측정할 수 없을 뿐 아니라, 윤리적 가치가 과학 연구의 기준이 될 수도 없기 때문이다. 가치판단은 과학의 영역이 아니다.

예를 들어 통증이 심각한 불치병 환자에게 다량의 진통제를 주사하면 통증 없이 죽을 수 있다는 연구결과가 있다고 하자. 그렇다고 이 결과를 안락사 용인의 근거로 사용할 수 있는 것은 아니다. 연구 결과를 이용하는 것은 정치·경제적, 혹은 사회학적 판단에 맡겨야 한다. 물론 연구자가 연구비를 지원해준 정치권력이나 경제권력의 요구에 맞게 연구결과를 조작할 수는 있다. 하지만 이것은 그 사람이 과학자로서의 자질이 없는 것뿐이다. 이를 근거로 과학이 가치중립적이지 않다는 결론에 도달할 수는 없다.

2 연구 결과에 대한 책임은 연구자가 아니라 결과를 응용하는 주체에 있다

현대 과학은 영향력도 커졌고, 사회 문제를 초래하는 경우도 많아졌다. 그렇다고 과학이 야기한 문제를 과학자에게 책임지라고 할 수는 없다. 과학자는 객관적인 진리를 탐구할 뿐이다. 문제는 이익을 위해 연구결과를 악용하는 권력이나 부작용이 있음에도 애써 외면한 인간의 탐욕에 있다. 진리 추구를 통해 얻은 과학지식은 어떻게 이용하느냐에 따라 우리에게 이로울 수도 있고, 엄청난 해악을 가져올 수도 있다.

과학 연구는 현실적으로 어떤 결과를 초래할지를 알아낼 목적으로 진행된 것이 아니다. 즉, 과학적 진리가 인간에게 탐욕과 전쟁을 요구한 것은 아니라는 말이다. 과학이 초래한 문제들은 그 성과를 악용하는 사람들에 의해 왜곡된 것들이다. 만일 과학적 진리를 추구한 과학자에게 그 책임을 물어야 한다면 아인슈타인과 원자핵을 발견한 러더퍼드에게 히로시마 원폭의 책임을 물어야 할 것이다.

진리를 추구하여 달성한 과학적 연구가 나중에 어떻게 응용되고, 어떠한 문제를 일으킬지에 대해 과학자가 예측하고 그 대안을 만들어낼 것을 요구하는 것은 비현실적이다. 그것은 과학의 영역 밖이기 때문이다. 비난의 화살을 맞아야 할 것은 과학이아니라 양날의 칼과 같은 과학적 진리에 대해 진지하게 성찰하지 못하고 무분별하게 이용하는 인간사회이다.

3 현대과학 연구는 결과 예측도 어렵고, 세분화되어있으며, 전문화됨에 따라 과학자의 사회적 책임을 강조하는 것이 어렵다

연구결과가 사회에 미칠 영향을 과학자가 예측하는 건 생각처럼 쉽지 않다. 원자폭탄이나 군사무기 개발, 생명복제처럼 직접적으로 사회에 적용 가능한 경우는 극단적인 사례에 속한다. 물리학자 러더퍼드는 원자핵을 발견한 자신의 연구가 원자폭탄 개발로 이어지리라고는 상상도 못했다. 또한 처음에는 연구결과가 인체와 환경에 유해하지 않은 것으로 알려졌다가 나중에 심각한 문제가 발견되는 경우도 있다. 염화플루오르화탄소는 환경에 즉각적인 해를 끼치지 않아 널리 사용되었지만, 나중에서야 오존층 파괴의 주범으로 확인됐다. 과학자가 자신의 연구 성과가 어떤 영향을 미칠지 알 수 있는 것은 극히 일부에 지나지 않는다.

더구나 현대의 과학자들은 대학, 기업, 국책 연구소 등에 소속돼 있다. 연구대상과 내용을 선택, 결정하는 사람은 과학자 개인이 아니다. 연구 진행과정에서도 과학의 전문화와 세분화가 심화되면서 한 사람이 연구의 극히 일부분만을 담당하는 경우가 많다. 이런 현실을 고려할 때 과학자에게 연구결과에 대한 책임을 강조하는 것은 지나치다. 설사 연구과정에서 부정적인 영향이 예상되었더라도 하급 직위의 과학자가 연구를 중단시키는 것은 현실적으로 불가능하다. 연구 결과를 현실에서 어떻게 활용할 것인가의 문제는 개별 과학자가 아니라 기업인이나 정치인 등 연구소가 소속된 특정집단의 최고 결정권자에 의해 결정된다. 결국 과학자는 연구만 할 뿐 연구결과의 활용은 다른 사람의 몫이다.

플러스 상식 [+]

과학의 객관적 진리 탐구 과정

20세기 과학철학자였던 포퍼는 "과학으로 절대적인 진리를 발견할 수 있다고 생각하지는 않지만 과학은 진리로 끝없이 접근하는 과정"이라고 했다. 가설이 지니는 약점을 반복적인 실험과 관찰로써 반박하여 없애려는 노력을 통해 과학은 성장할 수 있다는 설명이다. 꾸준히 이어져 내려온 전통적 과학철학은 곧 이 세상에 분명히 존재하는 진리를 찾아가기 위한 과정이었다. 과학자들의 끊임없는 탐구는 진리를 찾아내었든 찾아내지 못했든 객관적 진리로 다가가는 그 과정 자체로 의미 있는 것이었다. 다시 말해 과학에서 주관이 설 수 있는 여지를 최대한 줄여나가 과학적 논리와 객관성을 추구하는 모습이야말로 가치중립적인 과학자의 모습이다.

토론해 봅시다

1. 2차 대전 당시 원자폭탄의 투하로 수많은 인명 피해가 발생했습니다. 이에 대한 책임은 누가 져야 할까요? 가장 책임이 있는 주체는 누구인지, 순서대로 정리해보고 그 이유를 말해봅시다.
   - 원자폭탄 개발을 지시한 정치인
   - 원자폭탄 개발에 참여한 과학자
   - 원자폭탄 투하를 결정한 군 수뇌부 및 최고 의사결정자

2. 정부 혹은 기업 연구소에서 사회적 해악이 분명한 연구를 진행하고 있다고 가정해봅시다. 이때 연구소에 소속된 과학자는 불이익과 피해를 감수하고서라도 이 연구에 참여하기를 거부해야 할지 생각해보고 타당한 근거를 정리해봅시다.

실전 gogo

과학의 연구결과가 빚어낸 부정적 영향에 과학자의 책임이 있을까요? 아니면 연구결과를 활용하는 것은 과학자의 손을 떠난 것이니만큼 책임을 부여하기는 힘든 걸까요? 자신의 입장을 정하고 다양한 근거를 들어 자신의 주장을 펼쳐봅시다. (500자 내외)

세계와 미래

DISH

'민족'은 사라질 것인가

민족은 권력자의 야망과 통치의 편의를 위해 만들어낸 이데올로기에 불과하며, 세계화의 진전과 더불어 미래에는 민족이라는 개념이 사라질 것이라는 주장이 확산되고 있다. 이에 한쪽에서는 우리의 존재를 규정하는 근원이자 완성이라고 맞선다.
민족의 운명은 과연 어떻게 될까?

키워드로 읽는 논쟁

1. 민족과 민족주의

〈표준국어대사전〉에서는 민족을 다음과 같이 정의한다. 일정한 지역에서 오랜 세월동안 공동생활을 하면서 언어와 문화의 공통성에 기초해 역사적으로 형성된 사회집단이라고. 일반적으로 혈연적 공통성을 민족의 중요 요소라고 생각하지만, 민족은 문화적 공통성을 기준으로 정의되는 집단이다. 또한 민족이란 말은 국민, 부족, 종족 등과 혼용해서 쓰는 경우가 많은데, 실제 부분적으로 중복되기도 한다.

민족이라는 개념이 그리 오래된 것은 아니라는 견해가 있다. 근대 이전에는 지배계급과 피지배계급이라는 개념은 명확했지만, 이들을 하나로 아우르는 민족이라는 개념은 없었다는 주장이다. 이렇게 보면 민족은 근대 이후에 생긴 허구의 개념으로 보이기도 한다. 그러나 고대국가에도 타민족과의 전쟁 등을 거치며 상대방과 자신을 구별하는 일종이 동류의식이 있었던 건 사실이다.

한편 '민족주의'는 일반적으로 민족에 기반을 둔 국가 형성을 목표로 국가를 세우고 유지하려는 이데올로기 혹은 정책이라고 말하는데, 사실 민족주의라는 개념은 다의적이고 비합리적인 속성이 있어서 일률적으로 정의내리기 어렵다. 또한 양상은 다르지만 국가주의에 경도되는 경우도 많다. 특히 한 민족이 하나의 국가를 이루는 민족국가의 경우 그 특성이 심하게 나타나기도 하는데, 나치즘처럼 극단적인 경우가 이에 해당한다. 어쨌든 민족과 민족주의 모두 세계화의 진전에 따라 과연 앞으로도 존재할 수 있을지 논란이 많다.

2. 한국의 민족주의

우리나라가 민족과 민족주의를 수용한 때는 대체적으로 20세기 초반으로 보인다. 식민지 이전에도 위정척사, 의병운동, 1894년 농민전쟁 등 외세에 저항하는 흐름이 있었지만 근대적 민족주의를 형성했다고 보기는 어렵다. 우리나라에 본격적으로 민족주의가 등장한 것은 일본의 식민지배 과정을 통해서였다. 특히 1919년 3·1운동은 민족주의가 발현하는 획기적인 계기가 되었다. 우리 국민은 3·1운동을 거치면서 비로소 모든 국민이 동등하고 단일한 민족 구성원으로 뭉치는 역사적인 경험을 하게 됐다.

한편 일제시대 한국의 민족주의는 크게 보수적 우파와 좌파 사회주의 계열로 나뉘었다. 전자는 주로 국내에서 계몽운동, 실력양성 운동을 했고, 후자는 노동자·농민에 기반한 민족해방운동을 펼쳐나갔다. 해외에서도 다양한 민족주의 운동이 전개되었다. 1919년 수립된 임시정부가 대표적 사례. 임시정부는 한국 역사상 최초로 근대적 공화국을 지향했으며 다양한 정치세력이 임시정부 아래서 이합집산을 거듭했다.

그러다 해방 이후 미국식 자유민주주의의 영향을 받으면서 자유주의와 결합한 민족주의가 형성되었다. 해방 이후의 한국 민족주의는 자유주의적 민족주의와 파시즘 혹은 권위주의적 민족주의가 뒤섞여 전개되었다. 그러다 1960년 4·19혁명 이후에는 민족주의가 지배권력에 저항하는 담론의 중심에 서기도 했다. 1960년대 한일협정 반대투쟁이나 1970~80년대의 통일운동은 반정부 운동의 성격을 가진 민족주의 운동이었다.

3. 1815년에는 독일이란 나라는 없었다

근대적 의미의 민족주의는 미국 독립혁명과 프랑스혁명을 기점으로 발현되었다. 특히 프랑스혁명의 자유, 평등, 박애의 정신은 모든 자유주의적 민족주의의 표상이 되었다. 유럽의 경우를 보자. 근대 이전, 프랑스 혁명 이전의 유럽인들은 스스로를 '민족적 존재'로 인식하지 않았다. 대부분의 국가가 여전히 전제군주제를 고수했고, 정치조직은 봉건적 계약 관계로 맺어져 매우 느슨했다. 언어와 문화를 공유하는 '지역 공동체'는 현대적 의미의 국가 개념과는 사뭇 달랐다. 하지만 프랑스 혁명을 통해 민족국가, 국민국가의 구성원으로서의 정체성이 프랑스를 중심으로 형성되기 시작했고, 이는 다른 유럽 국가들에게 큰 영향을 주었다.

1815년까지만 해도 '독일'이라는 나라는 없었다. 하지만 독일의 영방(중세 이후에서 근대 초까지 독일에서 지방의 영주가 주권을 행사했던 지방국가)들은 나폴레옹 전쟁(1803~1815)을 통해 과거 자신들이 고수해 왔던 절대주의 체제의 한계를 인식하게 되었고, 국왕이 아닌 국민이 중심이 되는 근대적인 국민국가 건설의 필요성을 절감하게 되었다. 프랑스 혁명(1789)으로 시작된 구체제의 몰락과 나폴레옹 전쟁의 사후 수습을 위해 개최된 빈 회의는 오스트리아와 프로이센을 중심으로 38개국의 '독일연합'을 결성하게 된 계기가 되었다.

'독일'이라는 모태는 겨우 형성되었지만 구성원들 스스로가 자신을 '게르만'이라 여기는 단계는 아니었다. 이후 19세기 내내 독일인으로서의 정체성을 형성하기 위해 수많은 지식인과 작가들, 낭만주의적 민족주의자들은 독일 민족에 낭만적인 요소를 부여했다. 독일적인 '영혼', 독일적인 '아름다움'을 부각시키려 했다. 이렇게 형성된 '게르만'으로서의 자부심은 주변 열강들과의 제국주의 경쟁을 가능하게 했고, 무엇보다 강력한 독일 국민국가 형성에 크게 이바지했다.

독일의 민족주의는 관습, 문화, 언어 등을 기초로 민족 여부를 판단하는 경향이 강하다. 피히테는 "언어, 조상, 문화를 공유하는 공동체가 민족"이라고 했다. 하지만 민족주의는 그 근본에 타민족에 대한 배타성과 극단적인 적대의 가능성을 품고 있다. 경제적 사회적 불안이 고조되면, 민족주의는 사태를 극복하기 위한 손쉬운 피신처로 변모하는 경향이 있는데, 이때 민족의 생존 또는 번영은 다른 모든 것에 우선한다. 지난 세기 독일의 경우처럼, 민족주의가 품고 있는 에너지가 과잉이 될 때 민족주의는 파멸의 씨앗이 되기도 한다.

4. 최악의 민족주의-나치즘

나치즘은 독일 아돌프 히틀러의 민족사회주의 독일 노동자당의 공식 이념. 히틀러는 이것을 "모든 활동을 구속해, 의무를 부여하는 법칙을 지닌 하나의 세계관"이라고 정의했다. 열광적인 민족주의, 대중선동, 독재적 지배라는 점에서 파시즘과 비슷한 점이 많지만 이론과 실천에 있어서 훨씬 더 극단적이었다. 이들은 게르만족이 다른 모든 민족에 비해 인종적·문화적으로 우수하다는 주장으로 초기 국가사회주의 운동에 커다란 영향을 끼쳤다.

제1차 세계대전의 패전 책임을 지고 막대한 배상금과 영토의 포기를 강요한 베르사유 조약(1919)이 많은 독일인들의 반발을 사자, 히틀러는 이 감정을 교묘히 이용했다. 재무장 요구로 군부의 호응을 얻었고, 러시아의 볼셰비즘에 대한 공포심을 이용해 볼셰비즘에 대항할 동맹세력을 형성했다. 또한 유대인을 볼셰비즘과 동일시하여 악惡으로 규정하는 한편, 개인이나 종족은 원래가 불평등하며 따라서 강한 자가 약한 자를 지배하는 것은 당연한 일이라고 주장했다.

1934~1939년 사이 나치당이 독일 전역을 완전히 통제하고 히틀러와 나치즘이 대다수 독일인의 열광적인 지지를 받았다. 경제적·정치적 불안정 그리고 바이마르 공화국 말기의 무질서한 자유에 염증을 느끼던 국민은 강력한 결단력과 효율적인 정부를 환영했다. 통치의 밑바닥에는 선동에 의한 대중조작과 비밀경찰을 이용한 강압정치가 자리하고 있었다.

나치당은 게르만족의 모든 후손을 조국으로 결집시킨다는 명목 하에 독일어권 영토 확장에 나섰고, 이내 독일어권이 아닌 폴란드와 슬라브 국가들도 점령했는가 하면, 곧바로 유럽과 서아시아, 아프리카까지 손을 뻗침으로써 세계지배의 야욕을 드러냈다. 이는 제2차 세계대전의 발발로 이어졌다. 나치당의 이런 터무니없는 희망은 6년의 전쟁 끝에 인류에 숱한 상처만 남기고 패배로 사라졌다.

"민족은 사라질 것"

1 민족주의는 근대 서양의 잘못된 발명품이다

"민족주의는 서구문화권의 발명품이다. 근대 초기 유럽과 미국이 당면한 정치적 혁명, 종교적 갈등, 위계질서의 동요 등 구조적 위기들에 대한 해법으로 민족주의가 등장했다. 민족과 민족국가를 통해 통치 질서를 재확립하고 대중을 통합하려는 것이었다."

독일의 역사학자 한스-울리히 벨러가 《허구의 민족주의》에서 한 말이다. 민족이란 애초부터 실체가 없는 허구의 개념이다. 그래서 베네딕트 앤더슨은 민족을 '상상의 공동체'라 불렀고, 에릭 홉스봄은 정치운동에 의해 조작된 '만들어진 전통'이라고 표현했다.

실제 민족 개념은 혈통이나 지역을 중심으로 설명하기 힘들다. 종족 간의 전쟁과 정복이 무수히 많았고 그로 인해 피가 섞이고 특정 지역이 다른 종족에게 넘어가는 사례가 부지기수였기 때문이다. 과연 어떤 혈통을, 어떤 지역을 그 민족의 기반이라 볼 수 있을까? 민족이란 오래전부터 존재해온 실체가 아니라 근대화의 과정에서 정치적 목적에 의해 고안된 개념이다. 근대국가를 건설하는 과정에서 계급적 갈등을 무마시키고 지역 공동체를 하나로 통합할 구심점이 필요했고, 그 과정에서 민족이라는 허구적 개념을 만들어낸 것이다. 민족이라는 개념이 없어도 고대국가가 존재했듯, 국가를 기준으로 구분하는 것이 오히려 명확하다. 오늘날 민족주의에 대한 평가는 대체로 부정적이다. 민족 간 갈등을 유발할 뿐 아니라 세계화가 급속히 진전되는 현실과도 맞지 않는다. 민족국가간의 극심한 충돌로 두 차례 세계대전을 겪은 유럽은 더하다. 유럽이 20년이 넘도록 유럽연합을 통해 민족을 뛰어넘고자 여러 가지 실험을 하는 이유도 그 때문이다.

2 민족이 실재했다는 역사적 근거를 찾기 어렵다

민족이란 실체가 인류 역사에 분명하게 등장했다면 '민족'이란 말도 고대사회부터 널리 쓰였어야 맞다. 하지만 민족이란 말은 18세기 이후에나 등장했다! 민족이 역사 속에서 실재하지 않았음을 보여주는 중요한 근거다. 민족이란 개념 자체가 없었으니 지칭하는 용어가 있었을리 만무하다. 현대국가는 특정 지역의 역사와 전통의 단일성을 내세우며 집단의 정체성을 강화하려 하는데, 이는 근대 이후에 형성된 민족국가의 일반적 행동양식이다. 민족이라는 개념은 근대 이후 프랑스 혁명을 필두로 19세기 제국주의 국가의 부상 등 당시 국제 질서가 크게 재편됨에 따라 필요에 의해 생겨난 인위적 개념이기 때문이다.

우리 역사를 보자. 삼국시대의 삼국은 때로는 교류하면서 지속적으로 대립해왔다. 이들 삼국이 같은 민족이라는 개념을 갖고 있었을까? 삼국통일이란 민족의 통일이 아니라 한 국가가 다른 국가를 정복한 과정일 뿐이다. 그리고 조선시대 지체 높은 양반과 허드렛일을 하는 머슴이 '우리는 같은 민족이다'라는 동일한 인식을 가졌다고 상상하기도 어렵다. 우리나라 역사에 '민족'이란 단어가 등장한 것은 1900년대 초반이었다. 중세 유럽 역시 수백 개의 봉건국가가 난립했는데, 이들 봉건국가에서는 계급 차이만 있을 뿐, 민족이라는 공통의 의식을 형성한 적이 없다. 민족의 실재를 증거할 만한 역사적 근거는 희박하다.

3 세계화의 진전에 따라 민족의 개념은 사라질 것이다

민족이라는 개념이 있다고 쳐도 현재 진행 중인 세계화는 민족이라는 개념이 더 이상 존속할 수 없는 조건을 만들고 있다. 우리는 지금 다른 나라를 가까운 마을을 다니듯 왕래하고 있다. 그 결과 과거에는 혈통과 언어의 공통성을 가진, '민족' 집단이라 부르는 공동체가 단일한 영토에서 살고 있었는데, 지금은 거의 찾아볼 수 없게 됐다. 더구나 해외 이민이 늘고, 국제결혼도 증가 추세여서 이미 캐나다를 비롯한 여러 나라들은 다문화 사회를 이루고 있다.

단일민족 국가인 경우도 사정은 다르지 않다. 타국, 타민족 사람들이 귀화해 시민권을 얻는 사례가 갈수록 증가하고 있다. 다문화사회로 빠르게 변화 중인 우리나라의 경우를 봐도 알 수 있다. 이런 추세를 감안할 때 세계화가 더 진행될수록 혈통과 인종, 언어, 관습을 공통적인 요소로 간주하는 '민족'은 그 의미가 더 퇴색할 수밖에 없다.

세계에는 다민족국가들이 훨씬 많다. 그리고 이런 양상은 앞으로 더 심화될 것이다. 다민족국가에서 민족의 구별이 무슨 의미가 있겠는가. 민족 간의 반목과 질시, 주류 민족의 권력 장악과 약소 민족에 대한 억압이라는 해악만 낳고, 오히려 국가 통합을 방해하는 요인이 될 수 있다. 민족 간의 다툼이 중동 분쟁의 원인이 되기도 한다.

민족주의는 시대착오적인 낡은 이데올로기이다. 또한 세계화의 진전은 국경을 허물고 지역통합적인 방향으로 새로운 체제를 구축 중이다. 유럽이 개별 국가를 넘어 EU라는 통합 체제를 만들었듯 미래에 지구 전체를 통합할 새로운 체제가 구축되지 말라는 법도 없다. 이때에는 허상의 민족 개념마저 사라질 것이다.

"민족은 사라지지 않아"

1 민족주의는 흐름이요 대세다

세계적인 석학들은 냉전이 끝나면 세계화 물결이 지구촌을 뒤덮어 민족주의는 설 땅을 잃게 될 것이라고 내다봤다. 그러나 현실은 거꾸로였다. 소련이 해체되면서 민족주의는 오히려 몸집이 더 커졌다. 민족 문제가 불거져 나오면서 대립과 긴장으로 몸살을 앓고 있다. 폭탄 테러와 피의 보복을 일삼는 분리주의자들은 민족주의를 내세우며 끔찍한 전쟁과 국지전을 벌이고 있다. 세계화가 진행되면 민족이라는 개념이 약화될 것이라고 전망했지만 오히려 민족주의가 힘을 얻고 있는 역설적 현상이 벌어진 것이다.

이렇게 현재 세계 곳곳에서 다양한 형태의 민족주의가 기승을 부리고 있다. 국가와 국가가 영토를 두고 전쟁을 벌였던 전통적인 민족주의를 넘어, 하나의 국가에 있던 민족들이 저마다 분리 독립을 요구하고 나선 것이다. 뿐만 아니라 사이버 공간에서는 민족 감정을 자극하는 민족주의가 만개하는 추세다. 민족주의는 우리 사회에서도 갈등의 불씨다. 다문화 인구가 늘면서 고유의 정체성과 일자리를 지켜야 한다는 배타적 민족주의가 고개를 들고 있다. 하지만 민족주의가 국민의 단합과 성장욕을 촉진해 한국을 세계 10위권의 경제강국이자 민주화의 모범

국가로 만든 원동력이 됐다는 점에서는 순기능적 측면도 부인할 수 없다. 민족주의는 좋고 나쁨의 문제가 아니라 세계의 흐름이요 대세다. 다만 인권과 법치, 평화와 성장 같은 보편적 가치를 추구함으로써 배타적이거나 공격적으로 흐르는 것을 막아야 하는 숙제를 안고 있다.

2 민족의 존재를 부인할 수 없다

지금도 인류학자들은 지구상의 숨은 고민족을 발견하곤 한다. 일부 주장처럼 민족이 허구의 산물이라고 치자. 그렇다면 세계 각지에 흩어져 살았던 유대민족이 어디에서든 인종과 언어, 관습 등을 계속 유지해 이스라엘이라는 민족국가를 세울 수 있었던 것을 어떻게 설명할 수 있을까. 같은 민족이라는 공통점에 기반한 결속감 없이는 불가능한 일이다.

민족이란 단어를 옛날에 쓰지 않았던 것은 대개의 고대국가는 국가가 곧 민족 그 자체였기 때문이다. 오랫동안 같은 지역에서 같은 문화를 영위하며 사는 공동체가 있었고, 이들은 이러한 강한 공통점에 기대 깊은 유대감을 갖고 살아왔다. 특히 다른 민족이 침입해오는 전쟁기에는 더욱 강력한 유대감과 결속감으로 타민족에 맞서왔다. 민족이란 개념이 그저 허상에 지나지 않는다면 어떻게 그 수많은 사람들이 허구이며 상상에 불과한 민족을 위해 기꺼이 목숨을 바쳐 싸워왔겠는가. 민족이라는 정체성이 없었다면 항일의병이나 스페인의 게릴라 항쟁 등을 설명하기가 어렵다. 민족이나 국가는 실재하는 것이 아닌 상상의 공동체라고 정의한 베네딕트 앤더슨 교수조차 민족주의의 방향에 관해 묻는 질문에는 이렇게 대답했다.

"민족주의는 21세기에도 번성할 것이다, 민족주의는 이제 우리 몸을 보호해주는 피부같은 존재가 됐다. 우리의 정체성을 규정하고 공동체를 유지해주니까."

3 민족은 소멸할 수 없다

〈표준국어대사전〉에서 민족을 어떻게 정의하고 있는지 다시 한번 살펴보자. 일정 지역에서 오래 함께 생활해오면서 언어와 문화를 공유하고 이에 기초해서 형성된 사회집단을 민족이라고 정의했다. 민족은 혈연이 아닌, 문화적 공통성을 기준으로 삼는 집단이다 .

프랑스 민족주의를 보면 이 말의 의미가 분명해질 것이다. 프랑스는 동일한 민족인지의 여부를 '의지'가 있느냐의 여부로 판단한다. 다시 말해, 그 국가에 속하겠다는 개인이 정치적 의지를 기초로 민족이 형성되는 것이다. 알자스 로렌 지방 사람들은 대부분 독일계(게르만족)이다. 혈연 중심의 민족을 떠올리면 이들은 독일 민족이라고 봐야 한다. 하지만 이들은 공화국의 일원이고자 하는 의지를 갖고 있고 따라서 이들은 프랑스 민족에 속한다. 다인종국가인 미국은 어떤가? 미국의 내셔널리즘은 혈통적, 인종적 민족주의일 수가 없다. 그럼에도 이들에게는 '애국주의'로서의 색채가 강하긴 하지만 내셔널리즘이라는 것이 존재한다. 이때의 내셔널리즘이 곧 민족이라고 말하기는 어렵지만, 한 국가의 결속을 다지는 이념으로서의 민족의 역할을 대신하고 있는 것이다.

세계화가 진전되고 교류가 활발해져 한 사회에 여러 인종이 섞여 다문화국가로 변해가는 현대에 와서 점차 민족의 의미가 퇴색하고, 미래에는 결국 민족 개념은 소멸할 것이라고 주장하는 사람들은, 민족이라는 개념에 대해 잘못 이해한 것이다. 민족은 프랑스의 민족주의에서 보듯, 정태적 공동체가 아니다. 언어·지역·혈연·문화를 공유하는 다수의 공동체가 형성되고, 이 공동체가 발전해나가면서 더 큰 문화공동체를 형성해나가는 것이 바로 민족이다. 민족은 본질적으로 동태적 공동체이므로 어떠한 변화를 맞이하든 결코 소멸할 수 없다.

토론해 봅시다

1. 민족은 근대국가가 수립되는 과정에서 만들어진 개념일까요, 아니면 인류 역사 속에서 오랫동안 존재해온 역사적 실체일까요? 근거를 들어가며 여러분의 생각을 토론해봅시다.

2. 민족주의는 집단을 단합하게 하는 힘도 있지만, 다른 민족에 대해서는 배타적인 태도를 취하게 하기도 합니다. 현대 사회에서 민족주의는 여전히 유효한지, 아니면 다른 새로운 이념으로 대체되어야 하는지 이야기해봅시다.

실전 gogo

세계화가 계속되면 민족이나 민족주의라는 개념이 사라지게 될까요? 혹은 그렇지 않을까요? 여러분은 어떤 의견에 공감합니까? 자신의 의견을 적어보세요. (300자 내외)

평화주의가 전쟁을 막을 수 있을까

역사상 가장 문명화된 20세기에 인류는 아이러니하게도 가장 야만적인 전쟁인 1차, 2차 세계대전을 겪었다. 그리고 21세기에 와서도 중동을 비롯한 세계 곳곳에서 여전히 전쟁은 계속되고 있다. 또한 세계 유일의 분단국가인 우리나라의 경우 전쟁의 불씨가 언제 타오를지 알 수 없는 불안정한 상황이다.

전쟁을 막을 수 있는 방법은 없을까? 평화주의 사상에 대해 생각해봄으로써 평화주의가 전쟁을 막을 유일한 해결책이라는 생각에 문제가 없는지 고민해보자.

키워드로 읽는 논쟁

1. 현재 어떤 전쟁이 일어나고 있나?

인류의 역사는 전쟁의 역사라고 해도 과언이 아닐 만큼 오늘날에도 전쟁은 끊이지 않고 있다. 일반적으로 전쟁은 인간의 끝없는 욕망 때문에 일어난다고 하는데 종교나 이데올로기 대립이 전쟁의 원인이 되기도 한다. 하지만 전쟁의 원인은 복합적인 경우가 많고, 그 유형도 다양하다. 인류는 가장 화려한 문명의 꽃을 피운 20세기에 가장 참혹한 전쟁을 벌였다. 1, 2차 세계 대전과 베트남 전쟁, 한국전쟁 등. 특히 2차 대전은 인류 역사에서 가장 큰 인명과 재산피해를 입혔고, 5000만명 이상의 군인을 비롯해 셀 수 없이 많은 민간인 사상자를 냈다. 아이러니하게도 과학기술문명이 선도한 무기산업이 대량살상의 도구가 되었다.

21세기에 와서도 전쟁은 계속되고 있다. 9·11 테러 이후의 미국과 이라크, 미국과 아프가니스탄 전쟁이 가장 큰 규모의 전쟁이었다. 세계의 화약고 중동은 지금 이 순간에도 일촉즉발의 불씨를 품고 있다. 현재 중동 전쟁에 대해서는 평가가 크게 엇갈린다. 미국의 개입을 두고 테러국가에 맞선 '정의로운 전쟁'이라고 평가하는 반면, 다른 한편에서는 '정의'를 내세운 무자비한 폭력일 뿐이라고 비판하고 있다.

현재 진행 중인 가장 위험하고 복잡한 전쟁은 시리아 내전이다. 2011년 발발한 시리아 내전으로 2018년 현재까지 33만명 이상이 희생되었고, 시리아 인구 절반이 넘는 1000만명 이상이 난민 신세로 주변국을 떠돌고 있다. 하지만 이 전쟁을 종식하려는 국제사회의 노력은 갈수록 약해지고 있는 가운데, 전쟁은 한층 격화되고 있는 상황이다.

2. 시리아, 국제사회는 이 전쟁을 멈출 수 없나

시리아에서 민간인 사망자가 여전히 속출하고 있다. 2018년 현재까지 33만 명 이상의 사망자를 낸 시리아 사태는 '아랍의 봄'의 영향을 받은 학생들이 민주화를 요구하는 낙서를 하면서 시작됐다. 시리아 경찰은 낙서를 한 학생 15명을 색출해 고문 등 가혹행위를 했고, 이에 주민들이 반발, 시위를 벌이면서 어마어마한 비극으로 이어지게 되었다. 정부의 탄압 속에서 바샤르 알 아사드 대통령의 퇴진을 요구하는 반정부 시위와 무장 항쟁으로 확산됐다.

시리아 내전은 이처럼 표면적으로 보면 시리아 민주화 운동에서 출발, 바샤르 알 아사드 정권과 그의 퇴진을 요구하는 반군 간의 장기 내전이다. 하지만 복잡한 세력들이 어지럽게 얽혀 있다. 시리아 다수파인 수니파와 소수파인 시아파 간의 종교전쟁 성격도 있고, 시리아 일대를 점령하고 있는 IS 등 테러집단과 반테러 국제연합 간의 전쟁으로도 보인다. 여기에 미국과 러시아가 개입하면서 미군의 지원을 받는 반군과 러시아 군의 지원을 받는 정부군의 대리전 양상을 띠기도 한다. 내전이라고 불리지만 미국과 러시아는 물론, 프랑스, 영국 등 서방세계와 사우디, 이란, 이라크, 카타르와 함께 이스라엘과 레바논, 터키 등이 개입된 매우 복잡한 국제전 양상을 띠고 있다.

계속된 전쟁으로 시리아에서는 무고한 사상자가 속출하고 있지만, 이 전쟁을 멈추기 위한 국제사회의 힘과 노력은 약화되고 있는 상황이다.

3. 어떤 전쟁을 정의로운 전쟁이라고 하나?

정의로운 전쟁과 불의한 전쟁을 구분할 수 있다는 관점은 동서양을 막론하고 유래가 깊다. 아리스토텔레스는 "우리는 평화를 목적으로 전쟁을 행한다"고 했고, 맹자는 침략자에 대한 정벌로 '의전義戰'론을 제기하기도 했다. 정의로운 전쟁에 대해 어떤 기준이 있는 것은 아니었고, 적이나 이교도와 벌이는 전쟁은 모두 정의롭다고 생각해왔다.

이후 정의로운 전쟁에 대한 기준이 체계적으로 갖추어졌는데, 우선 부당한 침략에 대항하는 모든 방어전쟁은 정의로운 전쟁에 속한다. 또한 인간의 존엄성 보호를 위한 인도주의적 개입도 정당한 전쟁으로 간주된다. 즉 대규모 학살을 벌인 정권을 무력으로 응징하여 정의를 구현할 수 있다는 논리다. 단, 전쟁의 목적이 방어적 차원에 국한되어 있는지, 최후의 수단으로 사용하고 있는지, 전쟁이 민간인에 대한 폭력과 살상을 예방하는 방향으로 진행되고 있는지 등의 기준에 적합한 경우에만 정의로운 전쟁에 속한다. 이런 관점은 유엔에서도 일정부분 수용하고 있다. 하지만 평화주의자들은 모든 전쟁은 악이며, 평화를 위해 전쟁을 한다는 주장은 아주 오래된 거짓말이라고 비판한다.

4. 평화주의란 무엇을 말하나?

평화주의는 분쟁을 종식시키는 방식의 하나로 전쟁과 폭력의 반대개념이다. 국가가 교전을 개시하거나 개인이 전쟁에 참가하는 행위를 모두 반대한다. 평화주의에 대해 짧게 설명하기는 쉽지 않다. 인류의 역사발전 단계마다 전쟁에 대한 관점이 달랐듯 평화주의의 개념도 변화해왔기 때문이다. 인류 최초의 진정한 평화주의는 불교에서 출발했다고 볼 수 있는데, 기독교에서도 집단의 평화와 개인의 비폭력을 주장하고 있다.

이 지면에서 벌이는 평화주의 논쟁은 개인적인 차원의 평화주의가 아니라 국가적 차원의 평화주의다. 이 개념은 르네상스 이후 정치적 영향을 받으면서 발전해왔다. 즉, 정치권력과의 관계 속에서 정립된 것으로 국가 간의 폭력과 전쟁에 대한 해결책으로서의 평화주의를 말한다. 한편 평화주의는 단지 전쟁이 일어나지 않은 소극적인 상황만을 의미하지는 않고, '비폭력 저항'이라는 보다 적극적인 태도도 포함하는 개념이다. 그러나 한편에서는 평화주의적 대응은 침략에 무력하고, 평화를 보존하지도 못하는 이상주의적인 사고일 뿐이라는 비판을 받고 있다.

5. 오늘날 세계는 어떤 위협을 받고 있나?

세계 평화가 실현되지 못하는 이유는 많다. 가장 큰 이유는 법적으로 전쟁을 막거나 군사시설을 철폐하지 못하고 있다는 점이다. 현재까지도 자국을 지키기 위한 전쟁은 당연시되고 있으며 이를 위한 군비 유지도 받아들여지고 있다. 그 결과 자위를 목적으로 한 전쟁이 계속되고 있으며, 국가 간의 군비 경쟁도 여전하다.

자국의 안보를 지키기 위한 군비 경쟁은 결과적으로 미사일, 핵무기 등 첨단 무기의 발달로 이어진다. 그에 따라 전쟁의 파괴력은 가공할 수준에 이르렀다. 지금과 같은 추세로 나아간다면 인류의 파멸을 초래할지도 모른다. 물론 현재 인류는 핵전쟁을 감축하려는 노력을 하고 있지만, 여전히 핵을 보유한 국가들이 있으니 전면적인 핵전쟁이 일어나지 않을 것이라고 확언하기는 어려운 상황이다. 또한 지금 전쟁은 국지전의 양상을 띠고 있지만, 첨단 무기의 발달로 살상력이 증대해 그 피해는 과거의 전쟁과는 비교가 되지 않을 만큼 큰 상황이다. 소규모 전쟁이라고 하는, 이란-이라크전, 나이지리아전쟁, 아프가니스탄 전쟁에서도 100만 명 이상이 사망했고, 미국이 파나마를 상대로 일으킨 '극소규모' 전쟁의 경우에도 1000명 이상이 사망했다. 현재 시리아 내전 역시 33만명 이상이 사망했다. 평화주의가 인류의 파멸을 막을 수 있는 유일한 해결책이라고 주장하는 이유이다.

플러스 상식

르네상스 이후의 평화주의

르네상스 이후의 평화주의 사상은 정치적 영향 아래 발전해왔다. 17, 18세기 전쟁은 군주들의 왕조적 야망과 권력투쟁으로부터 일어나는 것으로 추측된다. 당시에는 군주들이 국가를 사유물로 생각해 전쟁을 일으키는 반면 공화국의 사상은 평화 애호다. 이러한 사상의 부산물로 19세기 유럽에 평화주의적 기구가 창설되었는데, 총체적인 무장해제나 국제간의 분쟁 조절을 위한 특별법정 같은 것이 여기에 해당된다. 이 사상은 후일 헤이그 국제사법재판소, 국제연맹, 국제연합(UN), 잠정적 군축회담 등으로 결실을 맺었다. 하지만 20세기에는 두 번의 세계대전, 핵 위협, 개발국과 개발도상국 사이의 끊임없는 갈등 등으로 인해 평화주의적 원칙이 잘 지켜지지 않았다.

평화주의가 전쟁을 막을 수 있을까

"모든 전쟁 반대"

1 정의로운 전쟁은 없으므로 인류는 모든 전쟁에 반대해야 한다

'정의로운' 전쟁은 표현 자체가 모순이다. '정의'란 공동체 안에서 인간이 지켜야 할 규범과 가치를 의미하며, 평화롭고 공정한 관계를 만드는 데 목적이 있다. 그러나 전쟁은 힘과 폭력의 통치를 의미하므로, '정의로운' 전쟁이란 말은 성립될 수 없다. 그런데도 인류는 자신들의 무력행위를 정당화하는 구실로 '정의'와 '평화'를 내세운다. 전쟁은 정치적인 목적에서 벌어진 것이지 결코 도덕적인 목적을 위해 일어나는 것이 아니다.

신의 이름으로 행한 십자군 전쟁은 수많은 이의 참혹한 죽음으로 이어져 신의 이름을 무색케 했고, 19세기 강대국들은 자신들의 이익을 위해 무력으로 식민지를 건설하면서도 '식민국의 문명화'라는 명분을 내세웠다. 냉전 시대에 강대국들은 약소민족국가의 자결을 위해 전쟁에 개입한다고 말했지만, 이것 역시 실상은 전략적 요충지를 거머쥐려는 야욕일 뿐이었다.

또한 2차 대전 당시 미국은 위험에 처한 유태인을 구하기 위해서라는 명분으로 전쟁에 가담했지만 실상은 달랐다. 심지어 미국은 사람들을 구할 수 있을 때조차 외면했다. 1942년 8월 초, 독일이 전 유대인을 학살하려는 계획을 세웠다는 첩보를 입수했으면서도 미 국무부는 이 사실을 발설하지 말라며 3개월을 진위조사에 허비했고, 아우슈비츠로 향하는 철로에 폭탄 하나 터뜨리지 않았고, 그동안 100만명의 유태인이 살해되었다.(하워드 진 《오만한 제국》 참조)

이것이 전쟁의 본색이다. 그런데도 인류는 오늘날까지도 여전히 온갖 구실을 붙여 정의로운 전쟁, 정당한 전쟁이 있는 양 둘러댄다. 정의로운 전쟁은 전쟁을 수행하는 권력 주체의 명분 찾기일 뿐이다. 더구나 현재 핵무기를 비롯한 첨단 무기의 발달로 자칫 전쟁은 인류 공멸을 초래할 수 있다. 아인슈타인의 말처럼 교전의 규범을 만든다고 전쟁이 일어날 가능성이 줄어드는 것은 아니며, 전쟁은 인간화될 수 있는 것이 아니다. 단지 폐기될 수 있을 뿐이다.

2 인류의 번영과 평화는 전쟁 없는 평화 속에서만 기약할 수 있다

전쟁에는 진정한 승자도 없고, 전쟁의 원인이 된 이슈들 역시 전쟁에 의해 해결된 게 없다. 아무런 소득도 없이 수백, 수천만의 무고한 생명만 희생될 뿐이다. 1, 2차 대전을 겪은 후에도 여전히 인류는 전쟁 중이다. 발칸반도와 동유럽의 영토분쟁, 국가분쟁, 시민전쟁, 미국과 중동의 전쟁 등 전쟁의 불길이 꺼지지 않고 있다. 우리는 현재 북한과 '정전' 중이다. 전쟁의 불씨가 꺼지지 않은 채 대치한 상태이며 언제 점화되어 전쟁이 발발할지 알 수 없다. 만에 하나 전쟁이 발발하면 남과 북이 공멸할 것은 명약관화한 일이다.

게다가 과거와 달리 현대의 핵무기는 인류 파멸을 초래할 만큼 막강한 살상력과 가공할 파괴력을 지니고 있다. 그런데도 사람들은 전쟁에 대해 무책임한 현실주의적 입장에 동조한다. 인간은 본래 탐욕스럽고, 이기적이고, 악의적인 존재이므로 전쟁은 불가피하다는 것이다. 강한 자가 약한 자를 지배하는 것은 자연의 이치이므로 전쟁은 피할 수 없다고 말한다. 이 논리는 결국 평화로운 세상을 함께 만들어가기 위한 어떠한 시도도 무용하기 때문에 평화를 지키기 위해서라도 힘을 기르자는 식으로 귀결된다. 전쟁에 대해 현실론적인 입장을 취하는 순간, 자신 역시 전쟁의 동조자 역할을 하게 된다는 사실을 명심해야 한다. 게다가 이는 인류의 미래에 대한 무책임한 허무주의와 다르지 않다.

인류의 번영과 평화는 전쟁 없는 평화 속에서만 기약할 수 있음을 명심해야 한다. 평화주의는 왼쪽 뺨을 때리거든 오른쪽 뺨을 내주는 식의 평화를 말하는 것이 아니다. 9·11 테러와 이에 대한 미국의 대응을 보라. 공격을 해온 용의자를 모든 정보와 수사방식을 써서 체포하고 국제적인 범죄행위로 다룰 수 있음에도 힘의 논리를 앞세워 끝내 전쟁을 감행하는 것이 과연 정당화할 수 있는 행동인가. 모든 전쟁을 반대한다는 입장을 모든 국가들이 공유하여 이를 정책화하고, 국제적으로 전쟁을 억제할 협력 기구를 견실하게 만들어나갈 때 전쟁의 위협으로부터 벗어날 수 있다. 평화주의는 이상주의적인 낙관론이 아니다. 평화주의가 인류 공멸의 위기를 벗어나 평화와 번영으로 가는 유일한 길임을 명심해야 한다.

"힘없는 평화주의"

1 전쟁의 목적에 따라 정의로운 전쟁인지 아닌지 따질 수 있어

윤리적 판단은 개인의 행위뿐 아니라 국가의 행위에도 적용될 수 있다. 전쟁도 마찬가지다. 어떤 목적을 위한 전쟁인지에 따라 정당한 전쟁, 정의로운 전쟁 인지 아닌지를 따질 수 있다. 수많은 사상가들이 오래전부터 정의로운 전쟁이 무엇인지 연구했고, 체계적인 이론으로 정립된 것은 비교적 현대에 이르러서다.

우선 부당한 침략에 대항하는 모든 방어 전쟁은 정의로운 전쟁에 속한다. 적국이 내 나라를 침략할 목적으로 전쟁을 벌인다면, 자국민의 안전을 위해서 이에 맞서 싸우는 것은 정당하다. 강대국의 식민지 정책에 반대하는 무력 저항운동은 어떤가. 식민지 국가의 국민들이 평화의 이름으로 굴복한다는 것은 있을 수 없는 일이다. 또한 억압적인 폭력과 전쟁의 참상이 계속될 때 인간의 존엄성을 보호하기 위한 인도주의적 개입도 정의로운 전쟁이라고 할 수 있다.

동티모르의 경우를 보자. 동티모르는 인도네시아 정부에 독립을 요구하는 항쟁을 계속 벌여왔고, 인도네시아 정부는 할 수 없이 1999년 주민투표를 허용, 주민들은 독립에 찬성했다. 그런데도 이 결과에 불복해 인도네시아군과 민병대는 1500명의 주민을 학살하는 만행을 저질렀다. 이에 유엔이 다목적군을 동티모르에 파병해 주민을 보호하고 평화유지활동을 벌였다. 2002년 동티모르는 마침내 독립했다. 이때의 무력과 전쟁을 악이라고 할 수 있을까. 과연 평화주의로 이 문제를 해결할 수 있었을까.

모든 전쟁을 악이라고 규정하는 것은 참으로 위험한 주장이 아닐 수 없다. 모든 전쟁을 똑같은 것으로 취급하는 것은 결과적으로 전쟁을 통제하기는커녕 오히려 통제할 수 없는 것으로 만드는 결과를 초래한다. 정의로운 전쟁과 불의한 전쟁을 구분하는 것은 결코 전쟁을 옹호하기 위해서가 아니다. 전쟁을 인간의 도덕적 양심에 비추어 규제함으로써 전쟁의 폐해를 줄이기 위한 시도이다.

2 평화주의가 인류의 평화를 위한 유일한 길이라는 생각은 이상적이고도 위험한 신념

평화주의가 전쟁을 막을 수 있다는 생각은 비현실적이며 이상적인 신념일 뿐이다. 전쟁을 옹호할 생각은 없다. 하지만 현실적으로 정당한 전쟁과 정의로운 전쟁이 있다는 것을 인정해야 한다. 2차 세계대전을 보자. 히틀러의 전체주의가 세계를 집어삼키려고 할 때 이를 막기 위한 수단은 전쟁뿐이었다. 부패한 정권이 인권을 유린할 때도 무력을 통해서만 이를 막을 수 있었다. 그런데도 평화주의자들은 여전히 현실을 간과하고 있다.

한 국가가 평화주의 정책을 채택했다고 치자. 만일 이 국가에 악의를 품은 외부의 적이 침략을 한다고 했을 때, 실제로 일어나는 온갖 폐해를 과연 어떻게 감당할 것인지 생각해야 한다. 또한 폭력적인 침략자들이 대량 수감 또는 대량 학살을 저지르면서 평화주의자들의 가치관을 송두리째 파괴하고 평화주의적인 사람들을 전체주의 체제에 종속시키면 그때는 어떤 행동을 취할 것인가. 평화주의라는 입장을 견지할 수 있을까.

평화주의자들은 이런 지적에 대해 그런 억압을 받고도 비폭력으로 대하면 가장 야만적인 침략조차 무장해제시킬 수 있다고 말한다. 비폭력은 비폭력적인 저항을 의미하는 것인데 일반 대중들이 정복자나 압제자의 강권에 전혀 협력하지 않음으로써 이들에게 저항한다고 말한다. 하지만 20세기에 일어난 여러 가지 사건들을 돌아보면 이런 평화주의적 대응이 침략자에게 실효적이지 못했을 뿐 아니라 평화주의적인 사회까지도 보존하지 못했음을 보여준다.

또한 평화주의자들은 세계대전 같은 엄혹한 시기에 다소 무책임한 면을 보인다. 침략자의 공격을 막고 국제사회의 정의를 유지하기 위한 구성원으로서의 역할이 있는데도 평화를 앞세우며 아무것도 하지 않는 것은 도덕적으로 잘못된 것이다. 폭력은 나쁘지만 때로는 불가피하다는 사실을 인정해야 한다. 폭력(전쟁)에 의한 갈등의 해결은 최후의 수단으로 사용해야 할 것이다.

토론해 봅시다

1. 아래 글을 읽고, 관련 자료를 인터넷에서 찾아 본 후 과연 미국의 이라크 전쟁이 정당화될 수 있는지 찬반으로 나누어 토론해봅시다.

   2001년 9·11 테러사건이 일어난 후 미국은 이라크의 대량살상무기를 제거함으로써 자국민을 보호하고 세계평화에 이바지한다는 명분을 앞세워 이라크 전쟁을 개시했다. 하지만 대량살상무기는 발견되지 않았고, 이에 이라크 전쟁의 정당성에 대한 의문이 제기되었다.

2. 평화주의가 전쟁을 막을 수 있을까요? 찬반으로 나누어 토론해 봅시다.

실전 gogo

현대사회에서도 끊이지 않는 전쟁을 종식시키고 평화를 정착시킬 방안이 있을지 자신의 생각을 적어봅시다.

우주개발, 인류에게 필요한 일일까

우리나라는 2022년까지 발사체 기술을 확보하고, 이를 민간에 이전하는 '민간우주개발' 시대를 열 계획이라고 선언했다. 세계적으로는 IT 공룡들의 우주개발 경쟁이 치열하다. 아마존은 블루오리진이라는 우주개발업체를 설립했고, 일런 머스크는 민간 항공우주기업 스페이스 X를 세워 우주개발에 열을 올리고 있다.

인류는 오래전부터 강대국을 필두로 천문학적인 돈을 쏟아부으며 경쟁적으로 우주개발에 나서고 있다. 하지만 일각에서는 현재와 같은 우주개발이 진정으로 인류를 위하는 일인지 회의적이라며 비판한다. 우주개발에 대해 비판적인 견해를 갖는 이유는 무엇일까?

키워드로 읽는 논쟁

1. 우주개발이란

우주개발이란 로켓이나 우주선 혹은 다른 과학기기들을 동원해서 과학연구를 위해, 또는 실용적인 목적을 위해 우주나 지구 이외의 다른 천체를 활용하려고 하는 모든 노력을 말한다. 비슷한 뜻으로 '우주탐사'라는 말이 있다. 우주탐사는 우주에 관한 궁금증을 밝히기 위해 조사하는 것으로 별다른 도구 없이 천체를 관측하는 것도 우주탐사라고 할 수 있다. 그러나 지구에서 우주를 탐사하는 일에는 한계가 있어서 우주공간에 망원경을 설치하거나, 우주선 혹은 탐사선을 다른 행성에 보내게 되었다. 우주개발은 우주탐사보다는 더 적극적인 행동을 말한다. 본격적인 개발에 그 목적이 있다.

우주개발 분야는 다양하다. 우선 과학 연구가 주요 목적인 분야가 있다. 태양계 행성이나 은하계 등 천문학적인 연구를 위해 우주공간을 활용하는 것. 다른 행성에 탐사선을 보내는 등 직접적인 과학 탐사도 하고, 지구에서 하기 힘든 실험을 우주에서 하기도 한다.

경제와 산업 활동을 목적으로 한 분야도 있다. 주로 위성을 많이 활용하는데, 통신이나 방송에 활용하고, 기상관측을 통해 기상정보를 제공하기도 한다. 군사 분야도 빼놓을 수 없다. 많은 국가들이 국가 방위를 위해 우주개발을 활용하고 있다. 군사위성을 통해 상대국가의 정보를 얻어내기도 하고, 우주무기를 개발하기도 한다. 이외에도 인공위성이나 우주선 제작 등 각 분야의 우주개발이 원활하도록 돕는 기술개발 분야도 있다.

2. 우주개발은 언제 시작했나?

우주개발은 20세기 중반 공기가 없는 곳에서도 비행이 가능한 로켓이 등장하면서 시작됐다. 초기에는 러시아(당시 소련)의 우주개발 기술이 단연 앞서 있었다. 러시아는 1957년 최초의 인공위성 스푸트니크 1호를 지구궤도에 쏘아 올리는데 성공했다. 1961년에는 러시아의 가가린이 보스토크 1호를 타고 지구 궤도에 올라 사상 처음으로 지구의 둥근 모습을 보았다.

미국은 이에 질세라 우주개발에 박차를 가했고, 1969년 처음으로 인류를 달에 보냈다. 이후 세계 주요 강대국들은 우주개발에 막대한 자금을 경쟁적으로 쏟아부었고 그 결과 궤도상엔 인공위성이 넘쳐나게 되었다. 현재 각국의 우주개발은 우주탐사보다는 실용화의 시대로 접어들었다. 우주산업 선진국들은 달이나 화성, 금성까지도 생활권으로 만들기 위해 부단한 노력을 기울이고 있다.('우주개발의 역사'* 참조) 한편 우주개발은 4차 산업혁명을 주도할 파괴적 혁신기술로 꼽히지는 않지만 이에 대한 관심은 여전한 상황. 우주개발 과정에서 정수기나 공기정화기 같이 실생활에 도움을 주는 혁신적인 제품을 만들어냈는가 하면, 금속이나 세라믹 소재 발전에도 큰 역할을 했다. 4차 산업혁명 시대로 오면서 인공지능AI과 로봇, 사물인터넷IoT 등 첨단 기술의 발달이 우주산업의 혁신을 몰고 오는 중이다.

---

* **우주개발의 역사**

제1기 미국과 소련의 우주과학 경쟁기. 미소간 첨예하게 우주개발 경쟁을 시작한 시기는 1958년 우주개발의 선두를 소련에 빼앗긴 미국이 익스플로러 1호를 발사하면서부터다.

제2기 1965년 프랑스가 인공위성을 발사하면서 인공위성의 미소 독점시대가 끝났고, 일본과 중국이 뒤이어 인공위성 발사에 성공했다. 인공위성 경쟁과 함께 우주선을 이용한 달 개척도 치열했다. 또한 우주정거장도 띄우기 시작했다.

제3기 화성, 목성, 토성 등 행성에 대한 탐사가 이루어진 시기다. 1966년 소련의 비너스 3호가 금성으로 발사되었고, 미국의 바이킹호가 화성에 착륙했고 목성의 고리를 발견하기도 했다. 또한 천왕성, 해왕성에도 각각 발사, 행성 사진을 보내오는 성과를 거두었다.

전망 우주개발은 탐사 목적보다 실용화에 더 큰 비중을 둘 것으로 보인다. 우주발전선, 우주공장, 우주제약소, 우주병원, 우주도시, 우주농장, 우주 군사기지가 건설될 것이다. 달세계로의 이주의 발판을 만드는가 하면, 지구뿐 아니라 달, 화성, 금성까지도 생활권으로 만들려고 부단한 노력을 기울일 것으로 예견된다.

3. 글로벌 IT 기업들, 우주개발 경쟁에 뛰어들다

현재 아마존, 구글을 비롯한 글로벌 IT 기업들이 너도나도 우주개발 경쟁에 뛰어들고 있다. 첫 주자는 테슬라의 창업자 일런 머스크. 그의 민간 우주개발 기업 스페이스X는 2018년 2월에 실험용 위성 2대를 발사하는 데 성공했다. 지구 전체에 초고속 인터넷망을 구축하기 위한 스타링크 프로젝트의 일환이다. 스타링크는 1만2000개의 소형 위성을 저궤도(300~1000km) 상공에 쏘아올려 전 세계에 저렴한 비용으로 인터넷 서비스를 제공하는 프로젝트. 스페이스X는 국제우주정거장에 화물을 실어 나르는 사업도 진행 중이다. 괴짜 사업가라고 불리는 머스크는 화성에 인간이 거주할 수 있는 자족 도시를 세우겠다는 꿈을 향해 다양한 사업을 벌이고 있다.

한편 구글은 거대한 풍선을 띄워 최대 100일 넘게 비행하며 지름 40km 범위에 인터넷을 공급할 수 있는 기술을 개발했다. 페이스북 역시 태양열로 충전해가며 3개월 연속 비행이 가능한 무인기로 초고속 인터넷을 제공한다는 구상을 하고 있다. 아마존 CEO 베조스는 개인적으로 블루오리진이라는 회사를 설립, 우주개발에 나서고 있다.

글로벌 IT기업들이 이런 기술 경쟁을 벌이는 건 아직 인터넷을 사용하지 못하는 전 세계 약 40억 명을 인터넷 세계로 끌어들이는 한편, 미래의 거대한 시장으로 떠오를 우주에 대한 주도권을 확보하려는 전략이란 분석이다.

4. 개인위성 시대, 온다

과거 우주개발은 국가 차원에서 이루어졌다. 인공위성만 해도 수천억원의 제작비가 들었기 때문에 강대국들의 전유물이었다. 그런데 이제 지구에 있는 개인이 직접 위성에 신호를 보내 갖가지 실험을 할 수 있는 길이 열렸다. 가로, 세로 10~30cm 정도의 조그만 위성을 개당 1억원이면 제작할 수 있고, 발사도 kg당 1억원이면 가능해진 것. 이에 따라 일반 개인이나 기업도 위성을 보유할 수 있는 시대가 되었다. 2018년에만 초소형 위성인 '큐브샛'이 400기 이상 발사될 전망이다. 이렇게 위성 제작 비용이 줄어들자 클라우드펀딩으로 자금을 모아 수백 개의 위성을 만드는 '킷셋'과 같은 프로젝트도 등장했다(2014년).

2017년 제주에서 열린 '국제우주과학위원회 심포지엄'에서 우주전문가들은 소형 위성에 대한 국가별 전략을 소개하는 한편 소형위성의 중요성에 공감하며 국제협력을 활발히 하자는 데 의견을 모았다. 우지[Wu Ji] 중국국립우주센터 부장은, "50~500kg의 소형위성은 과학연구에 매우 유용한 도구"라며 "과학에서 예산은 제한되어 있는데 다양한 지역을 다룰 수 있고 아이디어를 신속하게 반영할 수 있다는 점에서 중요한 플랫폼"이라고 말했다.

우리나라에서도 몇해 전 미디어아티스트 송호준씨가 큐브샛을 발사해 화제가 됐다. 삼성경제연구소 김병완 수석연구원은 "개인 인공위성시대를 위한 기술은 이미 완료됐다고 볼 수 있다"며 "문제는 비용인데 기술이 발전해가면서 원가가 절감되면 나만의 인공위성을 가지는 것도 가능할 것"이라고 말했다.

5. 우리나라의 우주개발은 어느 정도 수준인가?

우리나라의 우주개발은 선진국에 비해 30~40년 늦은 1990년부터 시작됐다. 92년 '우리별 1호'를 성공적으로 발사하면서 세계에서 22번째의 상용 위성 보유국이 됐다. 그후 우리별위성, 무궁화위성 시리즈 및 다목적 실용 위성 아리랑 시리즈를 보유했고, 2013년 8월 22일에는 '아리랑 5호'발사에 성공했다. 아리랑 5호는 카메라가 아닌 영상 레이더가 있어 날씨에 상관없이 지상 촬영이 가능해, 재난 감시와 지리정보시스템 구축 등에 활용되고 있다.

하지만 위성은 국내 기술로 만들고 있어도, 발사체 기술이 없어, 2019년 한국형발사체 완료를 목표로 연구 중이라고 한다. 미래창조과학부는 최근에 우주개발 중장기 계획 및 산업화 정책을 마련했는데, 이에 따르면 2020년까지 달 궤도선 및 탐사선을 발사하고, 소형 우주 및 태양망원경 설치하며, 30년에는 화성궤도선과 화성 탐사선을 쏘아올릴 계획이라고. 2040년까지는 소행성 및 심우주 탐사선 개발을 목표로 하면서, 우주기술 산업화에도 박차를 가하고 있다.

이렇게 2022년까지 발사체 기술을 확보하고 이를 민간에 이전, '민간 우주개발' 시대를 열 계획이다. 이어서 2026년부터 민간 발사서비스를 개시하고 2030년부터는 모든 중소형위성 발사서비스를 민간 주도로 제공한다는 계획이다. 엘론 머스크의 '스페이스X' 같은 민간우주산업체가 우리나라에도 등장할지 주목된다.

6. 많은 나라들이 우주개발에 힘을 쏟는 이유는?

일차적으로 국가 방위 때문인데 우주개발을 통해 다른 나라를 감시할 뿐 아니라 우주무기의 개발을 통해 방위력을 높이기 위함이다. 하지만 궁극적으로는 군사 목적보다 우주자원 및 미래기술 확보가 더 중요하다. 우주 분야는 화학, 물리, 수학, 자동차, 선박, 항공기, 로봇, 발사체, 위성 등 갖가지 첨단기술이 결집되는 분야고, 광범위한 신기술을 활용해야 해서 기술파급 효과가 크기 때문에 시장 규모가 계속 커질 것으로 예상된다. 세계 우주산업 시장 규모는 매년 상승 중인데 3353억달러(2015년도 기준)로 전년대비 4% 성장했다. 위성서비스, 지상장비, 위성체 제작, 발사체 제작을 포함한 위성산업이 2083억달러로 전체 우주산업의 62%를 차지한다. 한편 우주분야에서도 4차산업혁명과 관련된 움직임이 시작됐다. 최신 ICT 관련 기술들이 발전하면서 기존의 우주발사체와 인공위성 분야에서 기술혁신이 가속화되고 있다.

하지만 인류가 과연 천문학적인 자금을 들여가며 우주개발에 나서는 것이 적절한지에 대한 반론도 있다. 그 돈을 환경이나 기아문제 등 현재 지구에서 발생하는 문제점을 해결하는 데 쓰는 게 낫지 않냐는 지적이다.

"우주개발, 필요하다"

1 우주개발을 통해 자원문제, 환경문제 등 인류가 직면한 문제를 해결할 수 있다

우주개발은 가난과 질병, 환경파괴로 얼룩진 지구 문제의 대안이 될 수 있는 만큼 꼭 추진해야 한다. 지구 온난화로 인한 기후변화와 이상 바이러스의 확산 등 인간이 막을 수 없는 자연의 위협 앞에서 최선책은 우주를 개척, 우주에 인류가 살 수 있는 환경을 만드는 것이다. 소행성의 지구 충돌로 인류가 지구상에서 사라진 공룡 같은 처지가 안 되려면 다른 행성을 찾아야 한다.

자원고갈 문제는 더 심각하다. 인류가 현재 기대고 있는 자원인 석유는 50년 이내에 고갈될 것이라고 한다. 흔히 우주개발의 필요성을 부정하는 이들은 에너지 이용을 최소화하면 인류 생존이 영원히 가능한 것처럼 말한다. 하지만 지구상의 자원은 한정돼 있고 아무리 에너지 이용을 줄여도 자원 문제를 비껴갈 수 없다. 우주에는 무한한 에너지원이 있다. 달에 있는 '헬륨3'*라는 자원만 개발해도

---

* **헬륨3**
헬륨 3는 지구에는 거의 존재하지 않고, 달 표면에 풍부한 것으로 알려져 있다. 헬륨3는 양성자 2개·중성자 1개로 이뤄져 있는데 이것은 바닷물에 풍부한 중수소(양성자 1개·중성자 1개)와 핵융합시키면 양성자 2개·중성자 2개의 정상적인 헬륨 원자가 되면서 막대한 전기에너지를 방출한다. 1g의 헬륨3는 석탄 약 40t이 생산해 내는 정도의 전기에너지를 생산할 수 있다.

자원부족 문제를 상당 부분 해결할 수 있다. 물론 우주개발이 당장 해결책을 가져다주지는 못할 것이다. 하지만 먼 미래와 후손을 생각한다면 지금부터 꾸준하게 우주개발에 자금과 노력을 쏟아부어야 한다

2 우주개발에 따른 경제적 이익은 전 인류에게 돌아갈 것이다

우주개발은 미래의 인류를 먹여 살릴 핵심 산업이다. 세계 각국이 우주개발에 열을 올리는 것은 우주개발이 어마어마한 가치를 창출하기 때문이다. 인공위성을 이용한 휴대용 전화기, 인터넷, 고화질 TV, GPS 자동차를 비롯해 자원개발, 바이오산업, 기상 데이터 산업 등 산업적으로 적용할 수 있는 분야가 무궁무진하다. 또한 우주왕복선 프로그램을 통해 산업계에 이전된 새로운 기술이 100여 가지가 넘을 정도로 우주개발 노력에 따른 기술파급 효과도 크다. 인공심장, 신분확인 시스템, 비행추적 시스템 등이 대표적인 기술이다. 우리가 편의점에서 흔히 보는 바코드 역시 우주기술의 산물이다. 이밖에 무중력 상태에서만 제조가 가능한 신소재나 신약개발은 우주개발의 유용성이라고 할 수 있다. 이처럼 우주산업은 대형복합기술 산업으로서 막대한 파급력이 있고, 첨단 과학기술들에 응용돼 타 연관 분야의 영역을 발전시킨다.

우주개발의 경제적 이익은 무궁무진하고, 이 이익은 모든 인류에게 돌아갈 것이다. 어떤 사람들은 우주개발의 이익이 몇몇 사람들에게만 돌아갈 것이라며, 그 비용을 지구의 문제를 해결하는 데 쓰는 게 낫다고 주장하지만, 우주개발에 소요되는 자금과 노력을 지구에 투자한다고 해서 부의 격차를 해소할 수는 없다. 오히려 새로운 영역의 창출로 지구 전체가 가져갈 파이를 키우는 것이 맞다.

3 우주를 향한 인류의 숭고한 열망은 계속되어야

지구는 우주의 한 부분이고, 따라서 인류의 역사는 우주와 떼려야 뗄 수 없는 관계를 이어왔다. 스티븐 호킹은 우리의 관심을 지구에 한정한다는 것은 이와 같은 인류의 숭고한 정신을 가두는 것이라고 말했다. 지동설, 진화론, 상대성이론, 양자역학, 빅뱅이론 같은 과학적 성과들은 인류의 문명뿐만 아니라 정신적 패러다임을 변화시키는 데 혁혁한 공을 세웠다. 우주는 어떻게 탄생하였고, 어떻게 변하고 있는가? 생명은 어떻게 시작되었는가? 지구 밖에도 생명체는 있는가? 이러한 의문을 풀기 위해 그 답을 찾아서 인류는 우주로 나아가는 것이다. 그리고 우주개발 과정에서 얻는 노력과 새로운 연구 결과는 인류의 지적 발전에 큰 기여를 하게 된다.

우주개발은 갑자기 과열된 새로운 시도가 아니다. 인류는 의식을 갖게 되면서부터 우주를 꿈꾸어왔다. 세계 여러 민족의 창세신화가 이를 증명한다. 수천 년이 지나는 동안 인류의 우주에 대한 꿈은 식어갈 줄 몰랐다. 이는 인위적으로 막을 수 없으며, 그 결과가 오늘날의 우주개발이라는 현실로 다가왔다. 그렇다면 우주개발은 물질문명 뿐 아니라 정신문명의 발전을 위해서 더욱 필요한 것이라 볼 수 있다.

"우주개발, 시급하지 않아"

1 우주개발에 사용하는 비용과 노력의 절반만 쏟아도 지금의 지구 문제는 해결할 수 있다

자원고갈, 기아, 질병, 환경파괴 등이 인류를 위협하고 있는 건 사실이다. 하지만 해결책을 이 지구 안에서 찾는 게 더 현실적이고 효율적이다. 자원이 한정돼 있지만 태양열을 이용하거나 바람, 파도 등의 힘을 활용한 대체 에너지 개발이나 과학의 진보로 신소재 자원을 만들어 대체할 수 있다.

그런데도 각국이 우주개발에 많은 돈을 지불하고 치열하게 경쟁하는 것은 인류를 위한 것이라기보다 특정 국가의 이익이나 거대 기업의 이익을 위한 것이다. 미국의 경우를 보자. 온실가스를 가장 많이 배출하면서도 환경 문제의 해결을 위한 국제협약을 탈퇴한 채 우주개발에 힘을 쏟고 있다. 이처럼 당장의 문제를 외면한 채 불확실한 미래를 위해 천문학적 돈을 들인다고 해도, 우주개발 연구의 진척이 현재의 문제를 해결할 수 있는 정도의 속도를 낼 수는 없을 것이다. 결과가 불확실한 사업에 천문학적인 돈을 들이는 것은 인류를 위해 바람직하지 않다. 우주개발에 쓰는 비용과 노력의 절반만 쏟아도 지금 인류가 겪고 있는 문제들의 상당 부분을 해결할 수 있을 것이다.

2 우주개발 이익은 결국 투자한 나라나 기업에 집중된다 과도한 투자를 줄여야

우주개발의 꿈이 실현된다면 경제적 이익은 분명 클 것이다. 하지만 인류 전체에게 그 이익이 돌아갈 수 있을지는 의문이다. 우주개발에는 천문학적인 돈이 투자되고, 따라서 아무나 우주개발에 참여할 수가 없다. 이는 결국 우주개발로 인해 얻은 이익 역시 차등적으로 분배될 수밖에 없다는 것을 말해준다. 즉, 부유한 나라, 부유한 사람들이 개발에 따른 이익을 가질 것이라는 얘기다. 따라서 우주개발은 지금도 문제가 되고 있는 나라간의 부의 불균형을 오히려 심화시킬 가능성이 크다.

또한 우주개발에는 막대한 비용이 든다. 2001년 유니세프가 발표한 부국과 빈국의 불균등 성장에 대한 자료에 따르면, 아폴로 계획이 시작되던 1960년에 1인당 GNP가 1만달러를 넘은 부국들은 성장을 거듭해 1997년 3만달러에 이르는 1인당 GNP를 달성했다고 한다. 하지만 미국에서 운행하고 있는 우주왕복선은 2005년 기준 1450억달러가 든 것으로 추정된다. 게다가 우주개발 사업은 과학기술 연구개발 사업 중에서 투자 증가가 가장 가파르다. 이는 다른 과학 기술 분야의 연구비를 격감시키는 요인으로 작용한다. 지구 전체의 연구비에 한계가 있기 때문이다. 다른 분야 과학자들이 우주분야를 '공공의 적'이라고 부르는 데는 그만큼의 이유가 있다. 우주개발 이익이 모든 인류에게 돌아갈 것이라고 확언하기 전에, 그 비용을 현재 기아에 허덕이는 사람들에게 쓰는 것이 인류에게 더 필요한 일이다.

3 인간의 호기심이 야기할 우주개발의 문제점에 대해 고민해야 한다

인류의 호기심은 무한하다. 우주는 인류의 오랜 호기심과 경외의 대상이었다. 그렇다고 인류가 호기심을 풀기 위해 우주를 개발하는 것이 옳다고만은 볼 수 없다. 우주개발로 오히려 지구와 인류에 부정적인 영향을 미칠 수 있기 때문이다. 역사적으로 이와 비슷한 사례는 있었다. 다이너마이트를 개발했던 노벨이나, 핵을 개발했던 과학자들은 그것이 지구에 얼마나 큰 위협을 주는지 연구 당시에는 예상할 수 없었다. 특히 노벨은 다이너마이트를 발명한 후에 그것의 위험성을 알고 자신의 전 재산을 내놓아 노벨상을 만들기도 하지 않았는가.

환상을 갖고 시작한 우주개발도 마찬가지의 상황을 낳을 수 있다. 특히 우주 무기 경쟁은 우주 전쟁으로 확대될 수도 있다. 책임질 수 없는 기술개발이라면, 더욱이 인류의 미래를 위협하고, 우주전쟁의 가능성까지 안고 있는 상황이라면, 호기심은 잠시 덮어두고 우주개발을 멈추는 것이 보다 합리적이다. 또한 우주개발이 정신문명까지 발전시킬 것이라는 근거는 그 어디에도 없다. 오히려 물질 숭배주의가 더 강화되지나 않을까 우려된다.

플러스 상식 [+]

상상을 초월하는 달기지 프로젝트 과연 가치 있나?

영국 언론 <인디펜던트>는 엄청난 예산이 투입되는 달기지 프로젝트가 과연 가치가 있는지 분석하는 기사를 냈다. 미항공우주국 나사는 달 탐사 및 기지 건설 비용을 공개하지 않았지만, 과학자들은 달기지 비용만도 1천억달러에 달할 것이라고 보고, 각종 첨단 장비 개발 비용들을 합치면 총 비용이 1조달러에 이를 것이라고 설명한다. 이는 IT 기업인 마이크로소프트(시가 총액, 3000억 달러)를 세 번 구입하고도 남는 돈이다.

상상을 초월하는 돈을 쏟아 붓는 달기지 프로젝트가 과연 가치 있을까? 찬성 논리 중 하나는, 달기지는 화성과 그 너머의 태양계를 탐사할 우주선 발사장으로 가장 이상적이라는 것이다.

반대 논리도 있다. 달기지 프로젝트를 통해 어떠한 성과를 이루더라도 천문학적 비용의 지출을 정당화할 수 없다는 것이다. 또 더 빠른 결과를 낼 수 있는 더 가치 있는 연구 프로그램에 쓰일 자원이 부족해진다는 의견과 화성은 식민지 건설에 부적합하다는 주장도 있다.

2006. 12. 6. <인디펜던트> 참조

토론해 봅시다

1. 우주개발이 진행되어 지구 이외에 또다른 행성까지 개발되었다고 가정해봅시다. 개발 이전과 비교했을 때 인류의 삶은 더 행복해졌을까요? 자신의 의견을 말해봅시다

2. 지구에는 인구문제, 빈곤문제, 자원고갈문제, 환경오염문제 등 온갖 문제들이 산적해 있습니다. 이러한 문제를 해결하는 방안으로 우주개발이 적절한지, 아니면 지구 안에서 해결책을 찾는 것이 더 적절한지 찬반으로 나누어 토론해봅시다.

실전 gogo

인류에게 우주개발은 꼭 필요한 것인지, 그렇지 않은지, 자신의 의견을 정하고, 자신의 생각을 근거를 들어 주장해봅시다.(300자)

세계화와 문화다양성은 공존할 수 있나

세계화는 단순히 경제적 차원을 넘어 정치, 사회, 문화의 영역까지 세계적 차원의 교류를 확대하고 있다. 특히 문화적 측면의 세계화는 독자적인 이슈를 낳고 있다. 세계화의 과정 속에서 미국 중심의 서구문화가 세계의 다양한 문화를 잠식시키고 획일화할 것이라는 우려 때문이다. 하지만 반론도 만만치 않다. 세계화가 오히려 문화의 다양성을 확대해나갈 것이라는 주장이다. 문화들 간의 교류와 상호 공존을 통해 고유 문화가 발전하고, 다양성이 더 커져갈 것이라는 견해다.

과연 세계화와 문화적 다양성은 공존할 수 있을까? 다양한 견해와 구체적인 현상들을 토대로 함께 생각해보자.

키워드로 읽는 논쟁

1. 세계화가 문화에 미치는 영향

세계화는 자본의 세계적 흐름으로 세계경제가 상호 긴밀한 연관성을 띠는 현상이다. 국가를 초월해 자본이 이동하고 시장을 확대해 경쟁적 우위를 점유한 상품이 세계적으로 퍼져나간다는 얘기다. 세계가 하나가 되고, 세계 시장에서 초국가적인 기업이 생산한 상품과 서비스가 세계적으로 유통된다. 다른 말로 하면 소비의 세계화라고 할 수 있다. (세계화의 세 가지 주요 측면은 경제세계화와 정치세계화, 그리고 문화세계화이다. 하지만 경제적, 정치적 세계화와 달리 문화적 세계화에 대해서는 광범위하게 연구되지 않았다.)

세계화는 자연스럽게 정치, 사회, 기술뿐 아니라 문화의 영역까지 영향을 미친다. 전 세계 소비자들은 각종 초국적 미디어에 노출된 상품을 받아들이게 된다. 맥도날드 햄버거, 코카콜라, 나이키, 샤넬 화장품 셀 수 없을 정도로 많은 상품들이 그야말로 세계적인 상품이 되었다. 현대사회는 소비문화적 특징을 갖고 있다. 세계화는 당연히 지역 고유의 문화에 직간접적인 영향을 미치게 된다. 세계화의 진전으로 문화 영역의 국경은 이미 사라지고 있다. 아프리카 농촌 마을의 할머니마저 팝송을 들으며 춤을 추는 시대다. 이를 '문화의 탈영토화' 현상이라고 부른다. 과거엔 문화가 개별 지역과 민족에 한정되어 존재했는데 세계화와 함께 특정 지역의 문화가 다른 지역으로 쉽게 퍼져나가게 된 것이다.

2. 문화의 세계화를 보여주는 사례

가장 흔하게 볼 수 있는 사례들은 영화나 음악 등 문화상품들이다. 할리우드 영화가 세계 영화시장을 지배하고 있는 것처럼 문화상품이 세계화에 앞장서고 있다. 세계적으로 퍼져 있는 음식 문화도 세계화의 현상으로 자주 거론된다. 문화적 세계화가 가장 눈에 띄는 분야는 미국 패스트푸드 체인 같은 특정 요리의 보급이다. 맥도날드와 스타벅스는 세계화 사례로 흔히 인용되는 미국 기업이다. 2015년 기준 전 세계적으로 각각 3만 6000개, 2만 4000개 매장을 운영하고 있다. 특히 최근 국내 스타벅스 매장이 눈에 띄게 늘고 있다. 인구 1인당 스타벅스 매장 수가 세계에서 네 번째로 많은 것으로 나타났다. 인구가 한국보다 두 배 이상 많은 일본의 두 배 수준.

하지만 지금 다루고 있는 '세계화와 문화' 테마에서 말하는 문화는 단순히 문화상품만을 지칭하는 것은 아니다. 삶의 방식이나 가치체계, 전통 등 개별 문화의 특수한 것을 모두 포함한다. 우리는 위성TV를 통해 전세계 뉴스를 생생하게 전해들을 수 있으며 인터넷을 통해 세계의 다양한 문화를 접할 수 있다. 더구나 IT 기술 혁신으로 우리는 현재 언제 어디서든 원하는 시간에 미국 드라마를 비롯한 다양한 해외 미디어를 소비하고 있다. 반대로 우리의 영화나 드라마, 음악상품을 해외로 수출해, 한류 열풍을 일으키기도 한다. 그런데 이러한 문화상품의 전파는 단순히 상품의 소비에만 머물지 않고 그들의 삶의 방식이나 가치관에도 영향을 미친다. 문화란 일종의 정체성 혹은 정신을 담는 그릇이다. 외부 문화의 유입이 많아지면서 문화 세계화를 우려하는 사람들이 늘고 있다.

3. 문화의 세계적 교류를 왜 우려하나?

지역 고유의 다양한 문화들이 사라질지 모른다는 우려의 목소리가 높다. 세계화가 진전되면서 문화 간의 충돌과 경쟁이 불가피한데, 자본의 힘을 등에 업은 미국 등 서구의 문화가 약소국의 문화에 침투하면서 전통적인 문화들을 소멸시켜 버리고 일방적인 미국화·서구화로 이어질 수 있기 때문이다. 이러한 우려를 문화 제국주의라 부른다. 문화적 침투의 대표적인 사례를 꼽자면 '영어'다. 1900년대에 오면서 미국의 영향력이 커지면서 토착 언어가 힘을 잃고 있다. 우리 말에 침투한 영어만 보더라도 쉽게 알 수 있다.

문화제국주의의 관점에선 인류 전체의 자산인 고유한 개별 문화들이 세계화 속에서 점차 사라지고 획일화된 서구 중심의 세계문화만 남게 될 것을 크게 우려하고 있다. 생태계가 유지되기 위해선 생물종의 다양성이 유지되어야 하는 것처럼, 문화적 다양성 역시 인류의 정신적 산물로서 보존·유지되는 것이 무엇보다 중요하다는 주장이다. 이러한 우려는 주요 국가들이 모여 문화다양성협약을 맺는 것으로 이어지기도 했다.

4. 문화다양성협약이란

문화다양성협약은 각국의 문화적 다양성을 인정하고 보장하는 것을 내용으로 하는 국제협약이다. 정식 이름은 '문화적 표현의 다양성 보호와 증진에 관한 협약'. 이 협약은 유네스코와 유럽의 다수 국가들에 의해 추진되었고, 2005년 미국과 이스라엘을 제외한 회원국들의 압도적인 찬성으로 채택되었다.

이 협약은 세계화의 부정적 영향으로부터 각 나라 고유의 문화와 언어, 전통을 보호한다는 내용을 뼈대로 삼고 있는데, 스크린쿼터 등 자국 문화를 보호하려는 제도를 유지할 국제법적인 근거를 제공했다. 즉, 문화상품의 특수성을 인정해 문화상품을 자유무역에서 제외시키고, 자국의 문화산업 보호를 위한 정책을 수립할 권리를 개별 국가에 부여하는 것을 주된 내용으로 삼고 있다. 하지만 WTO나 FTA 등 무역협정을 피해가기 힘들고, 비준하지 않은 국가에는 효력이 없는 등 한계가 있다. 문화다양성협약은 채택 당시 미국 중심의 세계 질서에 대한 '반란'으로 해석되기도 했다. 한편 이러한 움직임과 달리 세계화의 진전이 문화적 다양성을 더욱 보장한다고 보는 입장도 있다.

5. 세계화가 문화적 다양성을 강화시킨다는 주장

세계화가 문화 다양성을 파괴하는 게 아니라 오히려 문화 다양성에 긍정적인 영향을 미치고 있다는 주장도 있다. 대표적인 학자는 앤서니 기든스이다. 기든스는 세계화를 서구 지배의 확산으로 보는 관점을 거부하면서 세계화는 오히려 서구의 문화적 지배를 쇠퇴시킨다고 주장했다. 그는 세계화가 진전되면 세계적 상호의존이 심화되는데, 이 과정에서 특정 문화가 더 이상 지배적인 문화로 군림할 수 없게 된다고 보았다. 문화 교류 과정에서 문화의 충돌과 쇠퇴로 이어지기보다는 서로 영향을 미쳐 더 발전해나간다는 입장이다. 이 과정을 통해 다양하고 이질적인 문화들이 공존하는 양상이 벌어질 것이라고 전망한다. 특정 지역에 머물고 있던 특수한 문화가 세계로 퍼져 보편적 문화로 자리매김 할 수 있다는 주장도 있다.

만일 이와 같은 주장이 타당하다면 세계화의 진전은 더 다양하고 풍성한 문화가 공존하는 계기가 될 것이다. 세계화 속에서 문화 경쟁이 격화되면 문화 정체성 상실을 우려하는 개별 민족들이 스스로의 문화를 지키려는 활동이 보다 활발해져 결국 문화들이 상호 공존하는 양상으로 전개될 것이라는 분석도 있다.

플러스 상식 [+]

문화상대주의文化相對主義

세계 문화의 다양성을 인정하고 이해하는 견해. 각각의 사회는 특수한 문화를 가지고 있다. 다양한 문화를 올바르게 이해하기 위해서는 그 사회의 입장에서 이해하려는 태도가 필요하다. 문화상대주의는 그 문화가 가진 고유한 가치와 의미를 그 사회, 민족, 집단의 맥락에서 이해하려는 태도를 말한다.

문화인류학자 루스 F.베네딕트는 그의 책 《문화의 유형》에서 인간 행위를 지배하는 윤리가 사회의 관습에 따라 얼마나 다양한가를 보여준다. 어떤 원주민 부족은 협동을 매우 가치있는 것으로 강조하는가 하면, 다른 부족은 경쟁을 가치있는 것으로 보아 개인의 우월성을 성취하는데 노력을 집중한다.

윌리엄 G.섬너도 도덕이란 어떤 이성적 관념의 체계에 속하는 것이 아니라 인간 사회의 일반적 생활양식, 즉 풍습에서 유래하는 것이라고 말한다. 이때 풍습이란 인간의 필요를 충족시키려는 노력으로부터 생겨나는 집단적 습관 또는 사회적 습성이다. 따라서 인도의 암소숭배 사상을 자기만의 잣대로 평가하기 이전에 이러한 풍습이 나타난 이유가 무엇인지, 인도 사람들에게 암소가 어떤 존재인지 이해하려는 노력이 필요하다. 현대사회에서는 세계화의 진전으로 다양한 문화들이 공존하고 소통하는 사회이므로 특히나 문화상대주의의 태도가 절실히 요구되고 있다.

"공존 가능"

1 각 문화의 특수성과 독자성은 교류와 융합을 통해 더욱 발전한다

문화는 늘 한결같이 고정된, 정체된 것이 아니다. 지금까지의 문화는 인근 문화의 영향을 받고 이를 받아들여 새롭게 변화, 발전해왔다. 또한 한 문화가 다른 문화를 수용할 때 단순하게 있는 그대로 받아들이는 게 아니다. 그렇다고 기존에 있던 문화를 새로운 문화로 완전히 대체하지도 않는다. 그럴 수가 없다. 고구려, 백제, 신라가 통일되어 통일 신라가 되었을 때 당연히 삼국의 문화도 자연스럽게 섞이게 된다. 삼국은 시간 차이는 있었지만 모두 불교를 받아들였다. 이 불교 문화가 통일 신라 시대에 와서 더 웅장하게 성장해간다. 불상은 화려해졌으며, 절도 훨씬 웅대해졌다. 이것이 문화의 속성이다.

물론 문화와 문화가 만날 때 어느 한 문화의 영향력이 더 강력할 때가 있다. 하지만 이러한 상황에 있을 때조차 단순히 다른 문화를 있는 그대로 수용하는 수동적인 자세로 받아들이지 않는다. 실제 서구의 음악과 악기를 수용한 아프리카 대중음악들은 여기에 자신들의 전통 악기와 음악적 요소들을 가미했다. 때로는 서구의 음악 리듬을 자신들의 관점에서 해석하고 새롭게 변형시키기도 한다. 서구의 문화가 힘을 발휘하더라도 자신들의 전통 문화의 관점에서 선택하고 해석한다면 새로운 문화가 창출될 수 있다. 결국 세계화 속의 문화 교류는 서구 문화 중심의 획일화 과정이 아니라 더욱 다양하고 풍성한 문화를 만들어내는 기반이 되는 것이다.

2 세계화는 문화 다양성을 높여 부작용을 해소하고, 지역의 문화를 발전시킨다!

세계화를 겪으면서 각국의 문화가 서구화되어 모두 비슷해졌다고 비판한다. 하지만 실제로는 문화의 차이와 지역적 다양성이 오히려 더 강화되고 있다. 세계화 이전에는 특정 지역의 문화를 널리 알릴 기회가 없었고, 문화 교류도 쉽지 않아 전통에 매몰되는 경향이 있었다. 다른 문화와의 충돌 속에서 생동감을 회복할 기회가 그만큼 적었던 것이다. 그 결과 전통적인 문화가 오히려 소멸되어 갔다.

세계화란 무엇인가? 세계화는 특정 지역의 문화를 오히려 발전시키고 돋보이게 하는 역할을 한다. 김치를 비롯한 한식, 사물놀이와 같은 전통 음악이 세계 곳곳에서 주목받고 있는 것은 일정 부분 세계화의 영향 때문이라고 할 수 있다. 이처럼 비서구화 사회의 문화가 서구사회에 유입돼 막대한 영향을 미치기도 한다. 만일 상호 교류하는 과정에서 소멸하는 문화가 있다면 그것은 이미 현대사회에서 가치를 상실한 문화이거나 보편적 관점에서 수용하기 힘든 문화인 것이다. 세계화 과정에서 인류는 획일적인 문화를 소비하는 데 그치지 않고 보다 다양하고 독특한 문화를 찾아나서고 있다. 서구인들이 아시아나 아프리카 문화를 찾고 관광하며 소비하는 양상에서도 이를 알 수 있다.

3 세계적으로 문화상품이 획일되는 것과 문화의 세계화를 구분해야 한다

흔히 서구사회의 문화 침투를 설명할 때 맥도날드나 코카콜라, 할리우드 영화 등을 꼽는다. 하지만 문화는 단순한 상품에 머물지 않는다. 문화상품의 세계화를 문화의 세계화로 동일시하는 오류다. 물론 미국의 문화상품이 세계 곳곳에 퍼져 영향을 끼치고 있는 것은 사실이다. 하지만 이는 대개 해당 지역에 없는 상품이 유입된 경우에 해당한다.

햄버거라는 음식이 없는 나라에 맥도날드가 들어오면 식생활에 약간의 변화를 줄 수 있다. 그렇다고 식생활이 근본적으로 바뀌는 것은 아니다. 그 나라의 입장에서 보면 햄버거라는 음식이 도입되어 선택의 폭이 넓어진 것을 의미할 수도 있다. 그렇다고 그 나라 국민들이 기존 식생활을 버리고 미국인처럼 맥도날드를 많이 소비하지는 않는다.

영화나 드라마가 유입되어 영향을 미치는 것에도 한계가 있다. 문화상품의 코드를 정확히 이해하기 위해서는 그 문화상품을 제작한 나라의 문화를 체득하고 있어야 하는데 그렇지 못한 경우가 대부분이라 사람들이 쉽게 받아들이지 못하는 경우가 많다.

세계화와 문화 다양성은 공존할 수 있는가

"공존 불가능"

1 현재의 세계화는 과거의 문화 수용과는 다르게 문화 잠식 현상으로 나타나고 있다

한 문화가 다른 문화를 받아들일 때 무조건적으로 수용하지 않고 새롭게 해석하여 받아들인다는 말은 그야말로 원론적이 얘기다. 물론 문화에는 그런 속성이 있다. 하지만 지금과 같은 세계화 시대의 문화 수용에는 적용되지 않는다. 그 성격이 과거와는 완전히 다르기 때문이다. 세계화의 중심축은 경제세계화다. 강력한 힘을 가진 자본이 모든 지역의 문을 열고 상품화되어 온 세계에 퍼지고 있다. 과거에는 한 지역이 그 나름의 탄탄한 문화적 경계를 형성한 가운데 타 문화를 수용했다. 하지만 지금은 어떤가? 막대한 자본력을 갖춘 할리우드 영화가 특정 국가의 영화시장을 잠식하고 있다는 사실을 부정하기 어렵다. 할리우드는 우리 영화시장의 완전 개방을 요구했다. 유럽의 영화시장 또한 미국 영화에 사실상 잠식당하고 있다.

문화는 다른 문화와의 충돌 속에서 더 발전해 나간다는 이론은 세계화 속에서의 문화 잠식 현상에 대한 반론으로 힘이 약하다. 그 말대로라면 할리우드의 영화 기술을 각국이 발전적으로 받아들여 양질의 영화를 만들어내고 다양한 영화들을 전 세계가 보고 있어야만 한다. 하지만 과연 그런가?

2 세계화가 문화의 다양성을 높인다고? 지역의 고유 문화는 이미 쇠퇴 일로에 있다

세계화의 중심에는 미국이 있다. 소비문화로서 침투한 미국과 서구 중심의 세계화는 힘 없는 민족의 문화적 정체성을 위협한다. 물론 그 중에서 약소국의 일부 특수한 문화가 세계에 널리 알려지고 사랑을 받는 경우가 있긴 하지만, 어떤 결과들이 더 크게 나타나는지 살펴봐야 한다. 서구문화가 문화약소국의 문화를 지배하고 정체성을 흔드는 경향이 훨씬 크다.

사람들은 맥도날드를 '꺼지지 않는 불'에 비유한다. 전 세계 곳곳에 자리잡고는 그 지역의 식생활 문화를 획일적으로 변화시키고 있다. 스타벅스는 어떤가? 우리나라만 보더라도 몇백 미터 간격으로 스타벅스가 들어서 있다. 우리 고유의 문화를 담은 커피전문점은 맥을 못 추고 있는 실정이다. 아시아나 아프리카의 청년들은 외국 상표의 청바지를 입고 콜라를 마시며 팝음악을 듣는다. 어린이들은 유치원 때부터 영어 공부를 한다. 할리우드 영화는 이미 전세계 영화 시장을 장악하고 있다. 경제의 세계화가 각국의 상품들을 더 발전시켜 세계시장에서 유통되게 한다는 본래의 취지는 무색하다. 미국과 서구의 거대 기업들이 승자독식하고 있듯이, 문화도 마찬가지다. 세계화로 인해 문화의 다양성이 높아진다는 것은 빛좋은 개살구식 사탕발림이다. 이미 지역 고유의 독특한 정신과 문화는 쇠퇴하고 있는 현실이다.

3 문화상품의 소비는 가치관의 변화와 함께 고유 문화에도 영향을 준다

문화상품의 소비는 다른 상품의 소비와 다르다. 생활은 물론 가치관을 변화시킨다. 정신적 가치를 중요시하는 지역에 서구의 물질주의적 문화상품이 전해지면서 본래의 가치관이 변화하는 경우를 너무나 많은 지역에서 목격했다. 만일 우리가 다른 나라의 영화를 본다고 하면, 우리도 모르는 새에 그들의 생활방식과 가치관을 알게 된다. 상대적으로 가난한 나라의 사람들은 영화를 보면서 경제적 풍요로움에 기반한 외국과 서구문화를 자연스럽게 동경하게 된다. 이러한 과정이 반복되고 축적되면서 서구 중심의 획일적 문화가 그 지역에도 자리잡게 되는 것이다.

우리는 지금 자본주의 소비문화 시대를 살고 있다. 이 얘기는 문화상품의 소비가 문화 자체를 소비하는 것과 별반 다르지 않다는 뜻이기도 하다. 우리나라 청소년들이 애용하는 음식이나 상품, 패션 등은 이미 서구화됐다. 우리 고유의 문화와 가치관 등은 찾아보기 힘들다. 반면 세계 속에 자리 잡은 미국의 문화상품은 다른 어떤 제품보다 크게 성장하고 있다. 그 뒤에는 거대자본이 자리하고 있으며 상업적 대성공을 거둔 문화상품을 세계에 강요하고 문화의 보편화를 꾀하고 있다. 이것은 문화의 획일적 세계화를 보여주는 중요한 단면이다.

플러스 상식 [+]

"미국인들은 우리의 잠재의식을 식민지배하고 있다."

빔벤더스 감독의 영화 <시간의 흐름 속으로>(1976년)에 나오는 등장인물이 경탄의 감정을 실어 마치 불평처럼 내뱉는 대사의 한 부분이다. 감독 섭외를 받자 마자 할리우드의 전설인 존 포드 감독이 애용했던 장소인 유타주 모뉴먼트밸리를 촬영지로 선택한 독일인 감독이 연출한 로드무비라는 점을 감안한다면 그리 놀라운 일도 아니다.

영화의 종주국을 대하는 벤더스 감독의 그러한 이중적인 태도는 '피지배자들'이 공통적으로 품고 있는 감정을 그대로 표출하고 있으며, 종종 지배국 내부에서도 많은 이들이 그와 비슷한 생각을 공유하고 있다. 아메리칸 드림의 요소를 영화 속에 투영시키는 헐리우드만의 재주는 부정하기 힘든 현실일지 모르나 미국 이외 지역의 영화 관객들은 그러한 정신적인 침략에 불편한 속내를 감추지 못하고 있다. 그래서 매년 칸느 영화제에 참석하는 영화 관계자들이 농담조로 유력한 황금종려상 후보작에 미국에서 제작된 반미 영화를 꼽는 것도 어쩌면 당연한 결과라고 볼 수 있다.

토마스 도허티, '미국 영화의 어떤 점들이 미국적인가?' 중에서

토론해 봅시다

1. 세계화의 진전은 미국 중심의 획일적인 서구문화를 강요하고 있는지, 문화적 다양성이 보장되는 토대를 제공하고 있는지 구체적인 사례를 들어가며 토론해봅시다.

2. 여러분이 애용하고 있는 음식, 상품, 패션 혹은 주거환경에서 한국 고유의 문화가 변질된 사례가 있는지 생각해봅시다.

3. "가장 한국적인 것이 가장 세계적인 것이다"라는 말의 의미가 무엇인지 생각해보고, 이 말이 현 시점에서 타당한 것인지 말해봅시다.

실전 gogo

우리나라는 아직 문화다양성협약을 비준하지 않고 있습니다. 문화다양성협약을 조속히 비준해야 할지, 여타의 자유무역협정을 고려하여 비준을 포기해야 할지 자신의 의견을 적어봅시다.(300자)

전통을 계승 발전시켜야 하나

우리나라가 근대화 과정을 겪을 당시 서구 문물이 물밀 듯 밀려들어왔다. 그때는 전통이 중요한 화두도 아니었으며 전통이란 '과거의 것' '낡은 것'으로 사회발전의 장애물처럼 치부되었다. 그러나 고도성장을 거쳐 IT 기술의 발달로 세계의 담장이 허물어진 지금, 일상에서 한국 고유 문화를 찾아보기 어려운 상황에 처했다. 이는 자기정체성의 혼란이란 문제를 낳았고, 우리에게 전통이란 무엇인지 새삼스런 화두를 던져주고 있다. 전통이란 무엇이고, 전통의 계승과 발전이 꼭 필요한 일인지 생각해보자.

키워드로 읽는 논쟁

1. 전통傳統이란?

전통이란, 하나의 유산遺産으로 전래되고 전수되는 것을 말한다. 다시 말하면 '전통'이란 '지난 세대에 있었던 무언가가 그 이후에 계통을 이루어 전해지는 모든 것'이다. 전통은 물질적인 것뿐 아니라 보이지 않는 신념, 관행, 제도 및 정신적·심리적 측면까지를 아우른다. 간단히 말해 옛날부터 살아온 생활방식이라고 볼 수 있다. 그런 점에서 전통에는 풍속과 주거형태, 건축양식, 음악, 미술, 종교, 사상, 가치관 등 다양한 영역이 포함된다. 좁게는 과거로부터 전해진 문화유산만을 말하기도 한다.

하지만 전통은 과거로부터 연속성을 가진 것만을 의미하진 않는다. 어느 시대에는 잊혀져 있던 것이 후대에 와서 전통으로 되살아나는 일도 빈번하다. 왜냐하면 전통은 당대의 취향과 필요에 따라 재평가되기 때문이다. 문화유산의 재평가가 전통의 기본이기 때문에 단순히 옛 것, 인습因習, 또는 누습陋習은 전통이라고 보지 않는다. 따라서 전통은 종종 현대적 가치와 충돌을 일으키곤 한다.

2. 전통이 현대적 가치와 충돌하는 이유는?

전통 역시 일종의 가치체계라 볼 수 있다. 과거로부터 전해진 문물뿐 아니라 생활방식이나 가치관 등을 모두 포괄하고 있기 때문이다. 대개 사회가 급변하면 그 요인이 외래적인 것이든, 기술의 발전에서 기인한 것이든 종래에 이어오던 생활방식이나 가치관을 변화시킨다. 이때 전통적 가치와 현대적 가치가 충돌하고 이는 세대 간의 차이에 의해 보다 극명하게 드러난다. 우리의 경우 근대화를 겪으며 전통적 가치와 현대적 가치가 극심한 충돌을 겪었고 그 과정에서 산업화에 밀려 전통의 상당부분이 폐기되기도 했다. 즉, '전통'이 '과거의 것' '낡은 것'으로 사회발전의 발목을 붙드는 장애물처럼 치부됐던 것이다. 현대화의 과정을 거치며 밀려든 서구문물과 우리의 동양적 가치가 충돌하는 부분이 많았기 때문이다.

3. 전통적 가치관과 서구의 현대적 가치관

우리의 전통적 가치관은 대체로 조선시대의 유교윤리에 토대를 두고 있지만, 그렇게 단순화시키기는 어렵다. 불교나 도교의 영향도 적지 않기 때문이다. 우리는 전통적으로 농경사회를 중심으로 하는 가족중심의 윤리를 중시했고, 그 결과 효를 최고의 가치로 삼았으며, 이웃과 어울려 살아가는 공동체의식을 강조해왔다. 이에 비해 서구의 현대적 가치관은 산업사회의 바탕 위에 마련되었다. 자연히 개인의 권리와 자유를 중시하고, 정신적 가치보다 물질적 가치를 우선시하는 경향이 강하다. 이런 차이는 매우 극명한 편이어서 우리사회가 농경사회에서 근대화를 거쳐 산업화되면서 어쩔 수 없이 서구적 가치관과 전통적 가치관이 충돌하게 되었다.

4. 왜 '전통'에 대해 생각해야 하나?

어떤 문화권에서건 전통이 문제가 된 시기는 변화의 시기다. 변화의 시기는 본래의 자기정체성이 동요하는 시기고, 자기정체성의 동요는 일반적으로 바깥으로부터 주어진 모종의 충격에서 비롯되는 경우가 많다. 그리고 이러한 충격은 내부의 반성을 촉발하고, 이 지점에서 전통의 문제가 불거져 나온다.

한편 전통의 문제에 주목하게 된 배경은 세계화와 관련이 깊다. 즉, 전 지구적으로 이루어진 세계화는 문화적 측면에서 또 다른 문제를 낳는데, 힘의 우위에 있는 선진국의 문화가 제3세계를 비롯한 약소국에 급격히 유입돼, 본래의 전통 문화와 가치를 파괴하고, 그 자리에 서구의 선진문화를 강제로 이식하게 된 것이다. 더구나 IT 발달로 유입된 서구의 가치관과 생활방식은 전통적으로 형성된 각 나라의 생활패턴을 완전히 바꿔버렸고, 나아가 스스로의 전통을 하찮게 여기게 만들어 결국 서구의 문물에 종속되면서 자신들의 정체성을 상실하게 만들었다. 이에 세계적으로 '전통'이 화두로 떠올랐고, 유네스코에서는 2001년 문화다양성 선언*을 채택하기도 했다.

＊유네스코의 문화다양성 선언

유네스코가 2001년 제31차 유네스코 총회에서 채택한 '세계 문화 다양성 선언'은, 그동안 다양한 사업을 통해 문화다양성의 가치를 보존하기 위해 노력해 온 유네스코가 표명하는 문화 관련 중점 사항을 종합한 것으로, 문화 분야에서는 유엔이 채택한 '세계인권선언'에 버금갈 만한 가치와 파급효과를 지닌 것으로 평가받고 있다.

개략적인 내용을 보면, 문화는 시공간에 여러 형태로 나타나고, 문화의 다양성은 인류를 구성하는 집단과 사회의 정체성과 독창성을 구현하는 중요한 가치이며, 생태 다양성이 자연에 필요하듯 인간의 삶에서 문화 다양성이 꼭 필요하다고 선언한 것. 유네스코의 문화다양성 선언은 문화가 예술의 영역만이 아니라 사람의 총체적 생활양식을 두루 아우르는 개념이라는 점을 자각, 인간다운 삶을 위해 인권이 필요한 것처럼 문화권리 역시 인간 사회에 꼭 필요한 것이라는 점을 일깨우고 있다.

전통의 계승과 발전, 꼭 필요한 일인가

"전통 계승, 중요해"

1 계승과 발전은 전통의 속성이다

전통이란 특정 민족이 함께 생활해오면서 생겨난 것으로, 오랫동안 사람들이 본래 가치가 있다고 평가하고 수용하면서 발전해온 것을 말한다. 핵가족화, 개인주의가 만연한 현재까지도 명절이면 가족과 친지들이 모이는 이유는 사회가 변화해도 가족을 중시하는 우리 전통이 여전히 존중받아야 할 가치를 가지고 있기 때문이다.

전통은 단순히 낡고 오래된 것을 뜻하는 말이 아니다. 전통은 계승 발전하며 새롭게 탄생하는 속성을 가지고 있다. 옛것의 현대화인 셈이다. 이에 관한 예는 무수히 많은데, 동양의학과 서양의학의 관계를 살펴봐도 알 수 있다. 서양의학은 20세기 세계 의학을 주도해왔는데, 얼마 전부터 동양의학을 비롯해 각 문화권의 전통의학, 민간요법을 대체의학이라는 학문적 범주에 귀속시켜 연구를 계속하고 있다. 이 사례만 봐도 전통이 어떻게 새롭게 재창조되는지 알 수 있다. 또한 전세계 젊은이들이 즐기는 팝, 록, 리듬 앤 블루스, 재즈, 테크노 등 수많은 대중음악은 아프리카의 전통이 뿌리를 내리고 꽃을 피운 것이라고 말한다.

물론 우리나라를 비롯해 자발적으로 근대화 과정을 겪지 못한 많은 나라들에서 전통의 맥락이 끊긴 것처럼 보이는 경우도 많다. 하지만 이것은 전통이 낡고 오래돼 시대의 변화에 따라 자연스럽게 소멸되었기 때문이 아니다. 세계화 과정에서 주체적으로 자신의 것을 지키지 못하고, 서구 문화에 무분별하게 이끌려오면서 나타난 문제점일 뿐이다. 과거 새마을 운동 당시 우리나라도 전통 문화를 사회 발전을 가로막는 낡은 것으로 치부했던 것이 사실이다.

하지만 최근 들어 전통을 복원하려는 움직임들이 대두되면서 이러한 문제점을 시정하고, 새롭게 전통을 계승 발전시키려는 움직임이 늘어나고 있다. 전통을 복원하려는 움직임이 문화산업에 어떻게 나타나는지 주목할 필요가 있다. 전통은 당대의 취향과 필요에 의해 새롭게 계승하고, 발전하기 때문이다. 복원된 전통이 문화산업에 어떻게 스며들었는지 살펴보면 지금 우리가 무엇을 선호하고 어떤 필요를 느끼는지 알 수 있을 것이다.

2 전통은 무분별한 외래 문화의 폐해를 막을 수 있다

자극적이고 향락적인 국적 불명의 문화가 우리 사회를 지배하고 있다. 생활 형태와 사고방식도 서구화되어 우리 고유의 전통적 가치가 사라진 지 오래다. 일제 식민지를 겪느라 자발적인 근대화 과정을 놓쳤고, 외부의 힘에 밀린 근대화 결과, 우리의 전통은 계승, 발전의 과정을 밟지 못한 채 무익한 것, 낡은 것으로 치부돼 버렸다. 게다가 IT 기술혁신과 급속히 진행된 세계화, 지구화 과정은 우리의 전통과 문화를 소외시키고 약화시켜 흔적도 찾아보기 힘들게 만들었다.

이와 같은 서구문화의 무분별한 수용과 전통문화에 대한 인식 부족은 자기 정체성의 상실이라는 심각한 문제를 낳는다. 그리고 정체성의 상실은 우리가 속한 공동체의 위기로 이어지고, 사회의 자주적인 힘을 약화시켜 강대국에 대한 의존성을 높인다. 그러다 결국에는 우리의 뿌리마저 잃게 만든다.

최근 세계 곳곳에서 일어나는 전통 복원의 움직임은 옛것을 지키자는 단순하고 소박한 요구가 아니라 자국의 역사를 이끌어온 당당한 혼과 자생력을 회복하자는 절박한 움직임이다. IT 기술혁신에 따른 세계화는 약소국의 문화전통을 파괴하고 일방적으로 경제력 있는 서구문화를 이식했다. 그 결과 다양한 지역의 다양한 전통이 소멸해갔다. 이러한 폐해의 심각성 때문에 유네스코가 문화다양성 선언을 채택한 것이다. 전통의 몰락은 다원화된 사회를 지향하는 인류의 미래에 역행하는 것으로, 이를 극복하기 위해서는 각 나라가 저마다의 고유한 전통을 되살리고, 그 무한한 힘을 복원하여 창조적으로 계승, 발전시킴으로써 문화의 다양성을 살려야 한다는 취지다.

더구나 최근 들어 산업의 지형도가 바뀌어 문화콘텐츠가 국가경쟁력을 강화하는 막강한 품목으로 급부상 중이다. 따라서 한편에서는 각 지역의 전통의 힘을 산업의 힘으로 전환해 국가발전을 이루어 선진국에 쏠린 세계화의 흐름을 막을 동력을 만들자고 주장하고 있다. 지금이야말로 전통의 가치를 복원해 외래문화에 대항할 수 있는 힘을 창조적으로 발전시킬 때다.

"전통, 의미 없다"

1 전통은 생활양식을 반영한 것이므로, 생활양식이 변하면 자연히 새롭게 대체되어야 한다

전통, 혹은 전통적 가치관 등은 그 시대의 고유한 삶을 반영한 것이라고 할 수 있다. 샴푸가 없던 시절에는 창포로 머리 감는 것이 자연스럽고, 석유가 없던 시절에는 호롱불을 밝히는 것이 당연하고, 화학섬유가 발전하지 않았던 시대에는 누에고치로 비단을 엮고, 목화로 실을 자아 천을 만들어 손바느질로 한복을 지어 입는 것이 당연하다.

흔히 농악이라고 하는 풍물놀이의 경우를 보자. 농경사회의 제천의식이나 집단 노동을 위한 율동에서 출발해 놀이와 축제로 발전해온 풍물놀이는 각 지역의 특징을 반영하여 다양하게 발전해온 고유한 전통놀이였다. 즉, 풍물놀이는 농업 공동체 사회의 삶을 반영한 문화로, 함께 모내기를 하고, 수확을 했던 마을 공동체가 자연스럽게 어울려 즐기던 축제였던 셈이다.

그런데 지금처럼 개인주의가 발달한 현대사회에서 풍물놀이가 현대인의 놀이와 축제일 수 있을까? 전통이란 이름으로 풍물놀이를 펼치면서 함께 즐기자고 하는 것은 억지스러운 일이요, 낡은 것으로 보일 수밖에 없다. 또한 마을 마당에서 흥겹게 벌어지던 잔치를 현대의 무대 위에 재현하는 것을 두고 전통이라고 부를 수 있을까? 명절과 제사 문화만 해도 그렇다. 전통적 가치로서 장점이 있지만, 현 문화관습과 충돌하는 지점은 너무나 많다. 그 안에는 가부장적 질서가 여전하고, 마지못해 형식적으로 전통을 고수하는 가정도 많다. 유교전통은 또 어떤가? 유교문화를 어떻게 새것으로 현대화할 수 있다는 얘기인지 이해할 수 없다.

인간의 생활양식은 변화하고, 따라서 전통은 새로운 것으로 대체되는 것이 자연스럽다. 옛 풍습이 자연친화적이라는 장점은 있지만, 손수 염색을 해서 옷을 지어 입으며 살 수는 없는 노릇이 아닌가. 설사 전통적인 그 무엇을 현대화시켰다고 해도 이는 본래의 시대 상황에 맞춰 지니고 있던 의미를 상실한 채 껍데기만 가져온 것에 지나지 않는다. 전통이란 시대의 변화에 따라 사라져가고, 새로운 것으로 대체되는 게 맞다.

2 세계의 벽이 허물어졌고 외래문화의 유입은 너무나 자연스러운 현상이다

세계가 하루가 다르게 변화하는 이때, 현재의 상황을 '밖으로부터 강요된' 것이라고 주장하는 것은 그야말로 시대착오적인 말이다. 이미 세상은 과거와 비교할 수 없을 만큼 변화했다. IT 기술혁신에 따른 미디어의 발달을 보라. 나라마다 실제적인 거리가 좁아져 국가 간의 장벽이 무색해졌고, 나아가 민족이라는 구분 자체도 점점 무의미해져가는 상황이다.

세계화의 시대에 외래문화의 유입은 너무나 자연스러운 현상이다. 문화란 서로 합쳐져서 또 다른 문화를 낳는 속성이 있다. 지나치게 전통을 고수하면서 외래문화를 배격할 것이 아니라, 자연스럽게 외래문화를 흡수, 통합하여 질적으로 다른 현대적인 문화를 창조하기 위해 노력해야 한다. 외래문화 유입에 따른 문제점을 극복할 수 있다. 물론 세계화 과정이 약소국의 문화전통을 일방적으로 잠식하는 면도 있다. 또한 이 때문에 약소국의 문화정체성이 약화되고 있는 것도 사실이다. 다원화된 사회를 지향하는 지금, 문화다양성의 확보를 위해 각 민족의 전통문화를 복원하고 힘을 키우는 데 노력을 기울일 필요도 있다.

하지만 이러한 노력이 과도하게 자문화중심주의로 흐르는 것은 경계해야 한다. 우리의 것만 고수하는 폐쇄적인 태도 역시 바람직하지 않다는 얘기다. 인류는 세계화라는, 디지털혁명 시대라는 새로운 상황을 맞이하고 있고, 따라서 이에 걸맞은 문화를 꽃피우기 위한 시간이 필요하다. 이 새로운 시대의 특징은 '융합'이다. 전통을 계승 발전시킨 지역의 문화가 세계화의 폐해를 막는다는 주장은 낡은 관념이다. 이미 전지구가 하나의 나라처럼 움직이는 시대에 살고 있다. 전통의 고수와 계승·발전이 문제를 해결할 수 있는 해결책이 아니다. 이는 도리어 세계화의 과정 속에서 제대로 융화되지 못하고, 결국 경제적, 문화적으로 도태되는 결과를 낳을 수도 있다. 전통에 대해서도 유연하고 창의적이며 융합적인 생각을 새롭게 가질 필요가 있는 것이다.

토론해 봅시다

1. 전통적인 것과 현대적인 것이 조화롭게 공존할 수 있을까요? 실제적인 사례를 들어 토론해봅시다.

2. 전통을 계승 발전시키는 것이 민족의 자기정체성을 강화하고 미래의 발전에 있어 꼭 필요한 일이라고 생각하는지, 전통에 집착하는 것이 현대사회의 발전을 저해하고 갈등과 혼란만 야기하니 불편하다고 생각하는지, 찬반으로 나누어 토론해봅시다.

실전 gogo

'가장 한국적인 것이 세계적인 것이다'라는 말이 어떤 의미인지 설명하고, 이 말이 타당한 것인지 적어봅시다. (500자)